サラ・フライヤー　井口耕二 訳

インスタグラム

Instagr

野望の
果ての

NEWS PICKS
PUBLISHING

Sarah Frier
No Filter
The Inside Story o

agram

インスタグラム：野望の果ての真実

マットに

目次

第2章 成功の混沌

第3章　驚き

第4章 天国と地獄のはざまの夏

第5章 「さっと動いてどんどん打ち破れ!」

第6章 君臨

第7章 新たなるセレブの誕生

第10章 共食い

第11章 他のフェイクニュース

第12章 CEO

※日本語版特別コンテンツは下記サイトに掲載。
https://nppub.page.link/ig

・日本語版解説（NewsPicks記者・岡ゆづは執筆）
・原著者によるアップデート

本書の取材について

本書は、インスタグラム［Instagram］の内実を語ろうとするものである。現社員や元社員、現幹部や元幹部、インスタグラムでキャリアを築いた人々、さらにはライバル社の関係者など、何百人もの人々が時間を割き、ジャーナリストに語ったことのなかった記憶を語ってくれなければ、本書は生まれえなかった。

創業者ふたりには、数年にわたり、何度も話を聞くことができた。

フェイスブック［Facebook］の協力を得られ、その結果、社員や幹部に20回以上も取材できたし、創業者ふたりが去った後、インスタグラムの長となった人物に話を聞くこともできた。

創業者ふたりと買収した側の間には不協和音が生じているし、私はフェイスブックについて批判的な記事をブルームバーグニュースに書いているしと難しい面があるにもかかわらず、本書が可能なかぎり的確な記述になるのが大事だと、みなさん、賛同してくださった。取材を申し込んだ相手が応じてもいいかと創業者やフェイスブックに尋ねることも少なくなかったが、そういう場合、かまわないとの回答が返ってくることが多かった。最終的にどういう書き方になるかわからないにもかかわらず、である。このあたりは、創業者ふたりもフェイスブックもすばらしいと私は思う。

もちろん、改めて許可を得たりせず、あるいは会社に知らせることなく、話をしてくれた人が大半だ。これは、入社時にサインした厳しい守秘義務契約に抵触する恐れのある行為である。ジャーナリスト以外は、フェイスブック本社を訪れたとき、セキュリティで守秘義務契約にサインしないと、社員に会わせてもらえないほどなのだ。だから、ほとんどの人は、取材に応じたり文書などを提供してくれるにあたり、匿名が条件となっていた。

このような条件だったことが、本書がいまの形になった、すなわち、さまざまな人の記憶を織り込み、すべてを知る神の視点から私が物語るという形になった理由である。報道された記事を参照したところについては巻末に出典を記してあるが、取材に応じてくれた方々を守るため、各情報をだれから聞いたのか、つまびらかにすることは避けた。実名を出すことを条件に取材し、そこから引用するのは、世界に対するインスタグラムのインパクトを深く理解するのに役立つ視点を提供してくれるセレブやインフルエンサーなど、部外者を登場させる場合にかぎることとした。

本書の取材に取りかかって以来、私は、マーク・ザッカーバーグに直接取材すべく、折衝をくり返した。フェイスブックCEOのザッカーバーグは、過去何度も取材しているし、2018年には、10時間にわたって米国議会で証言するのもじっくり見た。彼はいま、世間からは悪玉的な存在だと見られるようになっている。本書は、これまでフェイスブックについて書かれてきたさまざまなことをふり返り、当時は理解しきれなかったことまで掘り下げるいい機会になるはずだ。私は、そう、広報部に申し入れた。

難しい質問も多いはずだが、答えやすいものもある。たとえば、なぜ、ザッカーバーグはインスタグラムを買おうと思ったのか、だ。彼がブログに書いたような話ではなく、もっと心の内に迫るストーリーが聞きたい。なにをどう考えたのか、決断のきっかけはなんだったのか。201

2年4月の木曜日、電話に手を伸ばし、インスタグラムをなるべく早い時期に買う道を歩き始めたきっかけはなんだったのか。単純に買うのではなく、独立性を保証すると約束までしたのはなぜなのか。

執筆の締め切りまであと1カ月というタイミングで、フェイスブックの広報からメールが届いた。私の疑問にザッカーバーグが答えてくれるという。

「簡単なことさ。すばらしいサービスであり、その成長を後押ししたいと思ったからだ」

これだけだった。しかたがないので、ほかの人々の記憶から、節目節目にザッカーバーグがなにを言ったのかを再現し、また、側近に語った内容からなにを考えていたのかを推測することで、全体像を描き出すことにした。ほかの人々はこう語っているがとフェイスブックに確認を入れはしたが、このあたりについてコメントが返ってくることはほとんどなかった。

本書で紹介している言葉は、必ずしも当人が語ったとおりとはかぎらない。基本的に、自分はこう言ったと記憶しているとおりを、みな、語ってくれている。だが、もっと細かなところまではっきり覚えている人がほかにいる場合もある。ちなみに、取材で私とやりとりした内容については、そのまま紹介している。インスタグラムの旅を関係者が記憶している形で描きたいと思ったからだ。

だが、昔の話は、それが本人自身の考えや言葉であっても、簡略化されていたり、記憶違いがあったり、ほかの人の話と食い違うものだったりすることがある。インスタグラムの物語は10年以上にわたるのだから当然である。だから、本書は、私以外のフィルターをかけることなく、真のインスタグラム物語が提供できるように、私にできるかぎりの努力をした結果である。

イントロダクション

創業者の苦悩と決断

いま、インスタグラムのユーザーは月間10億人を超えている。我々は、料理、自分自身、お気に入りの風景、家族、興味を引かれるものなどなんでも写真や動画を撮り、共有する。自分はどういう人なのか、どういう人になりたいのかが示せるのではないかと思いつつ。そして、このような投稿や他のユーザーとふれ合い、関係性を深めたり、人脈を広げたり、パーソナルブランドを作ったりしていく。いまはそういう時代なのだ。どういう経緯でそうなったのかやそれがなにを意味するのかまで考えることはほとんどないだろう。

だが、そこまで考えるべきなのだ。インスタグラムはスマホがいまほど使われるようになるきっかけとなったアプリのひとつで、その登場により、我々は、デジタル世界で認められることを求め、カメラを通じて人生を体験するようになった。インスタグラムの物語をふり返れば、どういうユーザーの声に耳を傾けるのか、どういう製品にしていくのか、成功をどう測るのかなど、ソーシャルメディア企業の判断や決断が我々の暮らしにどれほどのインパクトを与えるのか、また、経済的な利益を手にするのはだれなのかをどれほど左右するのかなど、圧倒的な学びを得ることができる。

本書で、私は、我々の興味関心に大きな影響を与える製品について、なにをどうすべきか、共同創業者のケビン・シストロムとマイク・クリーガーが悩み、決断していく過程の舞台裏を紹介したいと思う。

彼らが下した決断は、いずれも、ドラマチックなまでの波及効果を生み出した。たとえば、買収提案に応じる決断は、インスタグラムの長期存続を確実にするとともに、ソーシャルメディアの巨人、フェイスブックの力をさらに強めることとなった。

買収後、創業者ふたりは、成長至上主義で実利一辺倒のフェイスブック文化に幻滅・抵抗し、考えに考えて製品を作っていった。輝いているユーザーのストーリーをインスタグラムがみずから語るという形で、人々の評価を誘導しつつ。これが大成功し、インスタグラムは、フェイスブックやそのCEO、マーク・ザッカーバーグに脅威とみなされるほどになってしまう。

創業者ふたりにとっての物語は、2018年、緊張が高まるなか、会社を去るという形で終わったが、我々にとってはいまだに続いている。インスタグラムは我々の暮らしに密着していて、その影響力抜きに事業を語るのは無理がある状態だ。学校であれ、興味関心で集まるコミュニティであれ、あるいは世界全体であれ、文化的なつながりを考える場合にも欠くことができない。いいねやコメント、フォロワー、ブランドとの取引といった形を通じ、デジタル世界で認められたいと願う人が世界中にたくさんいるようになった。

資本主義とエゴのぶつかり合い

フェイスブックの内側においても外側においても、インスタグラムの物語は、最終的に、資本主義とエゴのぶつかり合いなのだと思う。作り上げたものを守るためなら、また、勝ち組だと見えるようにするためなら、どこまでがんばるのかと言ってもいいだろう。

インスタグラムは、前代未聞のセレブ製造機となっている。インフルエンサーの分析で知られるダブテイル［Dovetale］によると、フォロワーが5万人いれば、ブランドの依頼に応じた投稿で暮らせる程度の収入が得られるというのだが、そのレベルなら、2億人以上のユーザーがクリアしている。これがフォロワー100万人以上だと0・01％になるが、インスタグラムは規模が規模なので、0・0063％でも600万人を超える。

こういうインスタセレブの大半は、インスタグラムの活用で有名になった人々である。ニューヨークタイムズ紙の定期購読者より多いフォロワーを持つユーザーやブランドが何百万に達していると言えば、そのすごさがわかるだろうか。彼らは流行を生み出す、物語を語る、エンターテイメントを提供するなどメディア企業と同じことをしており、彼らを通じたマーケティングは、いま、10億ドル単位で数えられる一大産業となっている。

「インスタ映え」

このような活動は社会のあらゆる側面に浸透しており、インスタグラムを使っているか否かにかかわらず、その影響から逃れることはできない。ホテルやレストランから大手ブランドにいたるまで、消費者の興味関心を惹きつけたいと願うところは、ビジュアルなコミュニケーション方法に合うよう戦略を修正し、インスタグラムに上げる価値のある写真が撮れるように空間の設計もマーケティングのやり方も変えている。フェイスブックやツイッター［Twitter］の影響を目《ま》の当たりにするのは難しいが、インスタグラムの影響なら、商業施設、製品、さらには家屋の設計にも簡単に見ることができる。

本書はサンフランシスコのレンタルオフィスで書いているのだが、ここの図書室は、書名や著者名ではなく、色で本が並べられている。本がみつけやすいことよりインスタ映《ば》えを優先すれば、こうなるわけだ。マンハッタン発祥のバーガーチェーン、ブラックタップでは、ケーキ一切れをトッピングした超ハイカロリーのミルクシェイクを発売したところ、何カ月ものあいだ、これを買う行列ができたという。食べ切れないとわかっていても写真は撮りたい。みな、そう思うわけだ。なお、「インスタ映え」は日本で生まれ、英語に輸入された言葉である。服にせよサンドイッチにせよ、インスタ映えすればするほど、社会的あるいは商業的に成功する可能性が高くなる。

ロンドンの大学生からは、インスタグラムのフォロワー数が多いとキャンパスでリーダー的役割に抜てきされやすいと言われた。ロサンゼルスの女性は、まだお酒が飲めないほど若いのに、インスタグラムのフォロワーが多いので、あるクラブで特別なイベントがあると、プロモーターに頼まれて出席するのだと語ってくれた。インドネシア人からは、毎夏、日本の学校に行かせた娘にスーツケース何個分もの商品を持ち帰らせ、その写真をインスタグラムに投稿して売りさばいているという話を聞いた。アパートのキッチンでお菓子屋さんを始め、「アイ・ラブ・ユー」と読める形のドーナツでフォロワーを何万人も獲得したブラジルのカップルからも話を聞いた。

インスタグラムで人生を変えた人々

インスタグラムでキャリアが前進したり、それこそ、セレブの帝国が大きく発展することもある。リアリティ番組で知られるカーダシアン＝ジェンナー家のマネージャー、クリス・ジェンナーは、インスタグラムを活用した結果、『カーダシアン家のお騒がせセレブライフ』を超えた仕事ができるようになった、1日24時間年中無休でコンテンツとブランドプロモーションのサイクルを回せるようになったと語ってくれた。毎朝、4時半から5時、カリフォルニア州ヒドゥンヒルズにある宮殿のような自宅で目を覚ますと、まず、インスタグラムをチェックするそうだ。

「インスタグラムを見れば、家族の様子も孫の様子も、仕事の状況も、すべて確認できます。子どものことも、みんな、です。なにをしているのか。起きているのか寝ているのか。仕事の写真はちゃんと時間どおりアップロードしているか。みんな、楽しんでいるのか」

インスタグラムのスケジュールは、事務所に貼ってあるほか、毎朝毎晩、プリントアウトが手元に届くようにしてある。彼女やその子どもたち、カーダシアン＝ジェンナー家のメンバーは、アディダス、カルバンクライン、スチュアートワイツマンなどさまざまなブランドと契約しているし、自分たちの化粧品ブランドも立ち上げている。キム・カーダシアン・ウェスト、カイリー・ジェンナー、ケンダル・ジェンナー、クロエ・カーダシアン、コートニー・カーダシアンの娘5人を合わせると、フォロワー数は5億人を超えている。

取材当日、ピンクがテーマのインスタ映えするパーティで娘のカイリーがスキンケア製品を立ち上げる予定になっていて、クリスも出席するとのことだった。クリスは、そのカイリーから口紅の事業を立ち上げたい、お店に製品を卸すことなくインスタグラムだけでやりたい、どう思うかと尋ねられた日のことを語ってくれた。

「こう言ったんです。あなたが大好きな色、３色のセットにしなさい。大人気になって飛ぶように売れるか、ぜんぜん売れなくて、そのあと一生、その３色を使い続けることになるか、どちらかなんだからって」

２０１５年、ふたりはクリスのオフィスから、リンクをインスタグラムに投稿した。瞬殺だった。目を疑ったとクリスは言う。

「わけがわかりませんでした。大成功なの？　ウェブサイトがクラッシュしたとか？　なにが起きたの？」

まぐれ当たりではなかった。こうするのがいいと彼女が言えば、みんなそのとおりにする――それだけの話だった。以来、インスタグラムで新製品を発表するたび、売り出しの瞬間に10万人以上が殺到。そして、４年後、21歳になったカイリーは、「自力で」ビリオネアとなった最年少記録だとしてフォーブス誌のカバーを飾ることになる。いま、美の導師としてインスタグラムで活躍している人は、自分の製品ラインを持つのが当たり前だ。

「10億《ビリオン》」という数字の力

10億《ビリオン》という数字には不思議な力がある。事業の世界を中心に大きな節目と考えられる数字であり、その達成は並ぶもののない無敵の存在に進化したことを意味する。歓声が上がり、ニュースに取り上げられる。そういう数字なのだ。

２０１８年、前述のフォーブス誌特集によると、カイリー・ジェンナーの資産はその数字にあとわずかの９億ドルとのことだった。眉をひそめる人も多いが大人気のユーモアアカウント、@thefatjewishがこれに反応。オーナー、ジョシュ・オストロフスキーが、「カイリー・ジェンナーが10億ドル持っていない世界なんて、生きてる価値がない」と、カイリーのために1億ドルを調達するクラウドファンディングを呼びかけた。またこの話は、おもしろがった人々によって広く拡散された。

業界に激震が走る条件でフェイスブックに買収されたことにより、インスタグラムは、モバイルアプリで初めて評価額10億ドルを達成した企業となった。スタートアップだから当然だが、インスタグラムも成功するとは思えない状況だった。２０１０年に立ち上げられた当初、インスタグラムは、人気競争の場でもなければ、個人がブランディングを行う場でもなかった。人気となったのは、スマホのカメラを通して、ほかの人の暮らしぶりやなにをどう体験しているのかをかいま見ることができるからだ。

ほかの人がなにをどう見ているのか、ビジュアルに知れるというのは、驚くほど新鮮なことだった、おそらく、初めて宇宙から地球を見たとき宇宙飛行士が覚える感動に近かったんじゃないかと、19人目のユーザーとなり、ハッシュタグを考案した技術者のクリス・メッシーナは言う。インスタグラムなら、ノルウェーでトナカイを育てている人の暮らしや南アフリカでカゴを編んでいる人の暮らしに飛び込むことができる。自分の暮らしを共有し、ふり返ってみることも可能で、それもまた、意義深いものがある。メッシーナは次のように語っている。
「人間性をかいま見ることができて、あらゆるものの見方が変わりますし、なにが大事なのかも変わります。インスタグラムはそういう鏡であり、体験という形でそこに自分の姿を映すことで、我々はこの世界を深く理解できるのだと思います」

創業者が譲れなかったもの

成長の過程でも、インスタグラム創業者ふたりは、そういう発見の感覚を維持したいと考えた。思わず見入ってしまう体験で、いいねやフォロワーという報酬を求め、友だちや一般に公開することができて、思わず見入ってしまう体験を貴ぶべきだと訴え、美的な面で時代の流行を作っていった。そのため、編集という作業を通じ、インスタグラムは多種多様な視点や創造性の場として使うべきなのだと示していった。通知やメールを山のように送るなど、スパムと評されることもあるフェイスブックの戦略は慎《つつし》んだ。インフルエンサー経済を後押しするはずのツールも、導入に抵抗した。だから、インスタグラムでは、投稿にハイパーリンクを含めることもできないし、他人の投稿をシェアすることもできないようになっている。いずれの機能もフェイスブックには用意されているというのに、だ。

互いを比較したり、つながりや影響力を高めるのに使える指標は、ごく最近まで当初のままに保たれていた。インスタグラムの場合、パフォーマンスを知る方法は、「フォロワー」の人数、「フォロー中」の人数、写真に対する「いいね」とシンプルなものが三つしか用意されていない。

だが、これだけで十分にわくわくすることができる。いや、中毒性があるとさえ言える。いいねが付いたりフォロワーが増えたりするたび、ちょっとした喜びが感じられ、ドーパミンが脳の報酬系に送られるのだ。ともかく、しばらくするうちに人々はインスタグラムの上手な使い方を身につけ、社会的なステータスを高めたり、場合によっては商業的な成功まで手に入れられるようになっていった。

インスタグラムが登場したころ、スマホの写真は画質がいまいちだった。それを補正するフィルターが用意されていたことから、インスタグラムは、実際よりもよく見える場としてスタートすることになった。そして、しだいに、インスタグラムではよりよく見えるように編集加工されているのが当たり前だとの認識が広がっていく。写実性より願望や創造性が優先されると言ってもいいだろう。逆に、ありのままの姿を投稿するときには、わざわざ#nofilterというハッシュタグを付けるほどなのだ。

インスタグラムでフォロワー数最大のアカウントは、3億2200万人の@instagram。会社の公式アカウントである。当然だろう。インスタグラムが創った世界において影響力を一番持つのはインスタグラムなのだから。

2018年、インスタグラムは、彼らにとってふたつめとなる「10億」の節目、月間ユーザー数10億人を達成した。

だがその直後、創業者ふたりは会社を去ってしまった。事業の成功という階段を一番上まで上ったからといって、望んだものが手に入るとはかぎらない――この現実をシストロムとクリーガーは、いま、かみしめていることだろう。

第１章

プロジェクト・コードネーム

「私は、コードの書き方がわかるくらい危ないヤツであると同時に、会社を売れるくらい人付き合いもできる人間なのだと表現したいですね。起業家として最高の組み合わせだと思います」[1]

——ケビン・シストロム（インスタグラム共同創業者）

ザッカーバーグの誘い

中退するつもりなどない。でも、マーク・ザッカーバーグには会ってみたい。身長１９５センチの長身、角張った顔に焦《こ》げ茶の髪、軽い斜視のケビン・シストロムは、２００５年、うわさのザッカーバーグに会うことができた。スタンフォード大学の友だちに紹介されて参加したサンフランシスコのパーティで、ビールの赤いプラカップを片手に、だ。

スタートアップを創業したザッカーバーグは、そのころ、テクノロジー業界に神童あらわると騒がれていた。ハーバード大学で立ち上げたフェイスブック・ドット・コム［TheFacebook.com］を、わずか1年で全米の大学に広めたからだ。フェイスブック・ドット・コムとは、近況を書いて「ウォール」に投稿できるソーシャルネットワークのサイトである。白い背景に青い縁取り。フォントのカスタマイズなどができる派手なマイスペース［Myspace］と違い、ごくシンプルな作りだった。このサイトがものすごい勢いで成長していたので、これ以上学生を続けても意味はないとザッカーバーグは考えていた。

スタンフォード大学にほど近いユニバーシティ・アベニューのラーメン屋、ザオ・ヌードル・バーで、シストロムは、君もそうしろとザッカーバーグに言われた。ふたりとも酒が飲める年にはなっていたが、ザッカーバーグはシストロムより25センチも背が低く、髪は縮《ちぢ》れ毛で色も薄め、肌も白いし、服装はいつもアディダスのサンダルにルースフィットのジーンズ、ジップアップパーカーなもので、かなり若く見えてしまう。ともかく、ザッカーバーグとしてはフェイスブック・ドット・コムで写真を使えるようにしたい（このころはプロフィール写真しかなかった）、だから、そのツールをシストロムに作ってくれというのである。

超絶頭がいいと崇敬するザッカーバーグに声をかけてもらえて、シストロムはうれしかった。自分は、プログラマーとして一流とは言いがたい。シストロムは、そう思っていた。スタンフォードでも、世界から集まった天才に囲まれ、自分は凡人だと感じてばかりだったし、ひとつだけ取ってみたコンピューターサイエンスのコースも、Bしかもらえなかった。

でも、ザッカーバーグが必要だと考える資質や経験があるのも確かだった。写真が好きだったし、フォトボックス［Photobox］というウェブサイトを作ってみたこともある。大きな画像ファイルをアップロードし、友だちに見せたり印刷したりできるので、所属するフラタニティと呼ばれる学生組織、シグマ・ニューでパーティをした後などに便利なサイトである。

フェイスブック・ドット・コムなんてやめておけ

ザッカーバーグにとっては、このフォトボックスだけで十分だった。えり好みができる状態ではなかったからだ。スタートアップで一番大変なのは人材の確保だし、このころのフェイスブック・ドット・コムはものすごい勢いで成長していたので、頭数をそろえなければどうにもならない。スタンフォード大学コンピューターサイエンス学科の前で会社のポスターを掲げ、クラブ勧誘さながらにプログラマーをつかまえようとしたこともあるほどなのだ。

ザッカーバーグはシストロムを焚《た》きつける。とてつもなく大きくなるものに立ち上げから関われるなんて、こんなチャンスは二度とないぞ。いまは大学生だけが対象だが、次は高校生、最終的には世界中の人が使うサービスになるんだ。資金もベンチャーキャピタリストから調達するし、ヤフー［Yahoo!］やインテル［Intel］やヒューレット・パッカード［Hewlett-Packard］より大きくなることだって考えられる。

話が終わって会計しようとすると、ザッカーバーグのクレジットカードが使えない。社長のショーン・パーカーがちゃんと仕事をしないからだとザッカーバーグは口をとがらせた。

数日後、シストロムは、キャンパス近くの丘陵地帯を散歩しつつ、担当メンターのファーン・マンデルバウム（スタンフォードＭＢＡの１９７８年卒業生）にこの件を相談した。彼女の意見は、すべてを捨ててほかのだれかの夢に賭けるのは危険だ、だった。フェイスブック・ドット・コムなんてやめておきなさい、一時のはやりでうまくいくはずがない、というのだ。

そうだろうなとシストロムは思った。もともと、スタートアップで金持ちになりたくてシリコンバレーに来たわけではない。世界トップクラスの教育を受け、スタンフォード大学を卒業しようと思って来たのだ。だから、イタリアのフィレンツェにしばらく留学することにした。ザッカーバーグには礼を尽くしてお断りしたが、その後も連絡は取り合うことになった。

芸術の都、フィレンツェ留学

フィレンツェは、フェイスブック・ドット・コムとは別の意味で刺激的だった。そもそもシストロムは、テクノロジーを仕事にすべきかどうかも迷っていたのだ。スタンフォード大学に入ったときは、構造工学と美術史を専攻しようと考えていた。将来は世界を巡り、古い聖堂や絵画の修復をしたい。そう思っていた。美を支える科学が好きだったし、ルネサンス期の建築家、フィリッポ・ブルネレスキによる線遠近法の再発見など、シンプルなイノベーションでコミュニケーションのやり方が劇的に変わるのが好きだったからだ。線遠近法登場前の西洋絵画は平板でマンガチックなものばかりだったが、１４００年代以降は絵に奥行きが生まれ、写実的・感動的なものになった。

シストロムは、モノがどう作られているのかを考えるのが好きだった。すばらしいものを作るのになにが必要なのか、それを詳細に解き明かすのが好きだった。フィレンツェでは、ワインの醸（かも）し方、靴など革細工のやり方、本物のカプチーノの淹（い）れ方など、イタリアが誇る技にどっぷりとはまった。

興味を持つと完璧を求めてとことん追求するのは、子ども時代からだ。シストロムは1983年12月生まれ。姉のケイトとふたり、ボストンから1時間ほど西に行ったところにあるマサチューセッツ州ホリストンの郊外、並木道の入り口から車でかなり入る大きな敷地に立つ2階建ての家で育った。母親のダイアンは、近くのモンスター・ドット・コム［Monster.com］やジップカー［Zipcar］でマーケティング担当バイスプレジデントをする精力的なキャリアウーマンで、ダイヤルアップ接続が登場するとすぐ、子どもたちにインターネットを使わせ始めた。父親のダグは、マーシャルズやホームグッズなどのディスカウントストアを展開するコングロマリットの人事担当役員だった。

子ども時代のシストロムは好奇心旺盛で図書館が大好きだった。また、悪魔を撃ち殺すファーストパーソン・シューティングゲーム、DoomIIも大好きだった。このゲームでは自作レベルを追加し、コンピュータープログラミングを初体験することもできた。

打ち込む対象は移り変わっていくが、いずれも熱中し、だれかれ構わずその話をした。文字どおり周りが「聞かされる」ケースもあった。全寮制のミドルセックス寄宿学校に通っていたときディスクジョッキーにはまり、ターンテーブル2台を用意すると、窓の外にアンテナを設置して、当時まだ珍しかった電子音楽を流すラジオの海賊放送をしたことがあるのだ。大好きなミュージシャンの演奏を聴こうと、未成年お断りのクラブにも、よく忍び込んだという（根が真面目なので、お酒を飲むなどはしなかった)[2]。

彼に対する評価は、好ましいとすぐ気に入るか、うぬぼれが強そうだ、えらぶってると嫌うかの両極端になる。人の話によく耳を傾けるが、同時に、それはこうすべきだと遠慮なく言いがちで、興味の対象が多様なこともあり、すごいと感心されるかあきれられるか、どちらかの反応を引き出すことが多いのだ。また、親近感を抱いてほしいが自慢はしたくないと、本当は得意なのにあまりうまくなくてと謙遜するタイプ、実際にはできるのにそこまではできないと言うタイプでもある。だから、シリコンバレーの人が相手だと、高校時代にビデオゲームやコーディングが大好きなオタクだったことはよく語るが、ラクロスチームのキャプテンをしていたことや大学のフラタニティで宴会部長だったことにはまず触れない[3]。フラタニティのブラザーにとってシストロムは、動画配信でパーティに数千人も集めることができるアイデアマンだったというのに、だ。

ちなみに、彼がプロデュースした最初の動画は、２００４年のムーンスプラッシュというもので、スヌープ・ドッグの『ドロップ・イット・ライク・イッツ・ホット』に合わせ、おかしな衣装のフラタニティブラザーが踊る動画だった。また、パーティそのものでは、いつも、ディスクジョッキーを務めていた。

正方形の写真しか撮れないおもちゃカメラ

そんな彼がずっと興味を持ち続けたことのひとつが写真である。高校生のころには「ぼくにとって世界がどう見えているのかをみんなに見せる」ことのできる媒体であり、「世界に対する新しい見方をみんなに示す」[4]ことのできる媒体だと書いているし、すごく興味を引かれているルネサンスの中心だったフィレンツェに行くにあたっては、お金を貯め、いろいろと調べて、できるかぎりシャープな描写ができるレンズとカメラを買っている。写真のクラスで使うためだ。だが、フィレンツェの先生、チャーリーは、ここは完全を学ぶところではない、そのカメラ、ちょっと貸しなさいとにべもない。[5]

設定を変えるのかなと思いながら渡すと、先生はそのカメラを倉庫にしまい、ホルガという小さなカメラを出してきた。プラスチック製のちゃちなもので、ピントの甘い正方形の白黒写真しか撮れない。そして、道具がよければいい作品ができるわけではないのだから、これから3カ月、高級カメラには触らないこと、不完全のすばらしさを学びなさいと、そのカメラを渡された。

その２００５年の冬、大学1年生のシストロムは、ぼけ気味写真のどこがいいのかといぶかりながら、あちこちのカフェで写真を撮りまくった。真四角の写真を編集で芸術作品に仕上げるという考え方は、このあともずっとシストロムの心に残ることになる。技術的に高度なほどいいとはかぎらないことを学んだのも大きかった。

次の夏をどう過ごすのかも決めなければならなかった。メイフィールド・フェローズ・プログラムにぎりぎり滑り込めたので、スタートアップでインターンをすることになっていたのだ。[6]当時のスタンフォード大学生は、インターネット産業の復活劇を最前列で見られる立場にいた。情報や事業のオンライン化が進められたのがウェブ時代の第1期で、１９９０年代後半から２００1年にバブルがはじけるまで、ゴールドラッシュのようなブームをドットコム世界にもたらした。２００５年ごろは「ウェブ２・０」などと称される第2期で、レストランのレビューやブログ記事などユーザーコンテンツを活用しつつ、ウェブサイトを対話型で印象深いものにしていく時期だった。

ザズル［Zazzle］やフィルムループ［FilmLoop］など、この第2期を推進する企業はスタンフォードの学生を勧誘するのに便利だからとパロアルトに集中しており、空き物件がどんどん減っている状態だった。[7] クラスメイトはほとんどがその辺りでインターンをするという。だが、夏休みを過ごす場所としてパロアルトはいまいちだ。

そう思っていたとき、音声サービスのトレンドを報じたニューヨークタイムズ紙の記事で、ポッドキャストのアグリゲーションサービスを展開する会社、オデオ［Odeo］のことを知った。これはおもしろそうだ。そう思い、CEOのエバン・ウィリアムズにメールを送ることにした。ウィリアムズはブログが簡単に書けるサイト、ブロガー［Blogger］を開発してグーグルに売却した人物で、テック業界の有名人である。オデオは2～3年前に創業し、サンフランシスコに事務所を置いていた。

無事インターンとして採用されたシストロムは、その夏、毎日、列車で通勤した。車でも45分ほどだが、すてきなウイスキーバーがあったりライブ演奏があったりで、列車のほうが楽しかったからだ。

ジャック・ドーシーと出会う

その少し前、エンジニアとしてオデオに入社したジャック・ドーシーは、夏中、となりに22歳のインターンが座ると聞いて気がめいっていた。一流校の起業家養成プログラムも東海岸の寄宿学校も格好はいいけど実際の役には立たず、そんな道を歩いてきた人間に創造性などないだろうと思ったからだ。

ドーシー（29歳）はニューヨーク大学中退。アナキストっぽいタトゥーにリング形の鼻ピアスと一風変わったいでたちで、アーティストを自任していた。ファッションデザイナーになりたいと夢見ることもあるという。[8] 実際には、コードで無から有を作り出すエンジニアを仕事としていたが、それはあくまで手段にすぎない。部屋代だって払わなければならないからだ。ともかく、インターンとどう接すればいいのか、わかっているタイプではなかった。

だが、ドーシーはシストロムといい友だちになった。ブラナンストリートの事務所で働く社員は少なく、そのほとんどがベジタリアンだった。[9] だからふたりはお昼のサンドイッチを買いに近くのデリまで一緒に歩き、仲よくなったのだ。ふたりとも音楽の好みがはっきりしていたし、コーヒーにこだわりを持っていた。ふたりとも写真が好きだった。シリコンバレーでそういう話ができるエンジニアはそういない。独学で自己流のドーシーにプログラミングの助けを求めてくるのも、悪い気分はしなかった。

おかしな癖《くせ》のようなものもないではなかった。たとえば、プログラミング言語のＪａｖａＳｃｒｉｐｔに慣れると、見た目がかっこよくなる書き方を必死で追究する。ドーシーには意味がないとしか思えなかったし、拙速を貴ぶシリコンバレーのハッカー文化にまっこうから反対する行為とも言える。ガムテープで補修したかのような作り方だろうがなんだろうが、プログラムなんて動きさえすればいいのだ。コードの構造が美しいか否かなど、気にするのはシストロムぐらいなものだろう。

ドーシーが触れるチャンスのなかった高尚な趣味について、熱苦しいほどに語ることも多かった。それでも、自分に似たところがあるとドーシーは思った。自分なりの考えを持てるくらい文化を理解しているようだし、組織の歯車になるつもりでもなければ、金儲けが主眼のビジネス専攻によくいるタイプでもない。肩の力が抜けたらどうなるのだろうと楽しみでもあった。だが、卒業後はグーグルに就職したい、プロダクトマーケティングの仕事がしたいと聞いて、ドーシーはがっかりした。なんだ、こいつもやっぱりスタンフォードの学生なんだな、と。

フェイスブックを蹴ってバリスタか？

オデオのインターンが終わり、グーグルへの就職を控えた学部最後の年、シストロムは、パロアルトのユニバーシティ・アベニューにあるカッフェ・デル・ドジェでエスプレッソを淹れるバリスタのアルバイトをした[10]。そこにザッカーバーグが立ち寄り、自分の誘いを断った学生がなぜコーヒーショップなんかで働いているのかと目を白黒させたこともあるという。そのころすでに、ザッカーバーグは、拒絶に慣れていなかったのだ。注文もぎこちない様子だったらしい。

フェイスブック・ドット・コム改めフェイスブックは、２００５年10月、シストロムの助けを借りることなく、写真関連の機能を提供するようになった。その2カ月後には写っている友だちをタグ付けする機能も追加。これは大当たりだった。フェイスブックを使っていない人のところにまで、自分が写っている写真がフェイスブックに投稿されているよとアラートメールが届き、多くの人がクリックして確認するようになったのだ。薄気味悪いと嫌がる人もいたが、たくさんの人がこれをきっかけにフェイスブックを使うようになっていく。

せっかくのチャンスを逃したのかもしれない。シストロムはそう感じた。フェイスブックのユーザーは500万人を超えるほどになっていて、先行きを見誤ったのはまちがいない。いまからでもなんとかならないかと、プロダクト担当の社員に連絡を取ろうとした。だがメールに返事も来なかったので、いまさらなのだろうとあきらめることにした。

そのころ、オデオでは、新しい近況報告ツール、「ツイッター」の立ち上げが進められていた。CEOはドーシーだ。テキストしか投稿できないサイトだったが、インターン後も付き合いを続けていたシストロムは、昔の友だちや仲間を支えようと、どういう料理を作っているかとかなにを飲んでいるかとか、なにを見ているかとか、なんでもいいからツイッターに書くようにした。そのうち世界中のブランドやセレブも使うようになるとオデオの社員には言われたが、それはありえない、こんなものを使いたがる人なんているはずがないとシストロムは思った[11]。なにかの役に立つとは思えなかったのだ。いずれにせよ、戻ってこないかという話はなかった。

時代を象徴するような会社に創業期から参画するチャンスなど、ないのがふつうだ。そういうチャンスが2回もあったのに、シストロムはどちらも見送り、もっと堅い道を選んだ。シストロムにとって、工学と経営学の学位を取ってスタンフォード大学を卒業した後グーグルに就職するというのは、大学院に進むようなことだった。年収はとりあえず6万ドルと、フェイスブックに行けば得られただろう人生が一変するような富には比べるべくもないが、シリコンバレーの原理や道理をこれでもかと詰め込んでもらえる[12]。

1998年創業のグーグルは、2004年に株式を公開して数多くのミリオネアを生み、ドットコムバブルの崩壊で暗くなっていたシリコンバレーに光を取り戻した立役者である。シストロムが入社した２００６年には、１万人近くが働く大会社になっていた。零細なオデオとは比べものにならないほど組織がしっかりしていて機能的で、スタンフォードの卒業生が中心となって、データに基づく経営が行われている。

この企業文化を象徴する有名な話がある。ホームページ部門のトップ、マリッサ・メイヤー（後のヤフーＣＥＯ）が、ハイパーリンクのクリックスルー率が一番高い色を求め、風合いの違う青を41種類も試したのだ。その結果、わずかに緑がかった青よりわずかに紫がかった青のほうがいいことがわかり、グーグルの売上が年間２億ドルも増えたという。[13] １００万人なり10億人なりが使う場合、塵《ちり》も積もれば本当に山となりうるのだ。

これはＡ／Ｂテストと呼ばれる方法で、グーグルは、これを何千回とくり返し、ユーザーベースのセグメントごとに異なる体験を提供している。どのような問題にも適切な答えというものがあり、定量的な分析でそれを求めることができる――グーグルはそう考えるのだ。

このやり方、シストロムにとっては、コンピューターサイエンスのクラスにいた神童連中を思い出すものだった。すごいと思われたくて、なんでも無駄にややこしいやり方をするのだ。その結果、おかしな結果になることも多かった。グーグルが写真分野に進出していたら、感動的な写真を撮るよりすごいカメラを作ろうとしたんじゃないだろうか。チャーリー先生が眉をひそめることまちがいなしだ。

決まり切ったやり方を捨て、直感に従ったほうがおもしろいだろうにと、シストロムは思った。シストロムの仕事はＧｍａｉｌのマーケティングコピーを書くことだった。このチームは、ユーザーがメールをさっと読み書きできるように工夫をこらしていた。たとえば、ユーザーがＧｍａｉｌにアクセスし、ユーザー名を入力すると、パスワードをタイプしている間に受信トレイへのダウンロードが始まるようになっている。こうすれば、高速インターネット接続がなくても、ログインをクリックした瞬間にはメールの少なくとも一部は読める状態になっていて、ユーザー体験が向上するわけだ。

製品を作る仕事をさせてはもらえなかった。コンピューターサイエンスの学位がないからだ。そして、マーケティングコピーの執筆はつまらない。あまりにつまらないので、会社のエスプレッソマシンでラテアートを作る方法を後輩に教えたりしたほどだ。

しばらくすると、買収部門に異動となった。小さな会社を口説き、最終的に買う部門である。仕事は、口説くべき会社やマーケティング機会を分析し、それをパワーポイントのプレゼンテーションにまとめることだ。問題がひとつあった。２００８年はリーマンショックで米国経済が危機的状況になっていたのだ。さすがのグーグルも、会社を買わなくなっていた。

「なにをすればいいのでしょう？」

同僚に尋ねると、

「ゴルフでもしたらどうだい？」

と返ってきた。

まだ、そんなトシじゃないぞとシストロムは思った。潮時《しおどき》らしい。

次のゴールドラッシュの現場は「スマホ」

25歳の若さで、シストロムは、フェイスブックが成長至上主義であることも知ったし、ツイッターがおそろしくアグレッシブであることも、グーグルが学究的でやり方にこだわることも知った。そのリーダーのことも全員知ったし、彼らがなにを求めているのかも知った。それがわかれば、神秘的なことなどなにもない。外から見ていたときは、シリコンバレーは天才が動かしているように感じられた。だが、内側に入ると、みな、自分と同じで不安を抱えており、先など見えないまま手探りで進んでいることがわかる。シストロムはオタクでもなければハッカーでもないし、定量分析が得意でもなかった。しかし、だからといって、アントレプレナーに向いていないとはならないはずだ。

そうは思ったが、決まった給料がもらえる安心感を捨てる気になれず、シストロムは、結局、ネクストストップ〔Nextstop〕という小さなスタートアップに転職した。旅のノウハウを共有するウェブサイトを作る会社だ。そこのプロダクトマネージャーとして仕事をしつつ、モバイルアプリを作るスキルを身につけるべく、夜や週末にはカフェで勉強した。

２００９年、サンフランシスコのコーヒーショップにはそういう人が山ほどいた。スマートフォンが次なるゴールドラッシュになる、ウェブ２・０などよりはるかに大きなチャンスをもたらしてくれると信じ、サイドビジネスに励む人々だ。２００７年にアップルのｉＰｈｏｎｅが登場して、オンラインに対する世間の認識が大きく変わった。インターネットはメールをチェックしたりグーグルで調べ物をしたりなど、なにかをしようとしてアクセスするものではなくなり、いつもポケットに入っているもの、日常の一部になったのだ。

こうして新しく登場したのが、どこにでも持って歩けるタイプのソフトウェアだ。２００９年春ごろ、人気のアプリと言えば、フェイスブックやパンドラ［Pandora］といった大規模なウェブサービスがまずは浮かぶが、スマホにきわどい壁紙を追加するビキニブラスト［Bikini Blast］やボタンを押すといろんなおならの音がするｉＦａｒｔなどのちょっとふざけたアプリにも注目が集まっていた[14]。こういうアプリの作者はサンフランシスコに住む20代の男性がほとんどで、どれか生き残ってくれればいいなと、思いつくままなんでもリリースするものだから、市場はしっちゃかめっちゃかの大混戦になっていた。

自分に作れるのはモバイルサイトまででアプリの作り方はわからない。そんなわけで技術力はないが、興味関心に偏りがなくバランスがいいので、ふつうの人がおもしろいと思うものが作れるんじゃないか。そう、シストロムは考えた。作り方は体当たりで学ぶ。ＤＪのときもそうだったし、ラテの泡に葉っぱを描くやり方を身につけたときもそうだった。写真の技術も同じだ。

こうして、シストロムも、アプリを作るようになった。たとえば、レストランではなく食べた物そのものの評価を投稿できるディッシュド［Dishd］。たとえば「ツナ」を使った料理が食べられる場所が検索できるようにウェブからレストランのメニューを集めるツールは、大学の友だち、グレゴー・ホックムスに作ってもらった。

バーブン［Burbn］というアプリもリリースした。大好きなケンタッキー州のバーボン・ウイスキーにちなんで命名したサイトで、シストロムの生活スタイルにぴったりのものだった。ここに、いまいる場所やこれから行こうとする場所を書けば、友だちが合流できるのだ。出かける回数が多いほど、もらえるご褒美《ほうび》が増える。背景色は茶と赤で、赤い封ろうがされたバーボンのボトルをイメージさせるものだが、魅力的とは言いがたい。写真の投稿は、メールで送る方式だった。それしかやりようがなかったのだ。それでも、シリコンバレーのアプリ合戦に十分参戦できる、いいアイデアだった。

「ひとりで創業する会社には投資しない」

2010年1月、シストロムは、アプリを売り込んでネクストストップを辞める踏ん切りをつけようと、サンフランシスコのマドロン・アートバーで開かれたハンチ［Hunch］のパーティに出かけた。ハンチは、2005年に推定3500万ドルでヤフーに買収された写真共有サイト、フリッカー［Flickr］を立ち上げたカタリナ・フェイクと、共同創業したウェブセキュリティの会社を2006年に売却したクリス・ディクソンとが始めたスタートアップだ。[15] 大物ふたりが創業した会社ということから注目を集めており、このパーティにもベンチャーキャピタリストが大勢集まるものと思われた。[16]

案の定、カクテルを片手に大物ベンチャーキャピタリストふたりと話をすることができた。ひとりはマーク・アンドリーセン。ネットスケープ［Netscape］社創業メンバーのひとりで、アンドリーセン・ホロウィッツ［Andreessen Horowitz］というベンチャーキャピタル会社を経営していた。もうひとりはそこまで有名ではないが、創業期の投資に特化したベースライン・ベンチャーズ〔Baseline Ventures〕を運営するスティーブ・アンダーソンである。

スタンフォードからグーグルという経歴で人間的魅力にあふれているのに、まだ投資家との付き合いがない。これはいいとアンダーソンは思った。初物好きなのだ。シストロムのスマホを借りると、「フォローアップすること」と自分にメールを送った。

以来ふたりは、2〜3週に1回、チェストナット・ストリートのグローブで会い、カプチーノを飲みながらバーブンの可能性を検討した。そのころ、ユーザー数はわずかに数十人で、友だちやそのまた友だちくらいしか使っていなかった。このアプリをもとに会社を興《おこ》すのに5万ドルほど欲しいとシストロムは考えていた。アンダーソンは、条件をひとつ付けてきた。

「一番のリスクは、きみがひとりで創業しようとしていることだ。そういう会社には、基本的に投資をしないことにしている」

同レベルの人がいないのは、まちがっているとシストロムに苦言を呈する人がいないということであり、こうしたほうがいいと改良するアイデアを出してくれる人がいないということでもある、というのだ。

この意見にシストロムも同意し、共同創業者になってくれる人をみつけ、その人に渡す分として資本の10%を取っておくことにした。こうして、のちにインスタグラムとなる会社は生まれたのだ。

共同創業者をみつける

一緒に会社を立ち上げる仲間として、まず頭に浮かんだのは、アプリの作成を手伝ってくれているホックムスだ。だが、彼にグーグルを辞める気はなかった。その代わり、ミッキーに声をかけてみたらどうかと提案された。

ミッキーことマイク・クリーガーはスタンフォードの2年後輩で、メイフィールド・プログラムで一緒だった。初めて会ったのはネットワーキングイベントで、そのときは、名札にオデオとあるがそれはどういう会社なのかと、根掘り葉掘り聞かれた。だがその後、彼は、人がコンピューターにどう対応するのかを心理学的に研究するスタンフォードの有名プログラム、「シンボリックシステムズ」の修士論文を書くため、メイフィールドから姿を消した。論文のテーマは、記事の更新や編集をするボランティアのコミュニティを上手に醸成した、オンライン百科事典のウィキペディア［Wikipedia］である。そして、シストロムが声をかけた２０１０年、クリーガーはインスタントメッセージサービスのミーボ［Meebo］に就職していた。

シストロムはクリーガーがとても気に入っていた。彼は気立てが優しいし人当たりが柔らかく、いつもにこにこしている。しかも、エンジニアとしてはシストロムよりずっと上手《うわて》だ。癖のない髪の毛は焦げ茶色で、それをほどよく伸ばしている。丸顔に四角いメガネで、ひげはいつもきれいに剃《そ》っている。

このころ、シストロムとクリーガーは、週末ごとに、コーヒー・バーというサンフランシスコのカフェで会い、互いのプロジェクトに対する意見を交換したりしていた。クリーガーはバーブンの試験運用に参加していて、言葉だけではなく、視覚に訴えるメディアが使えるのがいいと思ってもいた。

システロムと同じように、クリーガーも、もともと、スタートアップの世界に足を踏み入れるつもりなどなかった。出身はブラジルで、父親が飲料メーカーのシーグラムに勤めていたことから、ポルトガルやアルゼンチンにもいたことがある。音楽が好きで、12弦のギターが弾ける。高校のころ、ウェブサイトのデザインをかじったりしたが、周りにテクノロジーアントレプレナーはいなかった。これが自分に合う業界だと気づいたのは、２００４年、米国に来てスタンフォード大学に入ってからだった。

クリーガーとしては、まずは中規模のミーボで基本を学び、その後、いろいろもっと難しくなる小さな会社に転職して経験を十分に積んでから、数年後に自分の会社を始めるのがいいと考えていた。それまでは、カフェを転々としながら、趣味的にｉＰｈｏｎｅアプリの開発をする。最初の作品は、デザイナーの友だちに手伝ってもらって作ったクライム・デスクＳＦ［CrimeDesk SF］というものだ。カメラを通じて現実世界を見ると、公開されている犯罪データも表示され、そのあたりでなにが起きたのかがわかる。じっくり時間をかけて見栄えをよくしたが、残念ながら、使いたいと思ってもらうことはできなかったらしい。

バーブンについては、必要なら手伝うよ、と、以前からクリーガーは言っていた。だからシストロムは、アンダーソンから投資の約束を取り付けると、バーブンで会社を興し事業に乗りだすつもりだ、共同創業者になってくれないかとクリーガーに打診した。

「おもしろそうじゃないか」が答えだった。

クリーガーにとっては考えるまでもない話だった。職場がサンフランシスコでシリコンバレーのミーボまで通う必要がなくなるし、モバイルアプリという注目の世界で仕事ができるし、気心の知れた相手と組むことができるのだから。

クリーガーは、決断力があるタイプだ。だが、根回しも忘れない。このときは、一時の気の迷いでそんな大事なことを決めていいのか、移民ビザだというのに、と、両親が心配するだろうという懸念があった。だから、何回にもわけて少しずつ話をすることにした。

両親に電話で、まずは一般的な話であるかのように

「新しいスタートアップで仕事をするのもおもしろいかなぁ、なんて思ってるんだよね」

と語った。数日後にまた電話すると、今度は、

「このあいだ、なんか、おもしろそうなやつに会ったよ」

と、シストロムがどういう人物で、なにをしているのかを語る。

さらに数日後、いろいろ検討した結果、シストロムの会社、バーブンの共同創業者になるつもりだと報告。よく考えてのことならいいんじゃないかと、両親も賛成してくれた。

『ぼくは君と仕事がしたいんだ』

もう1カ所、説得しなければならない相手がいた。米国政府だ。

2010年1月、クリーガーは、ブラジル人ビザの経験が豊富な弁護士を雇った（と言っても取り扱いは理容師のビザばかりだったわけだが）。移民ビザの就労先をバーブンに変えるためだ。担当官はバーブンに疑問の目を向けてきた。資金は調達できているが、事業計画はきちんとしているのか？というのだ。

もちろん、そんなものはない。調達したのは、フェイスブックと同じようなことをするための資金だ。つまり、毎日の暮らしで使ってもらうようにしようという段階で、収益化を考えるところまで行っていない。だが、そんなばか正直な話はできない。しかたがないので、ユーザーがよく行くバーやレストラン、各種店舗で使える地域クーポンを発行し、そこから収益を上げることを考えている、ライバルになると考えているのはフォースクエア［Foursquare］やゴワラ［Gowalla］で、どちらも、創設から3年で100万人が使うようになると予想している、と説明した。ばかは休み休み言えと笑われてしまった。

バーブンで一緒に働くことが合法であるか否か結論を待つ間に、ふたりは、実際問題、一緒に働けるかどうかを確かめてみることにした。具体的には、理知的な人が協力すべきときに協力しないことがあるのはなぜかがわかる政治的ゲーム理論、囚人のジレンマを取り扱ったものなどちょっとしたゲームをいくつか、公開を前提とせずに作ってみた。毎週末、ポトレロ・ヒルにあるコーヒーショップ、ファーリーズで会い、地元アーティストの作品に囲まれて一緒に作業をしてみたのだ。

おもしろい。だが、バーブンそのものとはなんの関係もない。お金はどんどん出ていくというのに、なにも進まないし、だいいちいつまで待てばいいのかもわからない。そんな状態が何カ月も続いた。クリーガーとしては気が気じゃない。移民法を必死で読んだり、その関連でインターネットのフォーラムに投稿された怖い物語にうつうつとしたりするばかりだ。

「ケブ、ほかの人を共同創業者にしたほうがいいんじゃないか?」

何度もそう提案したが、毎回、

「ぼくは君と仕事がしたいんだ。そのうちなんとかなるよ」

と返ってくる。

シストロムは創業者同士のそりが合わずに苦労するスタートアップをいくつも見ており、信頼できる相手などそう簡単にみつかるものではないことをよく理解していた。たとえばツイッター。創業者同士が足を引っ張り合っていて、初代CEOのドーシーがその座を追われる事態も起きている。経営者らしいことはなにもしないくせに、成功はすべて自分の手柄にするし、社員のアイデアも自分が考えたことにしてしまうと社内に反発が充満しても、ドーシーは、ホットヨガをしたり縫製を学んだりしていた。ニック・ビルトンの『ツイッター創業物語』(日本経済新聞出版)によると、「ファッションデザイナーになることもできるし、ツイッターのCEOをすることもできる。でも、両方は無理だ」とエバン・ウィリアムズが引導を渡したらしい[17]。2008年、ウィリアムズは取締役会と協力し、ドーシーを追放したのだ。

フェイスブックはもっとドラマチックだ。事務所がパロアルトに移った2005年、社内での け者扱いされていると感じた創業者のひとり、エドゥアルド・サベリンが、会社の銀行口座を凍結したのだ[18](シストロムが初めて一緒に食事をしたとき、ザッカーバーグのカードが使えなかったのはこれが理由ではないかと思われる)。これに対抗するため、ザッカーバーグの弁護士が複雑な金融操作でサベリンの持ち分を引き下げ、それが法廷闘争に発展。2010年には、この騒ぎをもとにしたハリウッド映画『ソーシャル・ネットワーク』が公開されている。

シリコンバレーの有名人は、みな、オレがオレがと押しまくるし、野心家だし、自分の好きなように人を動かしたがる。人間らしい感情がないとしか思えない。対してクリーガーは、よく話を聞いてくれるし、パートナーとして申し分ないと言える。仕事熱心でもある。さらに、すばらしい友だちであることも、十分なお試しでよくよくわかっている。ほかの人と組むなど、システロムとしては考えられないことだった。

ドーシーの決断

前に進めないので、システロムは資金の増額に励み、アンドリーセン・ホロウィッツから25万ドルの約束を取り付けることに成功した。グーグル時代に、ここのパートナーであるロニー・コンウェイに面識を得ていたのが功を奏した格好だ。しかも、この話を聞きつけたベースラインのアンダーソンからも、出資を同額まで引き上げたいとの提案があった。こうして資金は合計50万ドルに急増した。

ほかにも出資してくれるところはないかと、10人あまりにメールを送ったりもしたが、システロムの人柄に惹かれているわけでない人から色よい返事をもらうことはできなかった。ベンチャーキャピタリストに共通する見方は、位置情報を活用するアプリならフォースクエアやゴワラなど、人気がもっと高いものがすでにあるし、写真程度で世の中の人気をさらうことはできない、だった。バーブンにはソーシャルな側面もあるが、そちらにはフェイスブックという圧倒的な存在があり、その対抗馬に賭けるなど愚の骨頂だ。いまなにをしているのか、どこに行こうとしているのかなどの近況報告も、すでに、ツイッターが中心になってしまっている。

手詰まりとなったシストロムは、オデオ時代のメンター、ドーシーを頼ることにした。そのころドーシーは、コンピューターやスマホにつなぎ、インターネット経由でクレジットカード決済ができるようにする機器を開発する会社、スクエア〔Square〕を立ち上げていた。その近くで会ったドーシーは、ぱりっとしたディオールのドレスシャツに黒いブレザーと、うってかわってフォーマルな装いになっていた。鼻ピアスもなしだ。ツイッターで取締役会の信頼を得られなかったことを反省したのかもしれない。

相談されたドーシーは、人々がフォースクエアではなくバーブンを選ぶ理由など、ベンチャーキャピタリストと同じ質問をした。頭の中をいろいろな思いが渦巻く。名前はバーボンからだよな。インテリ趣味だったし。時代の最先端を行くプログラム言語を選んだのも、いかにもこいつらしい。

HTML5に対応したモバイル用アプリは今後伸びていく分野なんだとシストロムは売り込んでくるが、ごくふつうのiPhoneアプリさえまだ作れない人間に言われても、そう簡単に納得できるはずがない。

だがこのときは、合理性より人情が上回った。作るものがなんであれ、正直なところ、そんなのはどうでもいい——ドーシーはそう思った。モバイルの世界でなにが成否を分けるのか、まだだれにもわかっていないのだし。

タイミングもよかった。

それまで、スタートアップへの投資を頼んできた人などいなかった。バーブンに出資するなら、それは初の「エンジェル投資」になる（お金持ちが創業期のスタートアップに投資することをシリコンバレーではこう呼んでいる）。ツイッターで得た大金の使い道として悪くない話だし、見る目がすごくあると思うシストロムを助けることもできる。シストロムなら、なにがしかの形でバーブンをまとめられるはずだ。

というわけで、応援として2万5000ドルも出すことにした。これは桁違いの価値を持つ投資であったことが後にわかる。

バーブンを続けるべきか

クリーガーのビザは、申請から3カ月近くもたった2010年4月になって、やっと、承認された。正式に転職がかなったその週、出社したクリーガーを朝食に誘うと、シストロムは、バーブンの開発を進めるべきか否か迷っていると打ち明けた。

ライブや外食によく行くなど、時代の先端を行く大都市の若者には気に入ってもらっている。付き合いがいいとご褒美がもらえるのもほかにない特徴で、またやりたいと感じる元になっている。だが都会の若者ではない人々、具体的にはその親世代や、でかけるお金の余裕がない人々などは、使いたいと思ってくれないだろう。ドーシーでさえ、シストロムにフィードバックを求められるまで使わずにいたくらいなのだ。ツイッターの開発に舵《かじ》を切るとき、オデオ社内には不安しかなかったはずだが、それでもなお、それが正しい決断であったことはまちがいない[19]。我々にとってツイッターとなるのはなんなのだろうか。

クリーガーにしてみれば、青天の霹靂《へきれき》だった。シストロムと一緒にバーブンを開発するという大きなリスクを取ったばかりなのだ。安定した仕事をやめてきたわけだし、それに加え、新しい会社を立ち上げたはいいが倒産なんてことになったら、またビザの手続きを取らなければならない。いや、下手すればブラジルに戻らなければならなくなるかもしれない。全部ご破算にする前に、まずは改良をしてみるべきではないだろうか。

クリーガーのこの意見が通り、iPhone用アプリの開発を進めることになった。

作業場所は、それまでのコーヒーショップを転々とするスタイルから、ドッグパッチラボというコワーキングスペースに昇格した。と言っても、球場にほど近い桟橋にあるガタボロのところで、ほかに、スレッジー［Threadsy］社やタスクラビット［TaskRabbit］社、ワードプレス［WordPress］を作るオートマティック［Automattic］社などのスタートアップが利用していた。

すきま風は吹くし、カモメの甲高い鳴き声やアシカのずぶとい声も聞こえてくるしと集中しづらい環境だ。一番うるさいのは、レッドブルやアルコールで景気をつけつつ、あれこれ作ったり失敗したりしている若者が立てる騒音だ。天井からは大きな舵輪《だりん》がつり下げられている。船のイメージなのだろうが、地震でもあったら落ちて大惨事になりかねない。カヤックのレンタルもできるが、このあたりは水も冷たく、借りようという酔狂な観光客などまずいない。だが、金曜午後のハッピーアワーには、飲み過ぎて海に飛び込むエンジニアがいたりする。そんなところだ。

クリーガーとシストロムは、必死でキーボードをたたき続けた。周りとは没交渉。みんな、お金がなくなるのが怖くないんだろうかと思うばかりだ。もちろん、ここにもいいところはあった。午後1時半をまわっても残っているお昼は勝手に食べていいことになっていたし、そこまで待てないなら、近くの店に行けば3ドル40セントの割引価格でサンドイッチが買えることになっていたのだ。

ふたりとも倹約を心がけた。バーブンがものになるまでどのくらいかかるかわからないからだ。いや、ものになるのかどうかさえわからない。

2~3カ月も開発を続けたころ、有名なシリコンバレーのエンジェル投資家、ロン・コンウェイの息子と持った面談も気がめいるものだった。

「なにをしているって?」とコンウェイに尋ねられ、シストロムは、もう一度、バーブンの説明をした。いわく、友だちがなにをしているかを知ったり、実際に合流することもできて楽しい。いわく、そのうち行ってみたいと思う場所を知ることもできる。それを聞いても、コンウェイは渋い顔をしている。バーブンはアンドリーセンから資金を得ているし、コンウェイはアンドリーセンの一員だというのに、である。シリコンバレーではやっているバズワードをちりばめているだけに聞こえるのだろう。はいはい、モバイルね、あとソーシャルに、位置情報の活用も……という具合だ。シストロムは落ち込んだ。

バーブンの説明が鼻であしらわれるのは、これで10人目だろうか。会社が出資しているというのに、我々の製品に興味もなければ心を動かされることもない。まちがいなく楽しい製品なのに。いや、待てよ。実用性はどうなんだ? 暮らしの問題をなにか解決してくれるのか?

この疑問が転換点となり、ふたりは根本的に考え直してみることにした。

写真に賭ける

クリーガーとシストロムは、ドッグパッチラボの会議室にこもり、ホワイトボードを前にブレインストーミングをした。解くべき問題をまずはっきりさせ、次に、なるべくシンプルな解法を探すのだ。このあとふたりが物事の進め方の基本としたやり方である。

最初に、バーブンで人気の側面、三つをリストアップした。ひとつめはプランズ。この機能でどこに行くつもりなのかを公開しておくと、友だちが合流してくれたりするのだ。もうひとつは写真。最後はバーチャルなご褒美である。くり返し使ってもらおうと、バーブンを使うとバーチャルなご褒美がもらえる仕組みを用意していたのだ。

プランズやご褒美は、万人に受ける機能ではない。シストロムが「写真」に丸をつける。写真だ。写真こそ、都市部の若者にかぎらず、だれにとっても便利な機能だとふたりは判断した。「写真には可能性があると思いました」とシストロムは言う[20]。当時彼が持っていたiPhone 3Gではたいした写真など撮れなかったが、この技術はこれから発展していくはずだ。「カメラを持ち歩かず、スマホだけ持ち歩く――そういう日がそのうち来ると思ったのです」

スマートフォンさえあれば、だれでもアマチュアカメラマンになれる、そんな日が来るというのだ。

写真をキラー機能にするとして、では、なにを狙うべきなのか。ふたりは解決しなければならない問題点を三つ、ホワイトボードに記した。ひとつめは、スマホの3Gネットワークでは写真のアップロードに時間がかかりすぎる点。ふたつめは、デジタルカメラに比べてスマホは画質が悪く、人に見せるのは恥ずかしいと思うことが多い点。三つめは、あちこちに写真をアップロードするのはめんどくさい点。だったら、フォースクエアやフェイスブック、ツイッター、タンブラー［Tumblr］などに写真を一括転送するオプションのあるソーシャルネットワークにすればいいのではないだろうか。そうすればネットワークを一から作る必要がなくなり、すでに人気となっているコミュニティにおんぶに抱っこですむ。長いものには巻かれろ、だ。

最後はシストロムがまとめた。

「よし。じゃあ、写真に全力を傾けよう。この問題三つを解決するんだ」

まずは、クリーガーが得意とするｉＰｈｏｎｅ用アプリを作る。市場で抜きん出るには最先端のＨＴＭＬ５に対応するのがいいんだとドーシーには説明したが、結果として、そう考えるのはまちがっていたわけだ。まずは便利と思ってもらえるアプリを作り、それなりの人気を獲得できれば、アンドロイド版を追加するというのが現実的な道である。

コードネーム

試作第一号はスコッチ［Scotch］と名付けた（バーボンと同じくウイスキーの種類から）。横にスワイプすれば写真を切り替えられるし、写真をタップすれば「いいね！」ができる。このあたりは、のちのマッチングアプリ、ティンダー［Tinder］によく似ている。何日か使ってみたが、なにかが違う気がして、バーブンに戻ってしまい、こんどは、ツイッターと同じように新しい写真を上に表示し、縦にスクロールする形にしてみたりした。

写真の画素数は、縦横わずかに３０６ピクセル。さっとロードできるようにぎりぎりまで減らし、問題1の解決を図った。７ピクセルの枠線で囲まれた写真をｉＰｈｏｎｅに表示するのに最低限必要なサイズだ。形は正方形で、フィレンツェの写真の先生に課されたのと同じ創造的制約があると言える。ツイッターは140文字以下と制約がきついが、それと同じである。完全にとまでは行かないが、問題2を多少なりとも解消することができる。

ちなみに、ソーシャルネットワークは大きくふたつに分けられる。友だち同士がつながるフェイスブック型と、知らない人でも自由にフォローできるツイッター型だ。写真はツイッター型のほうがおもしろくなる、知ってる人だからではなく、おもしろそうだからフォローするほうがいいとふたりは考えた。

ツイッターと同じように「フォロワー」と「フォロー中」の人数を表示すれば、増えていないかとまたアクセスする動機が生まれる。ハート形の「いいね!」も用意した（フェイスブックのサムズアップのようなもの）。付け方は簡単だ。写真をダブルタップするだけでよく、小さなボタンを探してクリックする必要がない。ツイッターやフェイスブックと違い、気の利いた一言を考えなくていいのもすばらしい。撮った写真をアップロードするだけでいいのだ。

ツイッターをお手本とするなら、リツイートならぬリシェアのボタンを用意し、コンテンツがバイラルに広がるようにするのが当然だろう。だが、ふたりは迷った。このアプリが扱うのは写真だ。他人の作品や体験を自分の名前で共有できるようにしていいのか、と。いいのかもしれないが、シンプルな形でスタートを切ることが先決であり、この問題は先送りすることにした。

ロゴは白いポラロイドカメラにした。名前は悩ましい。またお酒系から母音を削った名前にするのはさすがにためらわれた。「ウスキー」などと言われても、どういうアプリなのかわからないだろう。悩んだ末、とりあえずはコードネーム［Codename］と呼ぶことにして、検討は棚上げした。

素人でも「いい写真」をアップしたい

このすぐあとシストロムは、スタンフォードで出会い、のちに妻となる恋人、ニコール・シュッツと、メキシコはバハ・カリフォルニア・スル州にでかけた。真っ白な砂浜と玉石の道が美しいトドス・サントスという村である。そのとき、海辺をふたりで散歩していると、彼女から、あなたが作っているアプリを自分は使わないと思うと言われてしまう。写真がどうにもよくない、少なくとも、ホックムスという友だちの写真に比べると見劣りがするというのだ。

「あいつがなにをしているか、知ってるよね？」[21]

「きれいな写真を撮っている、でしょう？」

「違う違う。フィルターアプリを使ってるんだ」

そう言って、シストロムはフィルターの説明をした。スマホのカメラでは、ボケ気味の写真しか撮れないし、光の当たり具合もよくない。フィレンツェでシストロムが渡された小さなプラスチックカメラのデジタル版といった雰囲気なのだ。そして、フィルターアプリは、シストロムの先生がやっていたのと同じことをしてくれる。つまり、撮影した写真を芸術作品っぽく仕上げてくれるのだ。だから写真を撮るのがうまくなくても大丈夫。たとえばアップルのアプリストアで2010年のベストアプリに輝いたヒプスタマティック［Hipstamatic］を使えば、[22]コントラストを強くしたりピントを甘くしたり、ビンテージ風に仕上げたり、自由自在に写真を編集できる。カメラ＋［Camera+］という写真編集アプリも人気だった。

「だったら、あなたたちもフィルターを用意すればいいのに」

シュッツの言葉に、それはそうだとシストロムは思った。写真をフィルターで編集するのなら、アプリでできるようにしたほうがいいに決まっている。

ホテルに戻ると、フィルターの作り方をインターネットで検索。どういうスタイルのフィルターを作るかは、フォトショップで試して決めた。影やコントラストを強めたり、周辺部分の光を減らしてビンテージ感を出したりという具合だ。そしてビールとノートパソコンを用意すると、外のラウンジチェアに座り、アイデアを形にすべくプログラミングを始めた。

フィルターの名前はX－ＰｒｏⅡとした。フィルム写真には、本来違う種類のフィルムに使うはずの薬品を使うクロス現像というテクニックがあり、それを念頭に置いた命名である。

ひととおりできたところで、タコスのお店で見かけた毛並みがグレーのイヌを被写体に試してみた。カメラ目線で、先のほうだけ色の違う足がすみっこに写っている。これこそ、のちにインスタグラムとなるアプリから投稿された最初の写真である。２０１０年7月16日のことだった。

芸術とは、人生を実況中継すること

このアプリをバーブン以上に魅力的だと思ってくれる人がいるかどうか、クリーガーもシストロムも計りかねていた。新しいところなど、特にないと言えばないのだ。写真用フィルターもすでにあったし、興味関心をもとにつながれるソーシャルネットワークもすでにあった。特徴と言えば、雰囲気を大事にしたことと、技術の追求よりシンプルにすることを優先したことだろう。

写真の投稿・リンクと機能をぎりぎりまで絞ったので、開発に要する時間は短くなるし、大量の資金を投入しなくても一般の人に使ってみてもらうことができる。ちなみに開発期間は、クリーガーのビザ取得に必要な時間より短い８週間とした。

開発中に、コール・ライズなるデザイナーからメールが届いた。おもしろそうなものを作っていると聞いた、テスターに立候補したいとのことだった。

ライズはテスターにうってつけの人物だった。動画のスタートアップで働いてもいるし、カメラマンでもある。しかも、解像度が高くくっきりした映像という流行に逆らう写真を追求していて、デジタル編集で光漏れの効果を出したりノスタルジックな質感や雰囲気を醸したりした写真をギャラリーに展示するなどしているという。カメラもポラロイドなどの古いものが好きで、ちょうどハッセルブラッドを手に入れたところだった。ハッセルブラッドは人類が初めて月面に足を降ろしたとき使われたカメラで、真四角の写真しか撮れない。

試験運用をすることになったライズは、すぐ北にあるタマルパイス山にスマホを持ってでかけ、シストロムが開発したアーリーバードというフィルターにほれ込んだ。自分のアートと方向性が同じに感じられたのだ。

山から戻ると、創業者ふたりとスマグラーズ・コーブへ飲みに行った。難破船をイメージしたラムバーで、グラスから炎が立ち上るカクテルが名物だ。

ベータ版テストについて質問攻めにあったライズは、シストロムもクリーガーも、自分たちのアプリに秘められた可能性に気づいていないのではないかと感じた。だから

「これはすごいことになると思いますよ」

と指摘した。テクノロジー業界では、経験のない業界の破壊に乗りだすことが多い。アマゾン［Amazon］のジェフ・ベゾスは出版業界の経験などなかったし、テスラ［Tesla］のイーロン・マスクも車を作ったことなどなかった。対してインスタグラムのフィルターは、カメラマンが作ったとはっきりわかるものだった。アーリーバードほどのフィルターは見たことがない、あれほど優れたフィルターはヒプスタマティックにもないとライズは力説した。

杯を重ねるうち、発注するからフィルターをいくつか作ってもらえないかとの話も出てきた。自分好みに編集してくれるアプリがあれば便利だとライズは承諾。何年もかけてテクスチャーをいろいろと集めてあり、いつもはそれをアドビのフォトショップで写真に重ね、続けて色やトーンのレイヤーを追加するなど複雑な処理をしている。

手持ちの写真から20枚を選び、朝や夕方、撮影時間の違い、色の違いなど、さまざまなアイデアを試してみた。そして最終的に、アマロ、ハドソン、スートロ、スペクトラという4種類のフィルターを納品した。ある意味、自分の技を会社に売り渡し、一般公開することになるわけだが、このときはその長期的意味まで考えなかった。このふたりならいい線行くとは思っていたが、スタートアップはほとんどが失敗に終わることも知っていたからだ。

だれでも使えるフィルターを提供することは、実際よりおもしろおかしく見せたりきれいに見せたりしてもいいと言うに等しいわけだが、そこに負の側面があるとは、ライズも創業者ふたりも、このとき気づいていなかった。このあとこのアプリが人気になっていったのは、こういう加工ができたからだ。インスタグラムに投稿される写真は芸術となり、芸術とは人生を実況中継するものでもあるからだ。このアプリは表現の幅を大きく広げてくれるものだが、同時に、現実逃避に使えるものでもあった。

「ウチのエンジェル投資家は3人だけです」

ある晩、システロムは、ぼろぼろのドッグパッチラボの片隅で、ノートパソコンの光に照らされながらプログラミングを進めていた。店内では、アントレプレナーピッチのイベントが行われており、トラビス・カラニックなる人物が、自分の会社、ウーバーキャブ［UberCab］が作っているツールを使えば、携帯電話で簡単にリムジンを呼べるようになる、来年にはサンフランシスコで正式サービスを開始するなどと説明していた。

このイベントには、ゲストとしてローワーケースキャピタル［Lowercase Capital］のクリス・サッカも来ていた。ツイッターに早い段階から資金を提供した投資家で、ウーバーキャブにも出資している。人を見る目があると自任しており、カラニックへの投資も、タホ湖の別荘で何時間も裸の付き合いをして決めたという。サッカは隅《すみ》のほうにシストロムがいることに気づいた。ローワーケースキャピタルを立ち上げる前、短い期間ながら、グーグルで一緒に働いたことがあったからだ。こんなところで真夜中にプログラミングをしているということは、なにか新しいものを作っているのだろうとサッカは考えた。

システロムに声をかけてみると、作っているものの説明がしたいとコンパス・カフェに誘われた。元受刑者が社会復帰をめざして働いているコーヒーショップだ。そこで、コードネームの最新バージョンを見せられた。

「写真って、どのくらい人気になりうるんだろうね」

サッカはこう尋ねた。ベンチャーキャピタルの世界で投資家が大きなリスクを取るのは、投資に対して何十倍、何百倍ものリターンが得られたりするからだ。サッカは、ニューズ・コーポレーションのフォックス・インタラクティブ・メディア〔Fox Interactive Media〕に3億3000万ドルで買収されたフォトバケット〔Photobucket〕に投資したし、フリッカーをヤフー社が3500万ドルで買うのも見ている。コードネームはツイッター並みの案件かもしれないが、その手のものには10件以上も遭遇し、そのすべてが失敗に終わっている。

シストロムはこの問いに答えず、スタンフォードで学んだビジネスの知識を生かして、寡占性を売り込んだ。

「エンジェル投資家は3人だけ、あなたとジャック・ドーシーとアダム・ディアンジェロだけです」

ディアンジェロは元フェイスブックCTO（最高技術責任者）でクオーラ〔Quora〕社を立ち上げた人物であり、シストロムにとっては大学時代の知り合いである。この殺し文句は効いた。それはすごいなと返ってきたのだ。

あってしかるべき機能がまだないようだがという指摘もあった。

「ユーザーが5000万人とか1億人とかになったら、そういう機能を提供するかもしれません。ですが、いまは、シンプルであることが大事だと思います」

この回答にサッカは心をつかまれた。ベータ版のテスターだけで100人もユーザーがいない状態で、数千万人を語るのか。お飾りにしかならない機能についてえんえん語るかっこいいプレゼンテーションばかりだと思っていたが、シストロムは成功まちがいなしと冷静に予想し、そこに参加するか否かと問うてきているわけだ。この話に乗らず、なにに乗るというのか。

インスタグラムをツイッターに売らないか

名前を決めなければならない。バーブンと同じように、発音もしやすければスペルもやさしいものがいい。機能はＧｍａｉｌを借用して実現した。どのフィルターを適用するか決めなくても、とりあえず、アップロードはできるようにしてあり、スピーディーなコミュニケーションという雰囲気もにじんで欲しい。だが、写真関連でよさげな名前は、ほとんどがすでに使われていた。悩んだ末に選んだのは、「インスタント」と「テレグラム」を組み合わせた「インスタグラム」である。

フェイスブックやツイッターで写真を共有できる機能に大きな力があることはまちがいない。ほかのサイトで写真が共有されれば、それを見た人がインスタグラムにアクセスし、アプリをダウンロードしてくれる可能性があるからだ。

早期のユーザーは、写真が上手な人を一本釣りで集めた。ツイッターでたくさんの人にフォローされているデザイナーが中心だ。そういう人たちが使ってくれれば、芸術的な方向性を示してもらえるだろうし、見たいと思うコンテンツも貯まるはずだ。まだそういう概念がなかった時代、世界に先駆けてインフルエンサーキャンペーンをしたと言ってもいいだろう。

なかでもいい仕事をしてくれたのがドーシーだ。バーブンに投資したつもりが、いつのまにかまるで違うものになっていたのには呆然《ぼうぜん》とした。別の製品に方向転換するのは、廃業だけは免《まぬが》れたいと一か八かの賭けであるのがふつうだからだ。でも、バーブンよりインスタグラムのほうがずっといいとも、ドーシーは思った。

最初の投稿は、テック投資家しか入れないジャイアンツ・スタジアムのボックス席から撮った野球の写真で、フィルターを適用するとフィールドの緑が鮮やかになることに驚いた。ちょうど車を買い、乗りたくてしかたがなかったので、ハーフムーンベイのリッツ・カールトンまで30分ほど車を走らせ、たき火にあたりながらのんびり新聞を読むのを週末の日課にしていたのだが、道中たくさんの写真を撮ってはインスタグラムに投稿するようになった。

使い始めてみると、いままでなかったのが不思議なほどだし便利だしで、ツイッターでもこういうものを開発すべきだったと思わずにいられなかった。そこで、ツイッターに会社を売る気はないかとシストロムに尋ねた。感触は悪くなかった。

だが、時期尚早だった。ウィリアムズに買収を打診したところ、ドーシーに対する個人的な恨みつらみ満載の返事が返ってきてしまう。まだウィリアムズがCEOで、ツイッターのトップとして認められようとやっきになっていたころで、ドーシーの意見などありがた迷惑以外のなにものでもなかったのだ。

ウィリアムズの返事には、検討ずみだともあった。それは事実である。ウィリアムズに会いたいとシストロムから申し入れがあったのだ。買い手を探しているのかどうかはわからなかったが、ひととおりの検討を社内で行い、2000万ドルくらいでなら買ってもいいとの結論が出た。だが、ウィリアムズが動かなかった。彼は、インスタグラムなどくだらない投稿にしか使われないだろう、芸術家気取りで撮ったラテの写真など、ハーフムーンベイへのドライブでドーシーが撮っているようなものが投稿されるだけだと考えたのだ。ツイッターと違い、ニュースになるようなものは投稿されない、世界を変えるような会話がなされることはない、と。そんなものが大きく成長するはずがないというのである。

これが、ドーシーにとってはインスタグラムを盛り上げる動機になった。ウィリアムズがまちがっていると証明できるからだ。ツイッターにもクロスポストされ、160万人のフォロワーに配信される形で、次から次へと、インスタグラムに投稿[23]。インスタグラムがお気に入りのiPhoneアプリだと世界に発信し、世界が耳を傾けたのだ。

インスタグラム、リリース

2010年10月6日に一般公開されたインスタグラムは、ドーシーらが公開した写真のおかげで、あれよあれよという間にヒットとなった。アップルのアプリストアにおけるカメラアプリで第1位に輝くほどの大ヒットである。

インスタグラムは、ロサンゼルスのデータセンターに置かれた1台のサーバーで処理のすべてをまかなう構造になっていた。シストロムはパニックに陥った。全部がぐずぐずになってしまうのではないか、ひどい連中だと世間に思われてしまうのではないかと心配でいてもたってもいられなくなったのだ。

対してクリーガーは、にっこり笑ってうんうんとうなずいていた。シストロムのようにパニクってもいいことはなにもないからだ。

いずれにせよ、急いで対策を取らなければサービスが止まってしまいかねない。

シストロムは、出資者のひとり、ディアンジェロにアドバイスを求めた。立ち上げ期のフェイスブックでCTOを務めた経験があるからだ。相談の電話は1回では終わらなかった。時々刻々、ユーザー増加の速度が上がっていったからだ。最後は、自社サーバーを増設するのではなく、アマゾンウェブサービスからサーバースペースを借りる形にして難を逃れることに成功した。

初日で、インスタグラムのユーザーは2万5000人に達した。1週間では10万人。シストロムは、サンフランシスコのバスで見知らぬ人がインスタグラムを使っているのをみかけ、不思議な感覚を覚えたりした。ユーザーが増えていく様子を表計算ソフトのエクセルで追跡できるようにしたりもした。

サービス開始時に成功しても、長生きできるとはかぎらない。新しいアプリが登場するととりあえずダウンロードし、おもしろいおもしろいとしばらくは騒ぐが、そのうち忘れて使わなくなる人が多いのだ。インスタグラムは違った。ホリデーシーズンにはインフラ問題が一段落し、クリーガーもシストロムも、ベルギービールを片手に、エクセルの数字が100万に近づいていくのを眺めていたし、その6週後にはユーザー数が200万を突破した。

ふつうならしない選択

インスタグラムが成功したのはタイミングがよかったからだとよく言われる。モバイル革命が始まり、みなスマートフォンなるものをポケットに入れて持ち歩くようになったが、そのカメラでなにをしたらいいのかわからずにいたとき、シリコンバレーで生まれたのがよかったのだ、と。一理ある。だが、ふつうならしない選択をシストロムとクリーガーがしたことも大きい。

まず、投資家への約束など気にせず、最初のアイデアを捨ててもっと大きなアイデアを追求した。たったひとつのこと、つまり、写真を極めようとした。ここはオデオ社がツイッターに集中したのに似ていると言えるだろう。

使ってくれる人数を増やそうとやっきになるのではなく、クリエイティブな人やデザイナーなど、フォロワーに口コミを広げてくれそうな人を選んで使ってもらった。投資家に対しては寡占性を売り込んだ。成功すると思う投資家などいないに等しい状態で、だ。ここは、洗練された雰囲気や趣を醸す高級ブランド的な戦略である。

シリコンバレーの投資家はいままでにない画期的なものを求めるが、ふたりはほかのアプリですでにやられていることを磨きあげるほうを選んだ。徹底的にシンプルでさっと処理できるようにした。そうすることでユーザーの負担を小さくし、インスタグラムでとらえて欲しい体験に集中できるようにした。しかもインスタグラムにはウェブサイトがなく、すべてをスマホでできるようにしたため、そのような体験を我が事であるかのように感じてもらえるようにもなった。

シンプルにすることで、インスタグラムは、けばけばしいマイスペースにすっきりしたデザインで対抗したフェイスブックの足跡をなぞったとも言える。インスタグラムが公開されたとき、フェイスブックは機能満載で、ニュースフィードにイベント、グループ、さらには誕生日のプレゼントが買えるバーチャルなお金まである状態になっていたし、プライバシーの問題も指摘されるようになっていた。なのに、スマホから写真を投稿するのは手間がかかる。写真は、デジタルカメラを前提にしたフェイスブックアルバムにアップロードするしかなかったからだ。スマホからの写真は、モバイルアップロードという名前のアルバムに入れられてしまう。ここに、インスタグラムがつけいる隙《すき》があった。

製品そのものもさることながら、他社の強みをうまく活用したのも大きい。すべてを作る必要などない、テクノロジー業界には勝ち組がいるのだから、そこに貢献できれば、巡り巡って自分たちもメリットが得られる——そう考えたのだ。インスタグラムはアップルアプリストアのスターアプリとなり、新型iPhoneの発表会でも取り上げられるほどになった。アマゾンのクラウドコンピューティングも早くに活用した。ツイッターに写真を投稿するなら、インスタグラム経由が一番簡単という状態にもなった。

こんな感じで協調路線を取ると、いつかインスタグラムも大きくなれるぞと、そう思えた。だが、そこにいたる道は平坦と言いがたいものだった。

現実よりきれいな写真

インスタグラムをリリースした2カ月後の2010年12月、シストロムはマサチューセッツ州ホリストンの自宅でクリスマス休暇を過ごしていた。林や小川が多いのどかな地域である。隣町のメッドウェイはフォースクエアCEOデニス・クローリーの故郷《ふるさと》で、会えないかと打診してみたところ、競合相手でなくなっていたこともあり、中華とカラオケが売りのメッドウェイロータスで飲むことになった。

　このころシストロムは、投資したいと言われることが増えていたし、グーグルやフェイスブックなどの大手から、支援やアドバイスの申し出をもらうことも増えていて、そういう話から逃げ回る状態だった。特に後者は、買収に向けたからめ手だと思われたからだ。

　ともかく、すべての歯車がかみ合いつつあり、大きなチャンスであることはまちがいない。スマホで写真を撮るのが当たり前になっていたし、みんな、どうせならいい写真にしたいと考えていた。だから、みんな、インスタグラムを使うようになるはずだ。

「そのうち、ツイッターより大きくなりますよ」

　シストロムはこうぶち上げたが、クローリーは否定的だった。

「ないない。どう考えてもありえないね」

「そうでしょうか。つぶやくのは大変です。なにを言うか、いろいろと考えなければなりません。でも、写真なら気軽に投稿できます」

　それはそうかもしれない。だが、すでに、写真系のサービスがいろいろと立ち上げられてはいつの間にか消えている。インスタグラムは例外だと言える理由はあるのだろうか。

　シストロムも、ヒットしつつあるように感じるという以上にはっきりとこの疑問に答えることはできなかった。インスタグラムに注目が集まっていた要因は、その技術より心理的な側面だった。フィルターを使うと、現実を芸術的に見せることができる。そしてその芸術をずらり並べると、自分の人生に対する考え方が変わるし、自分自身に対する考え方も変わる。社会と自分の関係も、違って見えるようになる。

シリコンバレーのスタートアップは、90％以上が失敗に終わる。仮にインスタグラムが生きのびられたら、どうなるだろうか。幸運が続いて、競合他社を出し抜き、新しいユーザーをつかみ、フェイスブックと肩を並べるほど大きくなれたら、世界を変えることだってあるかもしれない。少なくとも、世界の見え方は変わるのではないだろうか。ルネサンス時代に線遠近法が絵画や建築の世界を変えたように。

シストロムにしても、自分の言葉に絶対の自信があったわけではない。むしろ逆で、業界の花形と言えるフォースクエアのCEOに会うのは怖いと思う状態だった。自社のインフラはまだぼろぼろで、ユーザーの増加に十分対応できていると言いがたい。冷や汗の連続で、夜もおちおち眠れない。手ごわい競合相手がたくさんいる。

そんな状態でも涼しい顔をとり繕《つくろ》わなければならない。それがスタートアップのCEOというものだからだ。そうやって、うまく行っているとみんなに思ってもらわなければならない。最近インスタグラムでは現実よりきれいな写真、完璧な写真を投稿しなければならないというプレッシャーがあると問題になっているが、それに似ていると言ったらうがち過ぎだろうか。

第２章

成功の混沌

「インスタグラムはとても簡単に使えるので、仕事という感じがしませんでした。使うのが楽しいと思えなくなったら、仕事だと感じるようになったら、やめようと思っていたのですが、インスタグラムは使いやすいままでした」[1]

――ダン・ルービン（@DANRUBIN）、インスタグラム初のおすすめユーザーリストに選ばれたカメラマン／デザイナー

アラーム音

マイク・クリーガーは、どこにでも必ずノートパソコンを持っていった。バーやレストラン、誕生日のパーティからコンサートにいたるまで。そして、映画館から、公園から、それこそ、キャンプ場からでもインスタグラムを直した。アクセス急増でサーバーが落ちると、ｉＰｈｏｎｅ

にアラートが届くように設定していたところ、デザインにうるさい日本人に人気が広がると、しょっちゅう夜中に起こされるようになってしまった。そしてそのアラーム音を聞くと、それがだれかのスマホの着信音だったりしてもストレスを感じるようになってしまった。

　不満に思ったわけではない。忙しいのはいいことだ。アプリの人気が高まっている証拠なのだから。世界のどこかでｉＰｈｏｎｅを手に入れた人が、フィルター加工された写真をインターネット上にみつけ、こういう写真を自分も撮りたいと思った証拠なのだから。流行に乗ろうとアプリをダウンロードし、いままでと違う目で周囲を見る人が増えている証拠なのだから。

　インスタグラムを始めると、おもしろい写真を撮りたいと思い、道路標識や道ばたの花、塗装の割れなど、ごくありふれたものに、がぜん、目が行くようになる。インスタグラムの写真は、真四角な形状とフィルターの効果により、古いポラロイド写真のようにノスタルジックな雰囲気が漂うので、切り取った瞬間は思い出となる。だから日々の暮らしをふり返り、ああ、あれはすてきだったなぁと思うことができる。

　しかも、ユーザーが増え、インターネット上で新たなつながりができるにつれ、いいね！やコメントがついたり、フォローされたりするので、そう思うのは自分だけじゃないと確認もできる。フェイスブックは友だちづきあいがベースで、ツイッターは意見がベースであるのに対し、インスタグラムは体験がベースだと言えて、世界のどこでも、だれでも、どこかのだれかが見たモノをおもしろいと思えるものだ。クリーガー自身も飼いネコやきらきらの夜景、あぶないスイーツなどの写真を楽しく撮っていたし、シストロムも友だちやバーボンボトルのラベル、芸術的な皿などの写真をちょこちょこ撮っては投稿していた。

創業者ふたりにとっては、なんとも不思議な時間だった。多くの人が気に入ってくれるものを作れたのはまちがいない。でも、単なるブームで終わってしまうかもしれない。戦略的にもっと優れた写真加工アプリがほかにあるかもしれない。資金が尽きる可能性もある。クリーガーがｉＰｈｏｎｅのアラームに気づかないなんて失敗もありうる。

この混沌《こんとん》を乗り切るため、クリーガーとシストロムは、だれを雇うのか、だれを信用するのか、顔も知らない何百万人もの要求に応えるサービスを作り上げるプレッシャーにどう対処するのかなどを決めていかなければならなかった。そうやって、会社の文化を創っていかなければならなかった。判断をミスれば、インスタグラムという気持ちのいい現象が台無しになってしまう。

役割分担

最初のストレスは、自業自得だったと言える。人気が出るかどうかわからないのに、最初からしっかりしたインフラを用意したり、機能をしっかり作り込んでおくわけにはいかない。開発に時間をかけていたらタイミングを逸していたかもしれないし、昔作った犯罪データのアプリでは、グラフィックスにこだわったのに、まるで注目してもらえないという経験もしている。だから、最小限でスタートしたほうがいい、不具合が生じればなにをどうすべきかもおのずと明らかになる。それがクリーガーの考えだった。

リリース後の苦労としては、サーバーが落ちるトラブルのほか、カスタマーサポートが大きかった。最初のころは、パスワードを忘れたとか、ユーザー名を変えたいとかのとき、対応する機能がアプリになく、シストロムがツイートに反応する、メールアドレスを公開するなどしていたのだ。こんなやり方が続けられるはずもない。だから、ジョシュア・リーデルの手を借りることにした。フェイスブックに買収されたネクストストップでコミュニティマネージャーをしていた人物だ。ひょろりとしたリーデルは小説家でもあり、オレゴン州ポートランドに引っ越したところだったが、インスタグラムを気に入ってくれていて、カリフォルニアに戻ろうと言ってくれた。

シェイン・スウィーニーというエンジニアも雇った。25歳と若いが、ティーンエイジャーのころからコーディングをしていて、大学に進学せずウェブ系スタートアップを渡り歩いたあと、注文に応じてｉＰｈｏｎｅアプリを作る仕事をしているプロフェッショナルである。実はドッグパッチラボにもいたことがあり、インスタグラムに参画する前から、アップルオペレーティングシステムについてシストロムに教えてくれたり、ｉＰｈｏｎｅのカメラ機能をインスタグラムに組み込み、アプリから写真が撮れるようにする方法を教えてくれたりもしていた。

スウィーニーはアプリ用インフラの構築経験も豊富で、サーバー火事の消火も手伝ってくれた。本当に大変な作業だった。ノートパソコンのバッグはクロークに預けろと言われ、コンサートを聴かずにUターンしたこともある。あまりに忙しくて、付き合っている女性に1カ月も連絡せずにいたことさえある。ようやく思い出し、謝ろうと連絡したら、とっくに振られていたそうだ。

アプリのリリースから1カ月がたった11月、ドッグパッチラボから静かで集中できるところに引っ越すことになった。窓もない小さな事務所だが、投資家クリス・サッカの口利きで、ツイッターがオフィスを置いていたサンフランシスコはサウスパーク地区に借りることができたのだ。アップルストアでコンピューターモニターも購入した。ユニオンスクエアは観光客が多くて二重駐車しなければならなかったり、帰りはスウィーニーが抱えていなければならなかったりといろいろ大変だったが、モニターを据《す》えると、プロジェクトの段階を卒業して会社になったんだなという感慨が創業者ふたりの胸にあふれた。

やらなければならないことが多かったので、ふたりはそれぞれ得意なことを分担した。システロムは渉外担当として投資家や報道陣への対応に当たるとともに、製品のルック&フィールを担当。クリーガーは裏方となり、都度、必要なことを学びながらエンジニアリング面のややこしい問題を解決し、インスタグラムの成長を支えた。クリーガーはシストロムのような仕事をしたいと思わなかったし、逆にシストロムもクリーガーのような仕事をしたいと思わなかった。だからうまく行ったのだろう。出資比率の少ないクリーガーが、この分担に不満を覚えなかったのも大きい。

信じられるのは自分たちだけ

おもしろい人をインスタグラムに誘うのも、メンターをみつけてアドバイスをもらうのも、シストロムは、上手にこなしてきた。だがそこにお金が絡み、さらに、頭の痛いことに政治的な駆け引きも絡むと話が変わってくる。

２０１０年末、世の中には、ピックプリーズ［PicPlz］、バーストン［Burstn］、パス［Path］など、写真共有のアプリが増えていた。アンドロイド用のピックプリーズは正方形である必要がなく、フィルターも用意されていたが、プレビュー機能がなく、投稿前に見え方を確認することができなかった。パスはフェイスブックOBが立ち上げたサービスで、写真以外の機能も持つ少人数向けのモバイルソーシャルネットワークだった。バーストンはインスタグラムと似たサービスだが、自前のウェブサイトが用意されていた。

この12月、ピックプリーズが500万ドルの資金を調達するラウンドでアンドリーセン・ホロウィッツが主幹事を務めるという事件が勃発し、テクノロジー系ブロゴスフィアでは、利益相反だと大騒ぎになった。アンドリーセン・ホロウィッツはインスタグラムに25万ドルを出資している、これは二股なのではないかというわけだ。

このニュースは、シストロムにとってショックだった。追い打ちもかかった。あの報道はなんだとアンドリーセン・ホロウィッツから非難の電話がかかってきたのだ。この件について記者と話をしたことはないと言っても、どこぞのテクノロジー会議でいらん無駄口でもたたいてるんだろうと、あらぬ疑いをかけてくる。実際には、サンフランシスコのターカリーア・カンクンでクリーガーとケサディーヤを食べているところだったのだが。

はらわたが煮えくり返る思いだった。最大級のライバル会社に投資した上、それに対する世間のマイナス評価はシストロムのせいだと言うのだから。電話を切ると、ふくれっ面でクリーガーに愚痴《ぐち》った。

シストロム以上に争いを好まないクリーガーも、さすがにひどすぎる話だと憤慨した。だが同時に、アンドリーセンがどう思おうが自分たちには関係ないとも指摘した。大事なのはインスタグラムをできるだけ発展させることであり、そうできるのは自分たちだけだ、とも。

そう言われ、シストロムも、ほかの人々が味方とはかぎらないのだと改めて認識した。信頼できるのは基本的に自分たちだけ。ほかの人々がインスタグラムのことを第一に考えてくれるはずがない。

インスタミート

疑われると、なにくそとやる気になるものだ。ただ、インスタグラムの未来を決めるのはシリコンバレーのエリートではなく、世間一般の人々である。そういう意味で、いいアドバイスをしてくれたのが投資家スティーブ・アンダーソンである。「インスタグラムというアプリを作るだけならだれにでもできるが、インスタグラムというコミュニティを作るのは難しい」と言ってくれたのだ。インスタグラムには、エバンジェリストと言ってもいいアーティストやデザイナー、カメラマンがたくさんいる。彼らにおもしろいと思い続けてもらうことが肝要だ。

ツイッターでは、#tweetupsというハッシュタグでオフ会が開かれている。これをまねてインスタミートというイベントを開いてみることにした。推進役はコミュニティマネージャーのリーデルだ。場所は、ブラッドハウンドというカクテルバー。ビリヤード台や鹿角のシャンデリアがある男性向けのバーだ。近くのインスタグラムユーザーをそこに招待し、気に入っている点や気に入らない点などを教えてもらおうというのである。

来てくれる人がいるかどうかわからなかったが、いずれにせよ、それなりのバーテンダーがいるバーで飲めるからいいかという感じだった。ところがふたを開けてみると、インスタグラムを使ってみてくれと声をかけた人々や見ず知らずの人々など、なんだかんだで30人ほどが集まってくれ、満員御礼状態になった。テッククランチのMG・シーグラー記者など報道関係者も何人かいた。フィルターを作ったり、のちに濃淡ブラウンのカメラに虹をあしらった新しいロゴをデザインしたりしてくれたコール・ライズも来てくれた。ティコという名で知られるミュージシャン、スコット・ハンセンも友だちにくっついて来ていた。

「もしかして、スコット・ハンセンさんですか？」

ライズが尋ねると、

「おお、コロライズさんですね？」

と返ってきた。@coleriseをどう発音したらいいのかわからなかったのだろう。

古株のインスタグラマーでフォロワーがたくさんいるライズは、いつのまにか有名人になっていたのだ。その結果、彼の人生は大きく変わっていくのだが、それはまた別の物語であり、このときは友だちが増えたことを単純に喜んでいた。ただ、写真加工のノウハウを世界に公開したことについては、ひそかに悔やんでいた。ハドソンフィルターが世界に公開されているということは、そのテクスチャーを採取した自宅キッチンの黒板も、ある意味、世界に公開されているわけだ。

このあたり、シストロムは、一応、気にしていたのだろう。ポラロイドの商標と同じだったため、フィルターのひとつ、スペクトラの名前を変えなければならなくなったとき、ライズに改名している。コールも、この話をテッククランチの記事で知り、うれしかったと語っている。なお、コールも、みずからフィルターアプリをリリースするのだが、それは、何年もあとの話である。

「コミュニティ」と「文化」を築くには

ミートアップには、フィードバック以外の狙いもあった。インスタグラムを中心とした文化の醸成だ。インスタグラムに費やす時間を愛おしく思い、フォローしたいと思う人を友だちという枠の外にもみつけてもらえれば、インスタグラムは強くなるはずだとリーデルは考えたのだ。インスタミートに来れば、世界の美をどうとらえたらいいのかをアマチュアなりに議論できる。最先端の創造性にひたれる。また、新たな千年紀が始まり、楽観的な雰囲気も広がっていた。インスタグラムによく投稿する世代は大不況のころ社会に出たあたりなのだが、彼らは、そうすることで、9時5時より注目されることのほうに意義があると訴えているようにも思われる。

いずれにせよ、インスタグラムは、新しもの好きの世界から世の中の主流になりつつあり、そういうトレンドに敏感な会社がどんどん参入しつつあった。翌年1月には、ペプシやスターバックスなどもインスタグラムのアカウントを入手していた。[2] プレイボーイからナショナルパブリックラジオ、CNNなどもである。有名ブランドの参入はビジネスモデルの実現に向けて足を踏み出せたことを示すもので、スタートアップにとって喜ばしい出来事である。だが、シストロムは、お金を払って使ってもらうつもりはないとテッククランチに語るなど、[3] インスタグラムの場合、自然の成り行きとしてそうなったのだと強調した。

著名人で最初に使い始めたのは、ラッパーのスヌープ・ドッグだった。初投稿は、スーツでコルト45の缶を手にした写真にフィルター加工を施したもの。ツイッターにも流したので、彼のフォロワー、250万人に拡散されたことになる。添えられた言葉は「ブラストでかっこよく」である。コルト45のブラストとは、12%とアルコール度数が高い果物風味の炭酸飲料が入った700㎖近いロング缶で、このころは、カフェインも添加されていた。

インスタグラムには紛《まぎ》らわしい広告が投稿されるようになっていくのだが、これは、その最初の例だと言える。スヌープは、お金をもらって、この飲み物を宣伝しているのか。それとも、自分の好みとして、これはいいと言っているのか。広告の情報開示規則や未成年者に対するアルコール飲料の宣伝を禁じる規則があるが、そのような規則に違反していたりしないのだろうか。

このような疑問に答えられる人はいなかったし、そもそも、疑問の声をあげる人もいなかった。この投稿の数カ月前には、カフェイン入りアルコール飲料は危険である、特に、ブドウやレモネードなどティーンエイジャーが好みがちなフレーバーのものは危険であると、米食品医薬品局が警告を発していたが、インスタグラムにおける広告の情報開示ルールをインスタグラムや規制当局が定めるには、もう何年か時間が必要だったのだ。

インスタグラムの写真はほかの人の視点がかいま見える窓という位置づけなわけで、それに合わせ、ブランドや著名人も裏話の紹介に使ってくれればいいなとシストロムやクリーガーは思っていた。いずれにせよ、著名人が使ってくれるのはありがたい。スターというのは、みずからを中心にコミュニティを構築し、文化を醸成している人々であり、それは、インスタグラムがやりたいと思っていることだからだ。2月には、シストロムとリーデルもグラミー賞の授賞式に出席し、タキシードを着てレッドカーペットを歩く姿などをインスタグラムに投稿。シストロム本人も、大いに楽しんだようだ。

「ステップ1――ユーザーを山のように獲得する。ステップ2――ブランドに使ってもらう。ステップ3――著名人に使ってもらうことでサービスのプロモーションを進める。ステップ4――主流の地位を確立する」

シーグラーがテッククランチに書いた記事の一節だ。スヌープが使いはじめたことで、インスタグラムはステップ3に入ったというのがシーグラーの見立てだった。[4] 立ち上げからわずか数カ月で、である。

採用

アンドリーセン・ホロウィッツの件からは、特に問題なく立ち直ることができた。2011年の前半にはピックプリーズを大きく上回る数のユーザーを獲得し、投資をしてくれているジャック・ドーシーとアダム・ディアンジェロの勧めで、有名ベンチャーキャピタリストのマット・コーラーと会うことになった。

マット・コーラーはベンチマークキャピタル［Benchmark Capital］のパートナーで、ここは、1990年代にイーベイへ投資したことで知られているし、このころはツイッターとウーバーにも資金を提供していた。コーラー自身はフェイスブックの社員から投資家に転じた人物で、デスクトップコンピューター用ではなく、携帯電話専用に設計したと感じられるアプリは初めてだと、インスタグラムを高く評価してくれていた。システロムからは、フェイスブックはすごいと思っている、あんなふうに広く使われる製品を作れる会社にするにはどうしたらいいのかを学びたいとラブコールを送った。

結果、コーラーは投資に同意し、スティーブ・アンダーソンとともにインスタグラムの取締役も務めてくれることになった。こうして、ベンチマークを主幹事とするシリーズAラウンドで700万ドルが調達できたので、社員の人数にもよるが、かなりの期間、資金の心配をする必要はなくなった。この2月、インスタグラムのユーザー数が200万人を突破したことを承《う》け、シストロムは、「この急拡大を支え、スケールに対応できるように、チームの拡充を図ります。世界的に見てもトップクラスのエンジニアリングチームにしたいと思っています」と語っている。

だが、シストロム、クリーガー、リーデル、スウィーニーの4人に続く5人目が来たのは8月になってからだった。忙しすぎて採用活動が満足にできなかったと表向きにはされているが、実際は、インスタグラムにすべてを賭ける気概で転職してくれる人がなかなかみつからなかったからだった。面接をすると、独立した会社としてずっとやっていくつもりだとは思わなかった、ツイッターやフェイスブックで写真を共有するのに便利だという以上に思っていなかったなどと言われてしまうのだ。

仕事時間が気になる人やビジョンの大きさを理解していない人は、シストロムが容赦なく落としてしまう。手が足りないのにと出資者がぴりぴりしているのはシストロムもわかっていて、超一流しか雇わないのだとギズモードのブロガー、マット・ホーナンに語るなどしつつ。

ある意味、これもインスタグラムらしさなのだろう。シストロムはグーグルで働いていたことがあるが、あそこは、アイビーリーグの大学で工学や科学の博士号を取っていればまずまちがいなく歓迎される場所で、試験をくり返して最適化していく学究的な雰囲気がある。立ち上げ期のツイッターは無政府主義者や社会のはみ出し者などが集まる場で、言論の自由や反体制的な雰囲気が大事にされていた。対してインスタグラムは、美術や音楽、サーフィンなど、技術以外にも興味関心のある人材を求めていた。文学についてリーデルと語り合うのが大好きなクリーガーのように、である。

規模がごく小さかったことから、チームは、苦楽をともにする仲間という雰囲気になった。お昼も、だれかひとりが買ってきてみんなで食べることが多かったし、連絡にメールを使うこともほとんどなかった。なにしろ、全員がひとつの部屋にいて、クリーガーが好きなインディーズの音楽が小さなスピーカーから流れてくるのを聴いていたりするのだから。おやつは、まとめ買いしてあるネイチャーバレーのグラノラバーにシュガーフリーのレッドブルだ。ちなみに、その置き場にはアリがたかっていることが少なくなかった。シストロムの母親がクッキーを送ってくれることもあった。髪の毛は、時間の余裕があるときに、みんな、同じお店で切ってもらっていた。

万能のアプリストア用紹介文

インスタグラムのアプリは、2〜3週間に一度と頻繁にバージョンアップし、処理速度と使い勝手を高めていった。なにが新しくなったのか、アップルのアプリストアで紹介する文章を書くのがまにあわないほどの頻度である。書く暇があったとしても、スウィーニーの文章は技術的すぎたりするのだけれど。そんなわけで、彼は、万能の紹介文を作り上げた――「バグを修正し、性能を高めました」である（その後、ほかのシリコンバレーアプリもこれをまねるようになる）。

徹夜や土日返上でしゃにむに仕事を進めた成果もしだいに現れ、アプリストアの人気ランキングでフェイスブックを抜くことができた。これはボーナスのようなものを出すべきだろうと、シストロムは、ブラックメープルヒルを1本ずつ、みんなに配ることにした。1本100ドル以上もするプレミアムバーボンである。だが、カリフォルニア州パラダイスという田舎の出身であるスウィーニーには、東海岸のエリート趣味丸出しじゃんと冗談のネタにされ、ブラックメープルヒルをマウンテンデューで割る絵がメッセージで送られてきた。

同じころ、新たに出資してくれた投資家コーラーの自宅で開かれたカクテルパーティで、シストロムは、10年振りにマーク・ザッカーバーグと会う機会があった。インスタグラムにはフェイスブックも注目しているらしく、うまく行っているようだね、おめでとうと言われた。

ジャスティン・ビーバーの参入は何を変えたか

2011年夏、ツイッターの利用者は月間1億人ほど、フェイスブックは8億人以上となっていた。対してインスタグラムは600万人と小ぶりだが、そこまでに要した期間はツイッターやフェイスブックの半分ほどだった。先行SNSの肩に乗せてもらった結果である。

一番大きかったのは、セレブの影響かもしれない。

17歳のポップスター、ジャスティン・ビーバーは、ツイッターで1100万人を超えるフォロワーがいる。その彼がインスタグラムを使い始め、ロサンゼルスの道で撮った写真をフィルターでハイコントラストにしたものを投稿すると、クリーガーが設定したアラームが止まらなくなった。毎分50人、ビーバーのフォロワーが増えていく状態で、サーバーが過負荷になったのだ。「ジャスティン・ビーバーがインスタグラムを始め、世界は爆発した」とタイム誌が報じたほどで、彼が投稿するたび、プレティーンの女の子が山のように押し寄せ、サーバーが悲鳴を上げる。落ちてしまうことも少なくなかった。

ビーバーのマネージャー、スクーター・ブラウンは、またかと思いながらこの事態を見ていた。ビーバーのようにインターネットで有名な芸能人を筆頭に、ソーシャルメディアに投稿している著名人はたくさんいるが、多少なりともリターンを受け取っている人はひとりもいない。ビーバーは、12歳のころ、ユーチューブ［YouTube］で歌っているのをみつけてスカウトしたのだが、いまならフェイスブックやツイッターが急伸したころには、まだそれほど有名になっていなかった。話が違うかもしれない。インスタグラムから報酬のようなものを引き出せるかもしれない。

音楽業界の切れ者ネゴシエーターとして知られるブラウンは、そう考え、シストロムに連絡を取った。シストロムは、たくさんの友だちとステーションワゴンでタホ湖に遊びに行く途中で、デービスという町のあたりを走っているところだった。

電話は「ケビン、ジャスティンもここにいるんだが……」で始まり、ビーバーにも出資させるか、あるいは、コンテンツに対する報酬を払ってほしい、要望が受け入れられなければインスタグラムの利用をやめさせる、と続いた。

シストロムの答えは決まっていた。だれに対してでも、コンテンツに報酬を払うことはない、だ。楽しいし、なにかと役に立つから使ってほしい、利益を求めて使うことはしてほしくないというのが理由である。出資に対しても、回答はノーだった。

ビーバーは、ブラウンの言葉どおり、インスタグラムの利用をやめた。だが、彼とつきあったり別れたりをくり返しているセレーナ・ゴメスはインスタグラムが大好きだし、ディズニーで大人気となった女優で歌も歌えるゴメスとのゴシップはブログ界で格好のネタだしで、ビーバーも、ほどなく、利用を再開。そんなわけで、インスタグラムのインフラは折々過負荷に陥る状態が続き、一時期は、サーバー1台の半分くらいをビーバー関連の処理にあてざるをえないほどだった。

ビーバーの登場で、コミュニティは性格が大きく変わった。ライズがのちに指摘しているように、突然、絵文字がたくさん使われるようになったのだ。ユーザーの年齢層が下がり、それに伴って、いいね返しやフォロー返しといった新たなお作法が生まれていく。ライズは、まじめな人々が日常のおもしろい瞬間を語るコミュニティだったのが、スーパーポップカルチャーの世界に変貌したと表現している。

コミュニティエバンジェリスト

ビーバーの件があったからかどうかはわからないが、インスタグラムを使う人はどんどん増えており、それと並行するように、リーデルは、リアルな出会いの場、インスタミートを増やしていった。そして、サンフランシスコで夏に開かれたインスタミートでライズが紹介されたのが、インスタ大好きのジェシカ・ゾールマンだった。

ゾールマンが働いていたのは、匿名で質問ができてティーンに人気のサイト、フォームスプリング［Formspring］だ。匿名サイトの常で、このサイトも、いじめの温床になってしまっていた。

みんなはどう思うと問うと、不潔だ、不細工だ、死ねよなどの言葉を投げつけられてしまうのだ。そんななかで、実際に危害を加える恐れがあったり自殺する恐れがあったりした場合、警察やFBIと連携して対処するのがゾールマンの仕事だった。

インスタグラムは、そんな彼女の逃避先だった。あまりに熱心だったもので、職場では「インスタクイーン」と呼ばれるし、芸術系の友だちからは、スマホで写真を撮っているのにカメラマンを自称していると笑われる始末だ。それでも、インスタグラムが好きで好きでたまらない。こんなに幸せが感じられる場所、創造的な場所がインターネットにあるなんて信じられない、こんなすごいことはないと思えてならなかったのだ。彼女は、モバイル機器で撮った写真をテーマとした会議も主催していた。会議の名前「1197」は、カメラ付き電話で撮られた写真が初めて共有された1997年6月11日にちなんだものである。

シストロムが待ち望んだ熱意の人だと言える。製品のすばらしさを世の中に伝えるコミュニティエバンジェリストになってもらえないかとリーデルが打診。返事は、「120ポイント、ピンク色のフォントで『もちろん！』と書いたら盛りすぎでしょうか」だった。リーデルは「ちょうどなんじゃないですか」と返信。こうして、彼女は、5人目のインスタグラム社員となった。

「問題ある投稿」にどう対処するか

シストロムとクリーガーは、自分たちの限界を感じつつあった。いや、得たものを失いたくないと思っただけかもしれない。著名人にもブランドにも報酬は払わない。アプリをややこしくしない。投資家の駆け引きには巻き込まれない。テックジャイアントとは上手に折り合いを付ける。インスタミートでコミュニティを醸成する。和気あいあいとした場というゾールマンの理想をめざす。

ここまではいい。だが、ユーザーを御《ぎょ》することはできない。コミュニティ活動を通じてユーザーに示唆を与えるのが限界なのだ。ツイッターと同じく、インスタグラムも、実名でなくても利用できる。そして、夕焼けやラテの写真を投稿するより、好ましいとは思えない写真を投稿したりそういうコメントを付けたりなど、嫌がらせに執着する人というのも世の中には存在する。

そういう人をみつけたら、管理者権限でアプリへのログインを禁じた。事前の警告なしで、だ。この作業は、色がおかしくなった葉を刈り込むのに似ているとして、インスタグラムでは「トロールの刈り込み」と呼ぶ[6]。

コメント欄の荒しも問題だが、自殺未遂の写真、児童ポルノや動物虐待の写真、摂食障害や過食症を美化するシンスピレーションの写真といった問題もある。シストロムもクリーガーも、こういう写真を投稿してほしくないと思っていたが、同時に、おかしな写真のすべてを手作業で削除するのは無理な規模になっていることも理解していた。リリースから9カ月で累計1億5000万枚もの写真が投稿されていたし、さらに毎秒15枚も追加されているのだ[7]。そこで、ひどすぎるものを自動検出して公開を防ぐ方法がないか、検討することになった。インスタグラムというブランドに傷がつくのを防ぐためだ。

「そんなこと、しちゃだめ!」

ゾールマンが反対した。

「問題になりそうなコンテンツをチェックすれば、すべてのコンテンツに責任を負わなければならなくなっちゃう。そんなことをしているとだれかに気づかれたら、投稿される写真を1枚1枚、ぜんぶ確認しなきゃいけなくなっちゃう。そんなこと、できるはずないでしょう」

彼女の言うとおりだった。「対話型コンピューターサービス」を提供する者は、投稿前にコンテンツの編集管理をしていないかぎり、法律上、その情報を「公表・公布する者」とはみなさないと、米通信品位法第２３０条に定められているのだ。[8] １９９６年に成立したこの法律は、インターネットにおけるポルノの規制を目的としたものだが、誹謗中傷などの法的責任からインターネット企業を守るものでもあった。この法律がなければ、動画に暴力表現が含まれていないか必ず確認しなければならないし、単にこき下ろすだけのカスタマーレビューになっていないか必ず確認しなければならないし、ウソの投稿ではないのか必ず確認しなければならないしで、フェイスブックもユーチューブもアマゾンも、あんなに成長することはできなかったはずだ。

この問題にゾールマンが詳しかったのは、フォームスプリングで働いていたとき、上司とふたり、ツイッターでこの問題を担当していたデル・ハーベイから話を聞いたからだ。ちなみに、「デル・ハーベイ」というのは、規則に怒ったインターネットユーザーから身を守る仕事用の偽名である。ともかく、そのミーティングで２３０条のことを知り、覚えていたのだ。

だが、同時に、そういう投稿を野放しにするのはインスタグラムにとってよくないともゾールマンは考えていた。とがめずにいると暗部は増殖するとフォームスプリング時代に痛感したし、だからこそ、インスタグラムに逃げ込んだりしたのだから。幸か不幸か、インスタグラムのユーザーはまだそれほど多くないので、リーデルとゾールマンが交代でがんばれば、あぶないコンテンツをチェックできるだろう。だが、早晩、自殺未遂の写真だけでも手が回らなくなるのは目に見えているし、もっとひどい事態になることも考えられる。ビーバーの登場以来、感じやすい年頃のユーザーが増えているからだ。

　ゾールマンはユーザー名を@jayzombieとしているくらいで死というものに惹かれる面も持ち合わせており、ぱっくり開いた傷口を目にしたくらいでどうこうということはない。だが同時に、思いやりの気持ちが強く、手をこまねいてよしとするタイプではない。だから、インスタグラムが使える国にあるメンタルヘルス電話相談の番号などを記した短いメールを用意し、自殺系のコンテンツを投稿した人に自動送信するようにした。威嚇《いかく》なども気づけば警察に連絡した。フォームスプリング時代と同じように、警察やＦＢＩへの連絡窓口を買って出たわけだ。

　手をかけたからといって、必ずしもいい結果になるとはかぎらない。スコットランドの少女が自殺をほのめかしていたので警察に連絡したときもそうだった。対応するので詳しい情報をと言われたが、アクセスしている場所は把握していないし、ユーザーのアップルＩＤを教えることもアップルとの契約で禁じられていて、どうにもならなかった。行方不明の子どもや不当な扱いを受けている子どもを救うための組織、ＮＣＭＥＣに児童ポルノを通報したときには、そういう写真をサーバーに置いていることも違法だし、通報のためとはいえ、そういう写真をメールするだけでも違法だと言われてしまった。そういう写真は、一定の時間がたったら自動削除するように設定した別サーバーに保存した上で、しかるべきところに報告しろ、というのだ。サーバーは、クリーガーに用意してもらった。

規制せず、「誘導」する

大きな企業なら、コミュニティ育成とコンテンツ浄化は別部署が担当するはずだし、そもそも、法律上、どうしてもしなければならないとはなっていないわけで、こんなに早い段階で、そこまできっちりやることはまずない。だが、インスタグラムはそこまでした。そして、その結果、プラットフォームに潜む危険を早期に把握し、対処方法も考えることができたし、加えて、コンテンツをインスタグラムが望む方向に誘導するのが大事だと気づくことができた。

ツイッターやフェイスブックは、コンテンツの検閲はできるかぎりやらないほうが法的に安全だという立場を取っている。問題はユーザー本人が通報するなり、個人的に解決するなりすればいいし、どう使うべきだと指導するのは会社の仕事じゃないというわけだ。

リーデルとゾールマンは考え方が違っていた。

インスタグラムには写真を拡散するアルゴリズムや手法が用意されていないので、なにもせずコンテンツがバイラルに広がることは基本的にない。だから、これはと思うユーザーをインスタグラムのブログで取り上げるなどの方法でユーザーを誘導することができる。多言語展開できるようにインスタグラムアプリを翻訳してくれるボランティアを募集したり、インスタミートを主催してくれる人を募集したりもした。水中写真の撮り方など、いい写真を撮る方法や、魅力的なアングル、画期的なパースなどのノウハウもどんどん出していった。

この結果、スーパーファンが増え、彼らがゾールマンやリーデルの補佐を無償でしてくれるような状況が生まれた。非公式アンバサダーとでも言えばいいのだろうか。撮影をしに、いつ、どこに行くと彼らが公表し、それを見た人が現地で合流しては、そういう機会でもなければ訪れなかったであろう場所を近場に発見したりといったことが増えていったのだ。

このころインスタグラムが取り上げたユーザーのひとりを紹介しよう。ニューヨーク大学の学生、リズ・エスワインだ。彼女は、3年生のとき、ライム病にかかり、休学しなければならなくなった。また、そのころ、ニューヨークタイムズ紙でインスタグラムのことを知り、早い段階でユーザーになった。なにせ、ユーザー名が@newyorkcityである。そして、病気療養中にもできる楽しみとして、ドラマチックな高層ビルやバスケットボールの試合、チャイナタウンの魚市場、大道芸人などの写真を撮って歩いた。また、インスタグラムのミートアップやスカベンジャーハントという借り物競走などの写真も投稿し、公園やバーにユーザーが集まったり、みんながニューヨークの様子をスマホ写真で楽しんだりするきっかけも作った。そんな彼女のアカウントをインスタグラムが紹介すると、週に1万人ずつもフォロワーが増えていったという。

なぜ「リシェア」させないのか

リシェアのボタンを用意すれば、みな、バイラルに広がることをめざすようになり、お手本的な使い方に誘導するのは難しくなる。だが、世の中の情勢を見ると、ユーザーはそういうボタンを望んでいるとしか思えない。たとえばツイッター。ほかの人のツイートをコピーペーストするユーザーが多いことを承け、リツイートのボタンが用意された。投稿を簡単にシェアできるほうが、成長には都合がいい。バイラルな広がりはシェアされたユーザーにとって報酬のようなものになるし、そういう方法が用意されていれば、おもしろい写真なんて撮れないと思う人も気軽に参加できる。

そんなわけで、インスタグラムもリシェアボタンの試作はしたのだが、結局、一般公開には踏み切らなかった。フォローするときに抱く期待を裏切るものだと考えたからだ。インスタグラムでだれかをフォローするのは、その人が見たもの、経験したこと、創り出したものなどを自分も見たいと思うからだ。どこの馬の骨かもわからない人の経験ではなく。

だが、ソーシャルネットワークとバイラル性は表裏一体のものとして語られる世の中でこのような考え方は珍しく、後々までくり返し説明しなければならなかった。しかも、この考え方に疑問を投げかけてくるのは、シリコンバレー関係者だけではなかった。

2011年9月、インスタグラムのユーザーは1000万人を突破していて、ハリウッドからサウスパークのインスタグラムまで、出資を望む名士が何人も訪れていた。俳優で歌手のジャレッド・レトなど、「お金がいっぱいに詰まったカバンをここに置いて帰っても、受け取ってもらえないってことですか」とまで言ったらしい。

アシュトン・カッチャーもそのひとりだった。ドラマ『ザット'70sショー』やコメディー映画『ゾルタン★星人』などで知られる俳優で、2009年には、ツイッターのフォロワー数がCNNを抜き、初めて100万人を突破したことでも有名である。ビーバーと同じく彼も、大きな価値を無償提供していることに気づいていた。間抜けな役柄を演じることが多い俳優だが、本人はとても優秀なのだ。そして、トレンドを見極める目を生かして儲けようと、テクノロジー業界について詳しく学ぶと、マドンナのマネージャー、ガイ・オセアリーとともに業界を精査し、いくつもの会社に出資するにいたっていた。投資先はソーシャルメディアにとどまらず、ウーバー［Uber］やエアビーアンドビー［Airbnb］、スポティファイ［Spotify］、そして、インスタグラムと競合するパスも含まれている。

「新たな体験が提供されるときって、3社くらいは同じことをしようとしているものなのです」

カッチャーの言うとおりで、インスタグラムにせよピンタレスト［Pinterest］にせよ、ウーバーにせよ、似たようなサービスが複数あるのがふつうだ。

「問題は、最初に勢いに乗るのはどこか、です。ネットワーク効果が効くので、それで勝負あったになります」

さて、インスタグラムの人気が一時的なものか長続きするものかを知ろうとデータを集めたカッチャーとオセアリーは、利用時間がだんだん延びていて習慣になりつつあることを知った。

「これはユーザーの気を引く競争ですからね。フェイスブックとツイッターを見れば、だれの目にも明らかですよ」

「すっきりしたひとつの流れにしなきゃいけない」

オセアリーとカッチャーは、インスタグラム訪問のアポを取ろうとした。そして、苦労の末、サウスパークの事務所を訪れることができた。窓は1980年代にはやったガラスブロックで、光が十分に入るとは言いがたいし、床は茶色のカーペットだ。ふたりが入ってきても、みな、スクリーンに向かっていて顔を上げることさえしない。アプリのクラッシュを防ぐのに忙しくて、話などとてもできる状態ではないのだ。

シストロムが対応し、投資家を増やすつもりはないが、市場機会の説明ならばさせていただきたいと申し出た。インスタグラムはフィルターがあるので、ユーザーに対するプレッシャーが緩和され、写真の共有が気楽にできる。ツイッターなら、さしずめ、自分を賢くするブーストボタンがあるようなものだ。

「写真を撮ったあときれいにする方法があれば共有しやすくなりますし、それは、我々の強みになるわけです」

「次に用意すべきはリグラム機能ですね」

とカッチャーが突っ込んできた。これに対して、シストロムは、

「すっきりとしたひとつの流れにしなきゃいけないんですよ。みつけたいコンテンツはみつけられないと困りますが、その場合も、その写真を撮った本人のところに直接アクセスする形じゃなきゃいけないのです」

と説明した。才能で稼いでいる人ならきっと理解してくれると信じて。

だが、カッチャーは不機嫌だった。せっかくいいアイデアを出したのに、シストロムが耳を傾けようともしなかったからだ。それでも、ユタ州のスキーツアーに誘ったのは、興味深い人物だとは思ったからだろう。ツアーには、ふたりがよく知る投資家ジョシュア・クシュナーや、テクノロジー企業の創業者数人も来ていた。宿泊先は、雪の中に立つ大きなキャビンだった。

その夜、シストロムがカッチャーの部屋に飛び込んできた。いますぐ避難しろというのだ。言

われてみれば、部屋には煙が広がっているし、暖炉脇の壁はすでに燃え始めていた。

時刻は朝の4時だった。シストロムは、続けてほかの部屋を回り、全員を外に誘導。みな、下着姿でぶるぶる震えながら、ノートパソコンと電話をしっかり抱えて消防隊の到着を待った。

優れたリーダーだなとカッチャーは思い、ケビンと友だちになった。彼は、後に、エンターテイメント業界におけるインスタグラムの信用を高める手助けをすることになる。

ツイッターからの2度目の買収打診

著名人に注目される、興味関心をベースとしたコミュニティを構築する、携帯電話のある暮らしに必要なお供になるなど、インスタグラムがうまくやっていることは、いずれも、ツイッターがめざすものでもある。方向性があまりに似ているものだから、インスタグラムを訪問した著名人から、続けてツイッターの担当者に会えないかと尋ねられることさえあったという。同じ会社が運営していると思われたらしい。

この状況は変えるべきだ。ツイッターで企業買収などを担当するジェシカ・ベリーリは、2011年末、そう考えていた。インスタグラムは、事業の構築方法も投資家もツイッターとほぼ同じだ。スタンフォードのメイフィールドプログラムでクリーガーと机を並べたこともあるベリーリは、もう一度、インスタグラムに買収の打診をするよう初代CEOのドーシーに進言。シストロムからは、数字次第だが、前向きに考えるとの返事をもらった。

今回、エバン・ウィリアムズの反対につぶされる恐れはなかった。この前年、ディック・コストロがCOOからCEOに昇進し、ウィリアムズはCEOからプロダクト関連へと役割を変えていたからだ。さらに、2011年3月、ドーシーが、自分こそ、執行権のある会長としてツイッターを導くビジョナリーにふさわしいと取締役会を説得。取締役会は、ベンチマークの投資家でツイッターの取締役を務めるピーター・フェントンを通じ、ウィリアムズを追い出した。2008年にドーシーを追い出したように、である。入れ替わるように、ドーシーが戻り、執行権を持つ会長に就任。コストロとともに開発の舵取りをすることになった。なお、ツイッター退職後に立ち上げたスクエアの仕事も続けている。

上層部でビジョンがぶつかり合うと、ユーザーの利益などそっちのけで手柄争いになりがちだ。ツイッターがまさしくその状況になっていた。コストロはCEOとして存在感を示したいし、ドーシーはドーシーで創業者の意地がある。どちらが脚光を浴びるのか、激しい駆け引きが展開された。

買収検討チームが出した想定価格は8000万ドルだった。高すぎるとコストロは反対。若い会社だし、ツイッターで写真を共有しやすくするしか能のないところで、著名人が告知や近況報告をする場としてツイッターと争う事態にはまずならないのだから。いずれももっともらしいが、口にしないだけで、この買収はドーシーの手柄になってしまうと心配していることは、だれの目にも明らかだった。結局、買収は棚上げとなった。

インスタグラムは「窓」である

だが、その後も、インスタグラムの価値は上がる一方だった。地歩を固め、世の中に確固たる存在感を示すようになっていったのだ。コストロは懐疑的だったが、キム・カーダシアンやテイラー・スウィフト、リアーナなど、インスタグラムを使う著名人はどんどん増えていった。

２０１２年1月にも、ツイッターでトップクラスの影響力を持つユーザーがインスタグラムに加わった。バラク・オバマ大統領だ。大統領選挙の皮切りとなるアイオワ州党員集会が開かれた日のことである。

インスタグラムは、写真を通じて米国大統領の素顔を国民がかいま見るチャンスになれば幸いだとブログで報じ、報道関係者に対し、大統領選の舞台裏をインスタグラムに投稿してほしいと要請した。同月、クリーガーがミシェル・オバマのゲストとして一般教書演説に招待され、移民ビザがもらえなければインスタグラムを立ち上げることはできなかったなどと紹介された。

社員もようやく増えはじめた。

ひとりは、空力特性エンジニアとしてクライスラー社でレーシングカードライバーの相談に乗るなどの仕事をしてからスタンフォード大学ビジネススクールに入り直し、卒業したばかりのエイミー・コールという女性である。ワインを試飲して歩くナパバレー旅行でインスタグラムを絶賛したところ、友人がつないでくれたのだ。そして、２０１１年10月、初の業務部トップに就任。もっとも、業務らしい業務はまだなかったのだが。とりあえず、本物の窓がある大きな事務所を近くにみつけ、長期で借りる契約を結ぶなどした。

もうひとり、グレゴー・ホックムスというエンジニアも入社し、このころ、一番の魅力だと考えられていたフィルターの開発に携わることになった。もともと、一緒に創業しないかと声をかけていた人物である。

編集管理も、一部は正式なものとした。

どういうコンテンツが望ましいのか、インスタグラムにははっきりとした基準があった──魅力的な暮らしがかいま見れる窓となるようなものだ。だから、インスタグラムとはそういう場所である、セレブの場所というわけではないのだと示すため、２０１２年２月、コミュニティチームのベイリー・リチャードソンが「おすすめユーザー」なるリストを作成。カメラマンやクラフトマン、シェフ、アスリートなど、世界各地のユーザーをリストアップしたのだ。エスワイン（@newyorkcity）のように、インスタミートへの参加や主催に熱心なユーザーが多い。ペットのハリネズミにいろんな服を着せたりポーズを取らせたりした写真を投稿する日本の若者、@darcytheflyinghedgehogや、達筆のチベット僧侶、@gdaxなどのアカウントも発掘した。

アカウントの管理機能は、まだ、ないに等しい状態だった。

ビーバーが自分のアカウントにアクセスできなくなったとマネージャーのスクーター・ブラウンから連絡があったときも、パスワードの再設定方法が定められておらず、大騒ぎになった。電話でパスワードを再設定できるが、そのためには本人確認をしなければならないと伝えると、じゃあ、ジャスティンに電話をかけさせるという話になった。

電話をリチャードソンが取ると、「もしもし。ジャスティンなんだけど……」という声が聞こえた。これで本人確認はできたことにして、パスワードを再設定するしかなかった。本人確認に使う秘密の質問が用意されていなかったからだ。

インスタグラムを買収しておかないと大変なことになる

2012年になると、ツイッターの企業戦略・買収部門のトップに古参のエラッド・ギルが就任し、インスタグラムの買収がまたぞろ浮上した。四半期戦略のプレゼンテーションで、逸材がそろいつつあり、これからいろいろ期待できるとギルが強く推したのだ。ツイッターがニュースソースとして認められたきっかけは、2009年、ニューヨークのハドソン川に不時着する飛行機の写真をだれかがツイッターに投稿したことだ。そういう写真が、次回はインスタグラムに投稿されるかもしれない。写真ならインスタグラムとだれもが思うようになることも考えられる。そのとき、インスタグラムを買収しておかないと、大変なことになってしまう、と。

このときもドーシーは執行権のある会長という地位にあったが、現場には関与しなくなっていた。一方、コストロは、今回、この話を容認どころか、サンフランシスコフォーシーズンズホテルのバーでクリーガーとシストロムに会うなど、前のめりと言えるほど積極的だった。

だが、インスタグラム側は、ようやく軌道に乗り始めたと感じており、あまり乗り気ではなかった。それでも会うことにしたのは、礼を失しないほうがいいと思ったからだ。インスタグラムが成長していくのにツイッターは欠かせない。フェイスブックも、アップルもそうだ。どこかひとつでも関係がおかしくなれば、成長の可能性が制限されてしまうかもしれない。

この面談で、コストロは、手応えを感じたという。ドーシーも、スクエアのオフィスまでシストロムとクリーガーに来てもらい、雑談的に近況を聞くという別方向からのアプローチを展開。

今回、コストロもドーシーも、ここは大きな賭けに出るべきだと考えていた。正気とは思えない数字になるだろうが、その価値はある、と。

買収に向けたタームシートは、ギルとツイッター最高財務責任者アリ・ロガーニが用意した。対価はツイッター株の7％から10％。株式はまだ公開されていないので、評価方法にもよるが、5億ドルから7億ドルくらいになる。対価の根拠は、ユーザー数がツイッターは1億3000万人で、インスタグラムはその7％から10％だから、である。

3月には、投資銀行アレン&カンパニー［Allen & Company］がアリゾナ州で開いた会議でシストロムがプレゼンテーションを行った。会議には、ロガーニ、コストロ、ドーシーも出席していた。そして、会期中のとある午後、ロガーニとドーシーがシストロムとパティオの暖炉を囲むことになった。ドーシーはしらふだったが、シストロムはウイスキーを手にしていた。

そこでなにが起きたのか、定かではない。ツイッターの関係者によると、ロガーニがシストロムにタームシートを渡し、サインするよう求めたが、シストロムは、売るときではないと言ってタームシートを返したという。だが、シストロムは、のちに、具体的な数字も出なかったし、紙を渡された事実もないと否定している。

いずれにせよ、シストロムが買収に同意しなかったのだけはまちがいない。そして、ツイッターは、インスタグラム創業者ふたりに対する接待攻めを始めた。

第3章

驚き

「彼が我々を選んだのであって、逆ではありません」[1]

――ケビン・シストロムの決断に対するダン・ローズ（フェイスブックの元提携担当バイスプレジデント）のコメント

招集

エンジニアのグレゴー・ホックムスは、すぐには電話に出られない状況にあった。晩ご飯の最中だったのだ。しかも、食べようとしていたのがサンフランシスコのミッションディストリクトで買ってきた巨大なブリートで、山のような具をトルティーヤできっちり巻いたものだった。ちょっとでもミスれば、ガカモーレとサルサがたっぷりのライスがぼたぼたこぼれてしまう。

電話はクリーガーからだった。日曜の夜遅くにボスから電話とは珍しいことだ。

「なにか問題でも？」

そう問うと、

「あー、明日の朝は早めに出てきてほしいんだよね」

と言われた。このころホックムスは、事務所で仮眠しながら仕事をしているような状態だった。前の週の4月2日には、アンドロイド版のインスタグラムをリリースする準備で徹夜したほどだ。

「いつも8時ごろには出社してますけど？」

十分に早いだろと思いつつ、ホックムスは言った。

「8時か。8時なら大丈夫だよ」

なにやら相談しなければならないことがあるらしい。

電話を切ったホックムスは、なにごとだろうと思いつつ、ブリートをかじっていった。

「クビになるんだと思う」

同日の夜遅く、山道を下る車があった。運転しているのはティム・バン・デイム。その胸は感謝の気持ちでいっぱいだった。ついに、ついに、カリフォルニアに着いた。来週からは、サンフランシスコのインスタグラムで働くことができる。冬までは、テキサス州オースティンで、位置情報アプリのゴワラを開発する仕事をしていたのだが、12月、そこがフェイスブックに買収され、職を失ってぼうぜんとしていたとき、ウチで働かないかと声をかけられたのだ。インスタグラムが拾ってくれなければ、健康保険なしで妻に出産してもらわなければならなくなるところだった。

きっかけは、インスタグラムはすばらしい、お手伝いできることがあればしたいとツイッターで送ったダイレクトメッセージである。このころインスタグラムは、助けが喉から手が出るほど欲しい状況だったが、シストロムもクリーガーも忙しすぎて、デザイナーを探すことさえできない。だから、シストロムは、たまたま読んだバン・デイムのダイレクトメッセージに飛びついた。もちろん、面接も何回か行われた。そのうちの1回では、クリーガーが中座し、サーバーをリセットしにいくという事件も起きた。ティーンのあこがれ、ジャスティン・ビーバーが写真を投稿し、また、サーバーがクラッシュしたのだ。そんな問題も楽しいかもとバン・デイムは思った。

こうして、バン・デイムは、インスタグラム9人目の社員となった。娘は生まれたてのほやほやだ。スタートアップはそのうち倒れるのがふつうだが、とりあえず仕事にはありつけた。スタイル重視で作られたアプリのボタンやロゴを作り直すデザイナーの仕事だ。友だちもひとり紹介した。ゴワラの同僚で、やはり、フェイスブックによる買収で失職したフィリップ・マカリスターだ。彼は、アンドロイド版インスタグラムの開発に携わることになった。

娘が連れて行けるくらいになるまで、バン・デイムは、オースティンにとどまり、キッチンの小さなテーブルで仕事をすることにした。そして、3カ月後、カリフォルニアに移ると、転職祝いとして、復活祭の週末、タホ湖の小旅行にでかけた。遅い雪が降ってくれないかと期待しながら。

タホ湖からサンフランシスコに戻る車を運転していたとき、バン・デイムの電話が鳴った。CEOのシストロムからだった。

「明日朝、8時に出社できます?」

「大丈夫ですよ」

「助かります。じゃ、また明日」

これだけだった。バン・デイムは、助手席に座る妻をちらっと見た。青ざめた顔で。

「クビになるんだと思う」

ほかは考えられない。

「朝8時に来いって、そんなの、シリコンバレーじゃありえない」

「買収成立です。価格は10億ドル」

翌朝、会社には社員が勢ぞろいしていた。8時に出社と全員が言われたらしい。小声で臆測が飛び交う。大規模なハッキングがあったんじゃないか。先日の資金調達に行き違いがあってお金がなくなり、閉じるんじゃないか。

みな、サウスパーク事務所の一番大きな部屋に入り、入り口に向けて半円形に椅子を並べた。ワシントンDCで働くダン・トフィーにジョシュア・リーデルが電話をかけ、その電話をシストロムの足下に滑らせた。こうすれば、トフィーも話を聞くことができる。

「え〜、この週末、買収の打診を受けて話し合いが行われました」

シストロムが言う。

そのくらいのことはあってもおかしくないと、みんな、思った。先週公開したアンドロイド版も好評で、12時間で100万ダウンロードを突破したくらいだから。

「相手は、マーク・ザッカーバーグです」

ふむ。ベタと言える相手だ。

「そして、フェイスブックと合意しました。買収成立です。価格は10億ドル」

え……それはありえない。そんなの信じられるはずがない。

声にならない声があちこちから上がった。笑い出した者もいる。あまりのことにどう反応したらいいのかわからなくなったのだろう。涙を流している者もいる。ジェシカ・ゾールマンの指は、隣に座るホックムスの太ももに食い込んでいた。エイミー・コールも、両隣に座る社員の手を握っている。そんななか、ティム・バン・デイムとフィリップ・マカリスターは目で語り合った。よりによってフェイスブックかよ。ゴワラの二の舞じゃないか。

それにしても、10億ドルとは。モバイルアプリの買収で10億は前代未聞だ。グーグルがユーチューブを16億ドルで買収したことはあるが、[2] あれは6年も前、金融危機が起きる前のことである。フェイスブックがこういう買収をするというのも前例がない。

ともかく、フェイスブックの場合、買った会社はばらしてしまい、創業者と技術だけ吸収して製品は打ち切るのがふつうだ。インスタグラムもなくなるのだろうか。転職先を探すべきなのだろうか。それとも、もしかして、一財産が転がりこんできたりするのだろうか。不安と期待で気が変になりそうだ。シェイン・スウィーニーなど、飲み終わったペリエボトルのラベルをちぎっては中に入れ、ちぎっては中に入れをくり返している。

システロムの話は今後のことに移っていた。これからなにをするのか、だ。午後にシャトルが来るので、それに乗り、全員でフェイスブック本社におもむいて経営陣と会う。そんな説明を聞いている人はいなかった。いろいろなことが頭の中で渦巻いており、システロムの言葉は、チャーリーブラウンのマンガに出てくる先生の言葉のように、右から左に抜けるばかりだった。

だが、このニュースは30分後に公開されると言われた瞬間、全員が我に返った。

「家族に電話するなど、それまでにすべきことをしてください」

こう言われ、リーデルは、シストロムの足下に置いたiPhoneに手を伸ばした。なんと、スピーカーモードにするのを忘れていたようだ。つまり、トフィーは話を聞けていない。まずは、彼にこの事態を説明しなければならない。

ほかの社員は、それぞれの机に散った。わずか1カ月前、新しいオフィスに移り、ゾールマンが組み立ててくれたイケアの机だ。その横には、先週行われた5000万ドルの資金調達ラウンドが成功したことを祝い、セコイアキャピタル〔Sequoia Capital〕から贈られたシャンパンが栓も開けずに並んでいる。資金調達ラウンドの成功で一山越えたかなと思ったが、すぐ先にこんな大山が控えていたとは。

「こういう終わり方になるとは思ってもいませんでしたね」

スウィーニーがホックムスに言う。

家族からは、みな、当然のことを尋ねられた。お金はどうなるのか、だ。でも、答えられない。お金の話はなかったからだ。

懸念

数分後、頭の中でたくさんのことが渦巻き続けるバン・デイムは、たばこが吸いたいと思った。

ドアを開ける。

「出ちゃだめだ！」

鋭い声が飛んできた。時刻は9時10分くらい。つまり、発表から10分ほどがたっていた。人気テクノロジーブロガー、ロバート・スコーブルのプリウスが事務所前で急停車するのが見えた。あっぷね～と思いつつ、急いでドアを閉める。ツイッター界の有名人にあれこれ聞かれるなど、いま、一番避けたい事態だ。

報道関係者のバンが次々に到着する。カメラマンもだ。出るに出られなくなったみんなは、インターネットで様子をうかがうことにした。

10億ドルというのは、「特に売上のないアプリメーカーの対価として驚くべき数字である」とロイターは報じていた。[3] CNNは、ヤフーがフリッカーを3500万ドルで買収した7年前の件を引き合いに出しつつ、「注目は集めているがビジネスモデルのないスタートアップに対してこれは払いすぎだ」と語っていた。[4]

3000万人を数えるインスタグラムのユーザーからは、また別の懸念がツイートされていた。フェイスブックはインスタグラムを解体してしまうかもしれない、ニュースフィードに組み込んでしまうかもしれない、機能山盛りのフェイスブック流に改造し、シンプルな良さが失われるかもしれない、などだ。写真データがフェイスブックに渡るのも心配な点である。フェイスブックはプライバシーポリシーをころころ変えるし、わけのわからないやり方でアプリディベロッパーとデータを共有してしまうし、顔認識ソフトウェアで写真に写る人を判別して自動的にタグ付けまでしてくれたりするし。

シストロムもザッカーバーグも、この不安を鎮《しず》めようとやっきになっていた。

「インスタグラムがなくなることはありません」

そう、シストロムがインスタグラムのブログに書けば、ザッカーバーグも、

「インスタグラムは、いまのまま独立したものとして進化発展させていく所存です」

とフェイスブックに書き込んだ。

「これほど多くのユーザーがいる製品や会社を買うのは初めてのことですし、今後、あるにしてもそう何回もすることではないだろうと思っています」

このあと事態がどう転ぶのか、それはだれにもわからないことだ。インスタグラムにも、フェイスブックにも。

シストロムをなびかせる「魔法の言葉」

1カ月前に話を戻そう。ツイッターがインスタグラムに猛アタックしていた。ベンチマークキャピタルのパートナー、ピーター・フェントンが寿司やワインでもてなしたり、セントレジスホテルの朝食会に招待したりといった具合だ。CEOのディック・コストロからも、シストロムにはインスタグラムで采配をふるとともに、ツイッター製品部門のトップに就任し、ビジュアル面に舵を切る手伝いをしてほしいと提案したりした。

だが、シストロムが乗り気でないのは明らかだった。朝食会にも、雨が降ったからどうこうと言い訳にもならない言い訳で、1時間も遅れて登場。その間、コストロとアリ・ロガーニCFO

の相手をクリーガーが一応は務めていたが、メインとなる卵白のホワイトオムレツが終わったころにようやく来るなど、何様のつもりだ、我々の都合など意に介さない不誠実な態度だとロガーニは腹にすえかねる思いをしていた。

ツイッターとしては、3月9日の週に開かれるサウス・バイ・サウスウエストまでに合意に達したいと考えていた。2009年にはフォースクエアが注目を集め、2007年にはツイッター自身が注目を集めた因縁のテクノロジー会議だからだ。

だが、シストロムは結論を引き延ばした。そして、会議が始まると、自社のロゴが入ったステッカーや恐竜が描かれたTシャツを配った。インスタグラムの創業者だと気づいた人々から、すばらしいアプリをありがとうとバーで声をかけられたりもした。

サンフランシスコに戻ったシストロムは、これはうれしかった、いま会社を売る気にはなれないと、ドーシーに伝えた。インスタグラムを大きくしたいし、もっと世の中に認められる存在にしたい。だから、相手がどこであれ、買収はマイナスが大きすぎる、と。ドーシーも了承し、インスタグラムへの投資を望むセコイアキャピタルのパートナー、ロエロフ・ボサを紹介してくれた。

シストロムは、友だちに、ツイッターから本気の提案は出てこなかったと漏らしたが、正確には、シストロムが本気になるような提案はなかったと言うべきだろう。ザッカーバーグだけが、なにになるならシストロムが食いつくのか、魔法の言葉を理解していた。独立性、だ。

ネット界の王

フェイスブックにいたる道が拓かれたのは、4月第1週のことだ。セコイアを主幹事とし、評価額5億ドルで5000万ドルを調達する予定で、シストロムがサインすればいいところまで計画が進んでいた。5000万ドルは、ツイッターが提示した額に近い。ともかく、口火を切ったのはザッカーバーグだった。

「いろいろ考えたんだけど、きみの会社を買おうと思うんだ」

だから、すぐにでも会いたいと、いきなり核心に切り込んできた。

「今回のラウンドで調達する額の倍出すよ」

意表をつかれたシストロムは、取締役にアドバイスを求めた。

ベンチマークのマット・コーラーは、ザッカーバーグとどういう話をするにせよ、調達ラウンドの契約はしなければならない、そうしなければ評判が地に落ちてしまうと言われた。別の取締役、スティーブ・アンダーソンはシアトルでなにかの会議に出ている最中で、連絡がつかない。だから、何度も何度も電話をかけた。

「マーク・ザッカーバーグには、今日会いたいと言われています。どう思いますか」

「いいかい？　きみは資金を調達したばかりだ。ばく大な資金を。そこに、ネット界の王から会いたいとのお達しがあった……いいんじゃないかな？　そんな話を断る理由なんて、ないに等しいじゃないか」

アンダーソンは、以前から、シストロムもザッカーバーグに負けず劣らずのビジョナリーリーダーだと言い続けていた。インスタグラムがもっと大きくなれば、みんなにもそれがわかる、と。そんなわけで、少なくともまだ、買収に応じるべきではないと彼は考えていた。それでも、とりあえず、こびくらい売っておいても損はない。

シストロムは、セコイアとの契約書にサインしてから、ザッカーバーグに連絡を入れることにした。

ザッカーバーグの苦い経験

そのころ、インターネット史上最大級となるはずの新規株式公開（ＩＰＯ）を数週後に控え、ザッカーバーグは、長期的にフェイスブックをどうすべきなのかを考えていた。インターネットサービスとしてトップクラスの規模になったが、利用環境はものすごい勢いでモバイル機器へ移りつつある。もちろん、アプリも提供しているが、グーグルやアップルと異なり、スマホそのものを作っていないという弱みがフェイスブックにはある。言い換えれば、お金もかかればいろいろとややこしくて大変なハードウェアに乗りだしでもしないかぎり、これからずっと、他社が治める領土にとらわれて生きていくしかないということだ。

そのなかで勝てる道はふたつ。ひとつは、スマホを持つ人がずっと使い続けたいと思うほどフェイスブックの魅力を高めていく道だ。もうひとつは、競合するアプリを買収したりまねしたり、あるいはつぶしたりして、フェイスブックのユーザーがよそ見をする機会を減らす道だ。

そう考えていた彼は、インスタグラムが評価額5億ドルで資金を調達するとのニュースを聞いたとき、最近話題のこの小さな会社がこれだけのキャッシュを手にすれば、すぐにでも脅威になりうると考えた。阻止したければ、買うしかない。

ザッカーバーグには苦い経験があった。２００８年、ツイッターを5億ドルで買収する話があったのに、先方CEOのエバン・ウィリアムズが二の足を踏んで流れたのだ。その後、ツイッターは手ごわい競争相手に育ってしまった。悔やんでも悔やみきれない失策だったが、考えてみれば、ザッカーバーグ自身も同じことをした経験がある。２００６年、インスタグラムと同じくらい若い会社だったフェイスブックに対し、ヤフーから10億ドルで買うとの提案があったのだ。そのとき、ザッカーバーグは、取締役会の助言を無視して買収を断った。自分が舵取りを続けたほうがフェイスブックは大きくなる、そうできると考えて。そして、この決断が、その後、経営者としての自信になっていった。創業者たるもの、迷ったら勘に従うべきなのだ。

この経験から、創業者同士、どう話せばわかり合えるのか、ザッカーバーグには明らかだった。ツイッターの製品も、フェイスブックの製品も、担当するつもりなどシストロムには毛頭ない。独立性に伴うリスクは回避したいが、自分の会社を手放す気はないし、今後もインスタグラムのビジョナリーであり続けたいと考えているはずだ。いままでも、インスタグラムはフェイスブックのネットワークを活用して大きくなってきた。ということは、フェイスブックの傘下に入れば、計り知れないほどのリソースを成長に使い、いままで以上に速く大きくなれるだろう。

この話には、シストロムも興味を示してくれた。もちろん、厳しい交渉も避けては通れない。[5]木曜日、並木が美しいパロアルトのクレセントパークにあるザッカーバーグの新しい自宅で、シストロムが要求した額は、20億ドルだった。[6]

シェリル・サンドバーグの電話

具体的な数字の交渉に入ったあたりで、ザッカーバーグは、関係幹部を呼んだ。最高執行責任者シェリル・サンドバーグと最高財務責任者デビッド・エバースマンのふたりだ。到着したふたりは、ザッカーバーグの勘は信頼しているが、買収部門のトップ、アミン・ゾウフォノウンに話を通さないことには始まらないと言い出した。

「インスタグラムを買いたいとマークが言ってるの」

ゾウフォノウンに電話をかけたサンドバーグは、こう切り出した。

いい選択だとゾウフォノウンは思った。1年前にグーグルからフェイスブックに転職して買収部門トップに就任して以来、ずっと注目していた会社だし、シストロムのことは、グーグルの買収部門にいたころから知っている。

「で、ね？　すでにケビンと話を始めていて、かなりの高値になりそうなのよ」

フェイスブックの1％前後がザッカーバーグの考えだった。

ゾウフォノウンは、驚きに声も出なかった。フェイスブックはＩＰＯの1カ月前というタイミングで、その評価額は、1０００億ドル前後とされている。つまり、10億ドルもインスタグラムに払う気なのか。モバイルアプリにその額は聞いたことがない。

「えっと思うでしょう？　今晩、また電話するから、ちょっと検討してみて？」

そう言われたが、なにをどう考えたらいいのか皆目見当がつかない。ふつうなら、似たような案件と比較したり、株式を公開している会社の価値を参考にしたりできるのだが……。

サンドバーグからまた電話がかかってきたとき、ゾウフォノウンは、少し説明して欲しいと頼んだ。

「あまりと言えばあまりに高いんですよね。ザッカーバーグCEOは、なにを考えているのでしょうか。なにがどうなって、こういう数字が出てきたのでしょうか」

ザッカーバーグも交えて電話会議をした結果、彼の提案により、翌朝、改めて、相談することになった。

その夜、ゾウフォノウンは眠れなかった。これほど大きな取引はしたことがなく、心配で心配で眠るどころではなかったのだ。妻とふたりの子どもとともに、パロアルトの隣町、ロスアルトスに引っ越してきたばかりの彼は、その古い家で、ザッカーバーグに会うまでの何時間かを、スマホでインスタグラムを見ながら過ごすことにした。その後の展開をあれこれ予想しながら。

暗闇のなかでインスタグラムを見ていて気づいたことがあった。料理の写真を投稿するだけのアプリではなく、ちゃんとビジネスとして成立する可能性がある、ということだ。投稿をトピックに分類するハッシュタグが使え、あるテーマについてなにが起きているのか、クリックひとつで見ることができるので、ビジュアルなツイッターという印象なのだ。登録ユーザーがフェイスブックの何億人に対して2500万人と少ないのに、すでにたくさんのブランドが製品の写真を投稿するようになっているし、そのフォロワーがコメントしたり対話したりといったことも多い。

インスタグラム自体、まだ収益は上げられていないが、フェイスブックのニュースフィードと同じように投稿をどこまでもスクロールするなどはすでに可能であり、今後、フェイスブックと同じように広告出稿に値する場所となるであろうことは想像に難くない。フェイスブックのインフラを活用すれば急速な成長も望める。ユーチューブとグーグルという前例もあるのだから。

システロムに時間を与えるな

翌朝、フェイスブック本社の会議室にザッカーバーグとゾウフォノウンが顔をそろえた。

「どう思う？　懸念があるんだよね？」

ザッカーバーグが切り出した。

「12時間前はそうでしたが、いまは、あなたの勘は的を射ていると思っています。あの会社は絶対に買うべきです」

「そうか。じゃ、このあとは、どうすればいい？」

正しいのは当然という感じでザッカーバーグが話を先に進める。

「急いだほうがいいと思うんだ。最速でどのくらいの時間がかかると思う？」

ゾウフォノウンは立ち上がると、ホワイトボードに必要なステップを書き出した――弁護士を集める、支払いに使う現金と株式の詳細を洗い出す、デューデリジェンス短縮によるリスクをどこまで取れるのかを検討する。他社を買収する場合、何週間から場合によっては何カ月もかけ、詳しく買収候補をチェックするのがふつうだ。中古の家を買うとき、シロアリや配管をチェックするのと同じように。でも、無理を承知でがんばれば、銀行に相談せず、土日だけでなんとかすることも可能だろう。

無理を通すことをザッカーバーグは望んでいた。シリコンバレー有数のチェスプレイヤーでもある彼は、常に、数手先を考えて動く。交渉に時間をかけすぎれば、シストロムは、友だちやメンターに相談しはじめるだろう。元フェイスブック社員でインスタグラム取締役のコーラーから、シストロムはツイッターのドーシーと親しいと聞いてもいる。つながりという意味では分が悪い。だが、交渉の期間を短くすれば、シストロムがだれかに相談し、フェイスブックに不利なアドバイスをもらったり、それこそ、カウンターオファーをもらったりする恐れを小さくできるはずだ。

ゾウフォノウンは、家族とゆっくり過ごすつもりだった休暇をあきらめることにした。

面会

フェイスブック本社で弁護士が急ピッチで検討を進めているころ、シストロムは、クリーガーとふたりでザッカーバーグに会っていた。クリーガーがザッカーバーグに会うのは初めてだ。面談後、ふたりは、カルトレインのパロアルト駅で2時間ほど、買収に応じるべきか否かを検討した。

フェイスブックの傘下に入らない場合、急いで自社の体制とインフラを強化しなければ、つい先日の資金調達に参加してくれた投資家の期待に応えることができない。しかも、強化してもうまく行くとはかぎらないし、フェイスブックがインスタグラム的な機能を磨いて対抗してくる恐れもある。フェイスブックのエンジニアリング力がすさまじいことは、クリーガーがよく知っていた。対して、フェイスブックの傘下に入れば、ユーザー数を大きく増やせるだけのリソースが手に入るし、サポートのリソースも手に入り、サービスが中断することも減るはずだ。

ザッカーバーグの自宅にて

土曜日も、広々としたザッカーバーグの自宅で交渉が続けられた[7]。700万ドルもした豪邸だ。裏庭は外から見えないようになっており、そこに、ザッカーバーグ、ゾウフォノウン、シストロムが集まっていた。ザッカーバーグの愛犬、ビーストもいた。長毛でモップのように見えるハンガリアン・シープドッグだ。シストロムは、ときどき、中座すると、庭の向こうや車のところに行き、取締役に電話で相談する。

クリーガーもサンフランシスコにいたが、この週末は、インフラの技術的側面について、フェイスブックからの問い合わせに答える役目を担当していた。インスタグラムのシステムはどういう構造になっているのか、どういうソフトウェアやサービスを使っているのかなど、聞かれたことに電話で答える役目だ。コードを見せろという話はなかった。そんなことじゃ、レゴで動かしていたとしてもわからんじゃないかとクリーガーは思った。

パロアルトの交渉は、現金か株かでもめていた。将来的に大きなリターンを得ようとする動きはリスクが大きく、それに比べると、自由にできる現ナマのほうが魅力的だ。ザッカーバーグは、株式にしたほうが将来的にお得だとアピールした。フェイスブックがこれ以上は成長しないと考えるなら、その株式の1%は10億ドル相当でしかない。だが、フェイスブックは今後も成長していくはずだし、そうなれば、株の価値は、シストロムが最初に出した要求に近いところまで行くか、場合によっては、それを超えることだって考えられる。

なお、ザッカーバーグは、M&A市場における評価が1000億ドルに達したのは驚きだったと、このとき、正直に認めている。フェイスブックの将来性はもちろん信じているし、フェイスブックの評価を基礎としてインスタグラムの価格を考えるのも当然のことなのだが、買収価格の影響も考えなければならない。まだ小さく収益もないインスタグラムを高く評価しすぎると、シリコンバレーにバブルが生まれ、将来、買いたいと思う会社の値段が軒並み上がってしまう恐れもある。（この予想は、ある程度当たったと言える。2013年には、ベンチャーキャピタリストのアイリーン・リーが「ユニコーン」と名付けるほど、10億ドルの価値を持つスタートアップが増えていた。しかも、2013年の37社から、2015年には84社、2019年には何百社と増えていく。バブルなのかもしれないが、だったとしたら、少なくともまだはじけてはいない）[8]

大きく白いモップのようなビーストは、自分も交渉に参加していると言うかのように、話をしている人たちのあいだを行ったり来たりしては、アイコンタクトを取ったり、ごろんと転がったりしていた。

「お腹、空《す》いたよね？」

そんなことをザッカーバーグが言った。ビールだけで午後3時までずっと話し合いをしていたのだ。

「バーベキューの用意をするわ」

ザッカーバーグは、冷凍庫からシカ肉の塊《かたまり》を取り出した。イノシシかもしれない。ともかく、骨がいっぱいついた肉だった。

「なんの肉かよくわからないんだけど、どこかで狩ったやつだと思う」

ザッカーバーグは、この前年に、肉は自分で狩った獲物にかぎると決めていた。

ザッカーバーグが肉を焼き始め、グリルから煙が上がる。すぐ横にはゾウフォノウンが立っている。その様子をじっと見ていたビーストが、突然、うなり声を上げると、数メートルを一気に駆け抜け、ゾウフォノウンの足に飛びついた。

「うわ!」

ゾウフォノウンは悲鳴を上げた。

「大丈夫? すりむけたりしてない?」

ザッカーバーグが問う。

「すりむけてたりしたら、報告しなきゃいけないんだ。そしたら、処分されちゃうかもしれない」

幸い、ゾウフォノウンにけがはなく、血が出ることもなかったのだが、ゾウフォノウンは、このあと、ことあるごとに、この件を取り上げ、歴史に残る大取引の前夜だというのに、ザッカーバーグは買収担当者より飼い犬の身を案じていたと冗談のネタにするようになる。

焼いたのがなんの肉なのかよくわからないが、ともかく、あまりおいしくなかったらしい。夕方になると、シストロムは、デートがあるからと退席した。ゾウフォノウンはザッカーバーグに目で問うた――相談しなければならない大事なポイントがまだいくつもあるいま、なぜ、ディナーに行くと中座するのか、と。

夕食をすませたシストロムは、ゾウフォノウンの自宅に向かった。ザッカーバーグのところとは、雰囲気がまるで違う。居間はガレージを改装したもので、天井は低いし窓からは隙間風が入る。床は1970年代ごろに作られた古い寄せ木細工だ。照明は暗く、ゾウフォノウンの子どもたちは、まるで男の隠れ家って感じだと言っていた。ふたりは、向かい合いの大きなカウチに座り、ノートパソコンを開くと、スコッチを飲みながら、真夜中まで交渉を行った。

インスタグラムが投資家から資金を調達してきた実績を見たゾウフォノウンは、やはりすごい人だと、改めてシストロムに敬意を抱いた。何年か前にはグーグルの買収チームでパワーポイントのプレゼンテーションを作る補助職にすぎなかった男が、わずか18カ月でこれだけのことをなし遂げたわけだ。

「お金を払って魔法を買おうとしてるんだよ」

日曜日、ザッカーバーグ自宅のキッチンには、ゾウフォノウンとともに、エンジニアリング部門のトップ、マイク・シュロープファーの姿があった。シストロムは、庭をぐるぐる回りながら取締役に電話で相談をしていた。

フェイスブックが他社を買収する場合、なにがしかのやり方で技術を吸収し、製品は名前を変えて、自社能力の補強に使うのがふつうだ。インスタグラムはそのままにするというのなら、例外的なやり方となり、なにをどうすればいいのかよくわからない。

「そんなもの、どう統合すればいいんですか?」

シュロープファーは困惑顔だ。

「買うのは魔法だ。お金を払って魔法を買おうとしてるんだよ。10億ドルで13人を買うんじゃない。いまの段階でフェイスブックを押しつけるのは、最悪と言える手だよ」

夜もぶっとおしで議論をしてきた結果、ゾウフォノウンは、インスタグラム信者になっていた。

「もうすぐ花が咲くんだ。だから、いまは、ただ、育つのを待っていればいい。この段階で刈り込んだり形を整えたりしないほうがいいんだ」

ザッカーバーグも同じ考えだった。彼は、フェイスブックの取締役に同報メールを送り、現状を報告。これほど大きな買収だというのに、最終段階になってようやく、である。というのも、ザッカーバーグが議決権の過半数を有しているため、彼が決めたことに賛成し、形を整える以上のことは取締役会にできないからだ。

四つの理由

シストロムと取締役との話し合いは難航していた。特に戸惑い、強く反対したのはアンダーソンだ。わずかに1週間前まで、シストロムは、長期的な成長を実現するための資金を調達しようとしてきたのではなかったのか。1カ月前には、ツイッターからの買収を断ったのではなかったのか。

「なぜ、気が変わったのでしょうか」

ザッカーバーグの自宅に止めた車から電話をしてきたシストロムに、アンダーソンはそう尋ねた。

「お金の問題なのであれば、ザッカーバーグの評価に匹敵する金額を調達することが可能ですが……」

買収価格が多少なりともまともに見えるようにとフェイスブックは一株あたりの価格を低く見積もっていて、実際の価格は12億ドルから13億ドルに相当するはずだ。それでも、もう少し待ち、競争相手として育ったインスタグラムを排除しようとすれば、50億ドルくらいかかってもおかしくない。そう、アンダーソンは考えていた。

シストロムからは理由が四つ返ってきた。ひとつ目は、ザッカーバーグが主張していたポイントだ。つまり、フェイスブックの株価は今後上がっていくし、それに伴い、買収の価値も上がっていく、である。ふたつ目は、有力な競争相手を考えなくてよくなること。フェイスブックにインスタグラムの機能をまねされたり、インスタグラムを狙い撃ちにされたりしたら、成長が難しくなるのは明らかだ。三つ目は、フェイスブックのインフラ全部に利用価値があること。データセンターはもちろん、インスタグラムがこれから学んでいかなければならないノウハウも、フェイスブックにはすでに蓄積されている。

四つ目は――これが一番大事なポイントなのだが――独立性が保証されていることだ。

「インスタグラムの舵取りは我々に任せる、別会社であるかのように動かしていいとザッカーバーグは約束してくれました」

「信じるんですか？」

アンダーソンは疑っていた。同意してもらおうとあれこれ約束し、買収後、ほごにする例をいくつも見てきたからだ。

「ええ。信じます」

そこまで言うなら、アンダーソンに反対する理由はなかった。ふたりとも、フェイスブックの株価は信頼しているのだし。

このほか、フェイスブックは機械であるかのように運営されているとの話がコーラーからあった。元フェイスブック社員のコーラーは休暇でスウェーデンに行っていて、そこから、ザッカーバーグと話をして、シストロムと話をして、また、ザッカーバーグと話をしてということを一晩中くり返した。

さて、パロアルトでは、夜、人気ファンタジー『ゲーム・オブ・スローンズ』の最新話をみんなで見ることができるくらいのタイミングで、条件の詰めがほぼ終わった。ちなみに、シストロムはこの上映会に参加しなかった。

買収契約は、その夜遅く、ザッカーバーグ宅のリビングで結ばれた。シストロム《Kevin Systrom》側の署名は、KとSが大きく筆記体で描かれるなど、スターのサインさながらにかっこいいものだった。

「いまのフェイスブックをたたきのめすようなものを作れ」

巨人はますます大きくなり、インスタグラムなどの小さな会社としては、そういう巨人と争う以外の道をみつけるか死ぬかという選択肢しかないなか、インスタグラム買収のやり方、つまり、買収した会社を吸収しないというやり方は、その後、テクノロジー系M＆Aに広がっていく。ツイッターはバイン［Vine］を買収したときもペリスコープ［Periscope］を買収したときも、少なくとも当面は、創業者をトップにすえたままアプリを継続。グーグルがネスト［Nest］を買ったときもアマゾンがホールフーズを買ったときも、吸収はしなかった。もちろん、「インスタグラムと同じように」と約束し、関係者が全員、同じビルに入ったら心変わりするという例も枚挙にいとまがない。

創業者がわがままだと交渉がこじれてどうにもならなくなりがちだが、2014年にザッカーバーグが進めたチャットアプリのワッツアップ［WhatsApp］社や仮想現実のオキュラスVR［Oculus VR］社との交渉は、形式的にせよインスタグラムの独立を許したことがプラスに働き、比較的スムーズに進んだ。

だが、インスタグラム買収の効果で一番大きいのはなにかと問われれば、フェイスブックの競争力強化だろう。とあるフェイスブック幹部がうまく表現しているので紹介しよう。

「アップルがまだ小さかったときにマイクロソフトが買収していたら、どういう世界になったのか想像してみるといいでしょう。マイクロソフトにとってすばらしい世界になったはずです。フェイスブックは、インスタグラム買収で、そういう世界を実現したわけです」

このたとえ話がすべてというわけではない。このような買収の場合、製品を長生きさせ、成長を続けることも大事だが、難しいのは、作った人々の我《が》の張り合いをうまくコントロールし、会社によって違う文化をすりあわせることのほうだ。前述のシナリオで言えば、iPhoneが開発されたとき、それはアップルの功績とするのか、それともマイクロソフトの功績とするのかは大きな問題となる。スティーブ・ジョブズのように、クリエイティブだがエキセントリックな人材が、官僚的な企業文化で生きていけるのかという問題もある。

今回の買収について、ザッカーバーグも、その後どういう展開になるのか、はっきりと予想できていたわけではない。だが、なぜそうしたのかは、毎週月曜の朝会で新入社員に配られるオレンジ色の小冊子を見ればわかる。濃紺の背景に淡青の文字で、被害妄想にも思えるザッカーバーグの経営方針が最後のほうのページに書かれているのだ。

「いまのフェイスブックをたたきのめすようなものを作れ。我々が作らなければ、どこぞのだれかが作ってしまう。インターネットは心がなごむ場所ではない。飽きられたら最後で、跡形を残すこともかなわない。消えてしまうのだ」

シストロムは、この6年後、ザッカーバーグにとってインスタグラムは「我々」だったのか「どこぞのだれか」だったのかと悩むことになる。

ドーシーの怒り

シストロムが契約にサインした翌朝も、ドーシーは、立ち上げた決済会社、スクエアに出勤した。ドーシーはとても裕福だが、サンフランシスコの雰囲気が味わえるからと、公共交通機関で通勤している。この日は、市営バスが貸切状態だった。「バスに人気《ひとけ》がない。ちょっと幸せ」という一言を添え、褐色と茶色の椅子だけが並ぶ車内の様子をインスタグラムに投稿。乗客はいないし、運転手の姿も写っていない。

ドーシーは、スクエアや夕焼け空、機内の様子などを、毎日、だいたい1回、おっと思うものがあれば2回、インスタグラムに投稿する。ツイッターの買収提案は却下されてしまったが、ドーシー自身は、知り合いの投資家を紹介するなど、インスタグラムを積極的に後押ししていた。スクエアに着くと、インスタグラムがフェイスブックに買収されたけど、そのニュースは知っているかと社員に尋ねられた。

まずは事実確認だ。スマホでググると、ザッカーバーグの投稿がヒット。裏切られたと思うより早く、電話が鳴った。ちょっと内気な友人、アビブ・ネボだった。イスラエル系アメリカ人のテクノロジー投資家で、つい先日行われたインスタグラムの資金調達ラウンドにスライブキャピタル［Thrive Capital］経由で投資することを勧めた人物だ。

「なにがなにやら、わけがわからない。評価額5億ドルでインスタグラムの件を決済したと思ったら、それが10億ドルで買収されたって……ぼくとしてはどう考えればいいんだろう」

「あー、投資の価値が数日で倍になったと、そういうことだと思うな」

うろたえていることが声に出ないよう、努めてゆっくりしゃべった。

「これ以上は望むのも難しいってくらいにいい結果なんじゃないかなぁ、たぶん」

ドーシー自身、早い段階でインスタグラムに投資しているわけで、この買収を喜ぶべき立場だとも言えるのだが、彼の心は悲しみ一色に染まっていた。考えるのはシストロムのことばかり。ずっとアドバイスをしてきたし、支援もしてきた。友だちだと思っていた。なのに、連絡もしてくれなかったのか。実利という意味からも、連絡くらいあってよかったはずだ。ツイッターのドアは開いているってくり返し伝えてきたじゃないか。値段なら相談に乗る、とも。シストロムはいつも技能がどうこう、創造性がどうこうと言ってるけど、実は、フェイスブックみたいな世界征服を夢見ていたのか？

シストロムからの説明はない。いくら待ってもない。ドーシーの悲しみや嘆きは、だんだんと怒りに変わっていった。そうか、ツイッターに売る気など、もともとシストロムにはなかったんだ。そうか、ツイッターはいいようにもてあそばれただけなんだ。

ドーシーは、インスタグラムを削除し、投稿も完全にやめた。

五里霧中

お昼ごろ、スクエアから数ブロックのところでは、前に集まる報道陣を避けるため、裏口から裏通りを伝って、インスタグラムの社員10人あまりが脱出。彼らを乗せたバスは、50キロメートルほど南に走り、メンロパーク、1ハッカーウェイのフェイスブック本社を囲むように広がる広い駐車場に到着した。

８車線のハイウェイとサンフランシスコ湾に囲まれた島のような区画、全部がフェイスブックの本社になっていて、「いいね！」に使われているブルーの大きなサムズアップが目を引く。あまりに多くの社員が行き来するので、交通整理の駐車係や警備員がそこここにいるのも驚きだ。サンフランシスコに比べると5～6℃は暖かいので、みな、ジャケットを脱いだ。いよいよ中が見られるぞと思ったが、その前に、セキュリティで入構証を発行してもらわなければならない。常に身につけているようにと渡されたのは、名前の入ったバッジだった。

第16ビルに入り、机の間を走るカーペット敷きの通路を進む。通っているのがインスタグラムのチームだと気づいた人がいて、ひとりが立ち上がり、拍手をすると、それが広がって、部屋全体が拍手の渦《うず》となった。ありがたい話ではあるが、みな、そうでなくてもすっかり気おされていたわけで、居心地の悪いことこの上ない状況だった。

ミーティングは「金魚ばち《フィッシュボウル》」で行われた。壁がガラスになっていて様子が丸見えの会議室で、ザッカーバーグのお気に入りだ。全員、中に入り、椅子に座ったり小さなカウチに並んで座ったりした。廊下を通るフェイスブック社員は、ああ、これが……と、みな、思った。アレが10億ドルのチームか、と。インスタグラム側は、みな、びくびくしていた。

インスタグラム社員のほとんどは、ザッカーバーグと面識がなかった。彼は２０１０年公開の映画『ソーシャル・ネットワーク』で社会性がなく冷酷無慈悲な人物として描かれていたが、実物は、とてもフレンドリーである。

ザッカーバーグの話は、インスタグラムが作ってきたものには価値があるし、それはそのままにしたいなど、ブログ記事のくだけたバージョンという雰囲気だった。インスタグラムの社員全員を歓迎するという話もあった。

この日、ザッカーバーグは、ほぼ1年振りに、ビーストの写真をインスタグラムに投稿した。

このミーティングで不安が多少は和らいだが、細かなところはわからずじまいだった。正式にフェイスブックの一部となるのはいつなのか、わからない。どういう形で働くことになるのかも、わからない。金銭的なメリットがあるのかどうかも、わからない。

どこが職場になるのか、この本社に来ることになるのかどうかも、わからない。敷地の真ん中は大きくひらけていて、舗装された広場になっており、そこに、木々やピクニックテーブル、各種店舗が並んでいる。寿司屋もあればゲームセンターやフィルズコーヒーもある。銀行の支店さえもある。毎週金曜日にザッカーバーグが登場し、社員の質問に答えるハッカースクエアもある。カリフォルニアディズニーランドの入り口、メインストリートUSAを意識したレイアウトなのだという話もあった。

本社をひととおり見学したあと、インスタグラムのチームは、チャーターバスで15分ほど走り、シストロムやクリーガーがスタンフォード大学時代からよく知っているパロアルトの中心部に移動した。みな、死ぬほどお腹が空いていた。だが、人数が多すぎて、インスタグラムらしからぬところにしか入れなかった。ビクトリア朝風、エジプト風、ローマ風が入り交じったチェーン店、チーズケーキファクトリーだ。提供する料理も幅広く、メニューは21ページと分厚い。

報道各社が報じたのは、数字から想像されるインスタグラムの一日だった。

「写真共有サービス、インスタグラムの社員13人は、もうすぐマルチビリオネアになるとの知らせをみんなで祝った」[9]（デイリーメール紙）

「インスタグラムの価値は、社員ひとりあたり7700万ドルにも上る」[10]（アトランティック誌）

ビジネスインサイダーは、わかるかぎりの社員をリストアップして報じた[11]。出身校や前職など、インターネットで調べられるかぎりの情報や写真も添えられていた。

社員のところには、やったねというお祝いの電話やフェイスブックコメントが友だちや家族から次々と寄せられた。

だが、実際はどうなのだろうか。本当に「やった」のだろうか。お金関係がどうなるのか、社員が知るのは、もう何週間かたってからだった。

第4章 天国と地獄のはざまの夏

「独占禁止法違反の疑いでフェイスブックに対する調査をいますぐ開始するよう、連邦取引委員会に進言するものであります……いま、ふり返ると、連邦取引委員会が本買収を承認した結果、ソーシャルネットワーク市場最大の競争相手をフェイスブックが吸収する事態となったことは明白であります」[1]

――2019年、デビッド・シシリーニ米下院議員が連邦取引委員会に提出したインスタグラム買収に関する書面

ラスベガス

ミリオネアになるのはだれかとか、フェイスブックの傘下に入って人生がどう変わるのかとか、どうにも気になることは山ほどあるが、すべてを横に置き、社員全員、週末はラスベガスで羽を

伸ばすことになった。ただし、インスタグラムに投稿はしないこと。それだけは徹底するようにとのことだった。息抜きは絶対に必要だが、祝賀会をしていると報道されるのは避けたい、そういう報道を見たフェイスブック側に、さっそく仕事をさぼるようになったかなど思われるのは得策ではないと、ケビン・シストロムもマイク・クリーガーも考えたからだ。

ラスベガス旅行の大半は、会社持ちかシストロムのコネでまかなわれており、社員は参加するだけでよかった。コネのひとつは、友人のベンチャーキャピタリスト、ジョシュア・クシュナーである。彼の会社、スライブキャピタルも最後の資金調達ラウンドに加わることができたので、お金もすぐ倍に増えたし、クシュナーも名前を売ることができた。だから、みんながラスベガスを楽しめるよう手配してくれと、義理の姉イバンカ・トランプに頼んでくれた。おかげで、泊まりは窓が金張りのトランプインターナショナルで、しかもスイートルームだし、部屋には不動産王の長女本人からお祝いのメッセージが届けられるしという豪華仕様になっていた。

夕食はウィンホテルのステーキハウスで、ここはおごるから好きなものを頼んでくれとシストロムに言われ、みな、遠慮なく、キャビアとカクテルを楽しんだ。そこに、近くのナイトクラブに出ていたカナダ出身のDJ、ジョエル・トーマス・ジマーマンが通りかかり、ニュースで見たシストロムだと気づいてしまう事件も起きた。なるべく目立たないように心がけていたはずなのだが。ジマーマンはお祝いを述べるとともに、実は、ユーザー名が希望と違っているという嘆きを口にしたので、ジェシカ・ゾールマンが、その場で、彼に@Deadmau5というユーザー名を割り当ててあげたという。ジマーマンは、Deadmau5として知られているからだ。

インスタグラムのチームには、クシュナー／トランプの関係者がひとり、お世話係としてついていた。彼に案内されて行ったクラブは入り口に行列ができていたが、チームは待たずに入れてもらえたし、頼んだ飲み物はボトルのてっぺんから火花が散っているなど大変な歓待だった。

「目立たないようにしてくれって頼んだのになぁ」

とクリーガーがつぶやくと、ほかの社員が

「ほかのテーブルも半分はこういうもてなし方になっていますから」

と指摘する。

ところが、5分もたたないうちに、今度は、ブランドもののサングラスとともに、「笑顔になる10億の理由」という言葉とインスタグラムのロゴが入ったTシャツが配られた。雰囲気のある照明に照らされながら、シストロムがあわてて回収。次はもっと強烈だった。ホールのケーキにでっかく「10億ドル」とアイシングで書かれていたのだ。

幸い、それを写真に撮って投稿する人はいなかった。みな、笑ってはいたけれども。

ストックオプション

これはチームの絆を深める旅行でもあった。買収にいたるまで、大変な日々をともに過ごすことで生まれた絆を、だ。夜、寒くてたまらず、スヌープ・ドッグが送ってくれたブランドものにみんなでくるまってしのいだこともある。スタッフみんなで、昔懐かしい感じの鉄板写真でポートレートをそろえてみたこともある。シェイン・スウィーニーがまだいるのに事務所の鍵を閉めてしまい、警報が鳴って大騒ぎになったこともある。インスタグラムが大好きという一点で20代の若者が集まり、わいわいがやがやと人生を模索してきたわけだ。

だが、ここは仕事の場であって仲良しグループではない。また、だんだんとややこしいことも増えていた。

ラスベガスから戻った彼らを待っていたのは、規制当局の承認が得られるまで、フェイスブックの資源やインフラを使うことはできないというニュースだった。インスタグラム買収でフェイスブックが独占的な力を持つことになるか否か、米国や欧州各国が検討する必要があり、それには、何カ月もかかるかもしれないという。承認が得られるまではフェイスブックの本社で働くこともできないし、新規採用も控えなければならない。つまり、いままでどおり、がむしゃらに働くしかないわけだ。

もうひとつ、もっと切実な事実も判明する。金銭的なメリットを得られる社員はほとんどいないというのだ。

買収合意から半月ほどがたったころ、フェイスブックの担当者がインスタグラムの事務所に来て、創業者ふたりとともに、新しい契約の詳細を説明した。買収後1年以上働けば、給与やストックオプション、現金によるボーナスなどがどうなるのか、といった話だ。社員は、一人ひとり、会議室に呼ばれて説明を受けたのだが、何人かは青ざめた顔で出てくる結果となった。

シリコンバレーのスタートアップでは、ストックオプションがもらえるなら給与が少なくてもいいと考える人が多い。ストックオプションというのは、後々、自分が働く会社の株を安く買える権利のことだ。このオプションは、勤続年数に応じて付与される。ある程度は長く働いてもらうためもあり、勤続年数が1年増えるごとに、求人条件で約束されたオプションの4分の1が与えられるのがふつうだ。会社が大成功してくれれば、ごくわずかな株式でも人生が一変するほどの富になりうる。宝くじに当たるようなものだ。

インスタグラム買収はモバイルアプリ史上最大で、これ以上の当たりはないと言える。だが、移籍するのであれば、インスタグラムのストックオプションはご破算とし、フェイスブックの制限付株式を付与する形にするとフェイスブックは言ってきたのだ。言い換えれば、ここまでもずいぶん働いてきたのに、それは考慮されず、一から計算をやり直すという話である。

例外は3人。その3人だけは勤続年数が長く、インスタグラムでオプション設定されている株式の4分の1を安価に購入し、フェイスブックの株式に転換することができる。残りは、全員、インスタグラムの株で大儲けという夢が破れた格好だ。

フェイスブックは株式公開の直前だったので、この3人も、急いで行動する必要があった。結局、少なくともひとりは、まにあうタイミングでインスタグラム株を買うことができなかった。買収の評価額がとても高く、30万ドル以上も借り入れなければ買えなかったからだ。弁護士にも相談したが、20代の人間にとってフェイスブックは投資リスクが大きすぎると言われたらしい。フェイスブックの株価がどうなるか、だれにもわからないのも事実だった。(結果論として、フェイスブックの株価は、インスタグラム買収後、10倍前後まで上昇した。つまり、30万ドルで株を買っていれば、いま、300万ドルくらいの価値になっていたはずである)

創業者だけが価値を認められる世界

対して、シストロムとクリーガーは、人生が一変するほどの富を手に入れた。持ち分はクリーガーが10％、シストロムが40％なので、買収価格で計算しても、それぞれ1億ドルと4億ドルを得た計算になる。シストロムは鼻高々で、買収が発表された翌日、近くのデリでニューヨークタイムズ紙を5部買ったのだが、その一面に大きく写っている人物だとレジの人に気づかれなかったのがおもしろかったと友だちに語ったりした。

ふたりともお金の使い道を模索しはじめたし、そうであることは、チームに見え見えだった。クリーガーは慈善活動を始めようと、どこにどう寄付したらいいのかを考え始めた。現代美術の収集にも興味があるらしい。シストロムは家の購入とブルーボトルコーヒーへの投資。オンラインで買った品物が事務所に届けられるなど、買い物もいろいろとしているようだ。車も新しくなったし、ロレックスの時計も買ったし、スキーも新しくなった。欲しいものがなんであれ、一番いいもの、一番いい造りのものを買えるようになったわけだ。インスタグラムのフィードが現実になったと言ってもいいだろう。

こんな違いがあるのは不当だと、コミュニティエバンジェリストのジェシカ・ゾールマンはシストロムに訴えた。だが、そこに交渉の余地はない、すべて、フェイスブックとの契約ではっきり決められているからと言われてしまった。せめてもということで、買収手続きが終わり、フェイスブック本社で働くようになったとき、インスタグラム時代と同じように、ペットのポメラニアン、ダガーを職場に連れて行っていいかとザッカーバーグに聞いておこうという話はあったが、それも、職場にイヌを連れてきてはいけない規則だと断られてしまう。ということは、ペットシッターに散歩させてもらう費用もこれからは負担しなければならないわけだ。

気がくさくさしてしかたないので、ゾールマンらは、サンタモニカまで気晴らしにでかけた。もちろん、共同創業者ふたりには内緒だ。この旅行は、集団療法の様相を呈した。100万ドルずつでいいから社員に配ってくれれば、借家住まいから脱出できるのに。スタートアップに投資するとか、自分の会社を立ち上げるとかもできるのに。そんな話が次から次へと出た。スタートアップの世界では、人生が一変するほどの富を手に入れた創業者が社員におすそ分けをすることも珍しくないと友だちから聞いていたからだ。

買収時、社員に分配できる株式に限りがあり、であれば、勤続年数に応じた扱いをするべきだと創業者ふたりは考えたのだろう。だが、それならそれで、自分のポケットから多少のお金を配ってくれれば、みんな、うつうつとした気分になどならずにすんだはずだ。勤続年数が短い社員には、その程度のことさえしてやる必要はないということか。

ちょっと前のゴワラ買収では、ティム・バン・デイムやフィリップ・マカリスターが職を失うなどしたが、今回は、全員が移籍してフェイスブック基準の給与がもらえるし、そのまま1年在籍すれば、何万ドルものボーナスだってもらえる。（ちなみに、買収手続きが完了したあと、ゾールマンやバン・デイムなど、何人かは、ボーナスをもらう前にフェイスブックを去った。エイミー・コール、マカリスター、ダン・トフィーら、ほかの社員は、本書執筆時点で、まだ、フェイスブックに残っている）

この業界で価値を認められ、力を持つのは、ダントツで創業者なのだ。フェイスブックとの契約でも、シストロムとクリーガーだけが「キーマン」とされた。フェイスブックが買いたいと思ったのは、ふたりの魔法だったというわけだ。

フェイスブックのIPO

インスタグラムの人々は、ここからあと、夏の終わりまで、宙ぶらりんの状態となる。しばらくのあいだ、大きく報じられるのは、IPOを間近に控えたフェイスブックのことばかりだった。スーツを着たウォールストリートの銀行員のところにも、ザッカーバーグはいつものジップアップパーカーで登場し、さすがはシリコンバレーだと大きな話題となったこともあり、株式公開に世間の注目が集まったのだ。5月18日の公開価格は1株38ドル、評価額は、ディズニーもマクドナルドも超える1000億ドルに達した。

この日、NASDAQの取引開始を告げる鐘を、ザッカーバーグがフェイスブック本社で鳴らし、社員は沸《わ》きに沸いた。だが、取引システムに障害が起きるなど混乱もあった。また、翌取引日には、株価が下落。デスクトップからスマホへと利用環境が移りつつあるのに、フェイスブックはモバイル広告で稼げていないことが嫌気されたらしい。

フェイスブックは将来的な業績の懸念を隠していたとして、株主から集団訴訟も起こされた。[2] ここまでの大騒ぎになる新規株式公開は珍しいのだが、なにせフェイスブックの利用者は月に9億5000万人を数えるほどで、そのなかに、ここの株なら買おうと思う人がいるのも不思議はない。老後資金を投入したが、大きく値下がりして売らざるをえなくなったという話が世界中のそこここで語られた。[3] フェイスブックの株式はインスタグラム買収の対価という側面もあるわけで、つまり、買収の価値もどんどん下がっていったことになる。30万ドルの借り入れなどしないほうがいいという弁護士のアドバイスは正しかったようだ。

米国および欧州各国の政府は、インスタグラム買収を承認すべきか否かの調査を開始した。ほんの少し前には世界を征服しそうな勢いに感じられたフェイスブックも、いざIPOが終わってみると、先行き不透明としか思えない状況になっていた。インスタグラムも、よくよく見直してみると、たいした影響力を持つとは思えない。そうなると、各国政府の調査も、消費者を守る行為というより、わずらわしいだけのお役所仕事に感じられる。フェイスブックがどれほどの力を持つようになるのか、また、インスタグラムをどれほどパワフルにできるのか、正しく予想できた人はいなかった。

独占禁止法

独占禁止法は、最近増えているインスタグラムのような買収を念頭に置いていない。独占と言えば、昔は、価格を自由に決めたりサプライチェーンを支配したりできるほどの力を持ち、他者に不利益をもたらすものだった。だが、フェイスブックもインスタグラムも使用料金がかからないわけで、(行動のデータを取られるのを気にしないなら) 消費者が不利益をこうむることは基本的にない。フェイスブックのような広告収入型のビジネスは、比較的最近になって登場したものだし、インスタグラムにいたっては、収益を上げるビジネスモデルさえもない。それでも、ライバルを害するなら独占と言えるかもしれないし、インスタグラムにライバルがたくさんいることも事実だ。フィルター機能を搭載した携帯端末用写真アプリとして後発なのだから当然だ。

そんな状況なので、米連邦取引委員会は、とりあえず、問題を単純化した。フェイスブックとインスタグラムが競合している分野はあるか否か、だ。これがあるなら、買収で競争が減るわけだ。

まずは、インスタグラムとフェイスブックが互いのことをどうとらえているのかを把握する。そのためには、社内で交わしたメールとテキストメッセージを集める必要があるのだが、その作業は、米連邦取引委員会自身ではなく、フェイスブックとインスタグラムの弁護士が担当した。買収を成立させる準備に奔走した人々に、今度は、その買収を承認すべきでない証拠をみつける仕事が回ってきたわけだ。報酬を払ってくれる会社を調査する仕事が。

米国連邦政府の調査能力不足かと思ったら、買収の調査ではこれがふつうだとわかり、両社に驚きが走った。どう考えても利益相反なのだが、弁護士には、それでもきちんとやらなければならない理由があった——やるべきことをやらないと弁護士資格が剝奪されかねないのだ。というわけで、インスタグラムが契約しているオリック・ヘリントン&サトクリフの弁護士は、創業者ふたりと一部の古参社員に対し、メールとテキストメッセージの記録をすべて提出するようにと求めた。シストロムが持ち歩いているメモ帳さえ、問題になりそうな記述がないか、1ページ、1ページ、全部チェックした。

アプリストアの人気ランキングでインスタグラムがフェイスブックを抜き、お祝いにとシストロムがプレミアムバーボンを社員に配ったときのテキストメッセージについては、これはなんだとの問い合わせが、弁護士からシェイン・スウィーニーに入った。回答は、フェイスブックは世界有数の人気を誇るアプリであり、その上を行くというのは、競争相手かどうかとは関係なく、スタートアップにとって大きな節目になる、だった。納得してもらえたかどうかはわからないそうだ。

フェイスブック側では、フェンウィック&ウエストが同様の調査を進めた。そして、弁護士から資料が提出されたあと、シストロムとザッカーバーグがワシントンDCに呼ばれた。ザッカーバーグは、行かない、テレビ会議にしてくれとこれを拒否。シストロムはワシントンDCまで足を延ばし、担当官のさまざまな質問に対応した(一部担当官は、インスタグラムのトップに会えて浮かれ気味だったらしい)。質問は技術的なものが多かった。インスタグラムとフェイスブックは消費者の暮らしに果たす役割が大きく違うというフェイスブックの主張が正しいか否かを判断しようとしていたのだろう。

規制当局の目をかいくぐる

英公正取引庁とのやりとりで、フェイスブックは、直接競合する関係にはないが、自分たちも、インスタグラムをまねたフェイスブックカメラなるアプリをリリースしたところだと述べている。似たようなアプリには、ほかにカメラオーサム〔Camera Awesome〕やヒプスタマティックなどがあるが[4]、いずれも、フェイスブックカメラの3倍はダウンロードされているし、インスタグラムにいたっては40倍もダウンロードされている、とも。要するに、自分たちは9億5000万人ものユーザーを持つ巨人ではなく、激しい競争が展開されている市場になんとか食い込もうと奮闘している弱者である、というわけだ。

フェイスブックの言い方だと、この市場は過当競争気味であるとの印象を受ける。インスタグラム以外にも、パス、フリッカー、カメラ＋、ピクサブル［Pixable］など枚挙にいとまがないというのだから。結局、英国の規制当局は、「ソーシャルネットワークとしても、広告の掲載媒体としても、インスタグラムがフェイスブックの主な競合相手であると判断するに足る理由はない」と、[5]買収を承認しても競争がなくなる心配はないとの結論に達した。

実のところ、そういうアプリのすべてにインスタグラムが勝っていたことに、彼らは気づいていなかった。フェイスブックが挙げたうち、フィルター機能とソーシャルネットワーク機能を持ちインスタグラムに似ていると言えるのは、パスとヒプスタマティックくらいで、前者はユーザー数が３００万人にも満たないし、[6]後者はユーザー数が４００万をピークに減り始めていて、社員の半分がレイオフされる状況となっていたのだ。アンドリーセン・ホロウィッツが２０１０年に投資を決め、あそこにだけは負けたくないとシストロムとクリーガーが意地になったアプリ、ピックプリーズにいたっては２０１２年７月に消えていて、名前さえ挙がっていない。

規制当局は市場の現状だけで、数年先、いや、数カ月先を見ることもしなかった、フェイスブックとインスタグラムの可能性を考慮しなかったと言える。

ネットワーク効果

フェイスブックもインスタグラムも、真の価値は、利用者が多いほど勢いがつくネットワーク効果にある。たとえばパスのほうがいいと思う人も、友だちがみんな別のアプリを使っていたら、そちらに乗り換えたりするわけだ（パスは、2015年に韓国のダウムカカオ［Daum Kakao］に身売りし、[7]その3年後には提供終了となった）。[8]この手の事業で一番難しいのは、ユーザーやユーザーがつながりたいと思う人々に「その製品を使う」という新しい習慣を広げることだと、ザッカーバーグは正しく理解していた。だから、インスタグラムは、作るより買うほうが簡単だと考えた。ネットワーク型の事業はひとつ確立されると別の小さなものに参加する意味がなくなるからだ。社会のインフラになってしまうと言ってもいい。

だから、ザッカーバーグは、10億ドルなんて正気のさたじゃないと言われても気にしなかったし、インスタグラムにビジネスモデルがないことも心配しなかった。ネットワークさえがっちり作れれば、広告だとかなんだとかいらないものがくっついてもやめたいと思わないほど価値が高くなれば、金儲けなどいくらでもできる。ザッカーバーグはそう考えているのである。フェイスブックも、その意図をあれこれ詮索されるようになるまでは、みな、特に気にせず個人情報を公開していた。

モバイルアプリの収益については、懸念で投資家がパニックに陥ったわけだが、ネットワーク効果を考えれば、そんな心配は無用であることがわかる。携帯電話のアプリも山のようにユーザーがいて、ただ、そこから収益を上げるにいたっていないというだけのことなのだから。インスタグラムのネットワークも、そのうち、大きな収益源になるはずだ。ユーザーさえつかんでいれば、なにがしか儲ける手段はあるし、ユーザーは多ければ多いほどいいわけだ。

フェイスブックがユーザーに一番望むモノ——自分たちに使ってくれる時間——に対する脅威という側面もインスタグラムにはあった。ネットワークの世界では、空き時間をつぎ込む対象として選んでもらうべく、ほかの人の体験をかいま見ることのできる場所、自分の体験を投稿できる場所として選んでもらうべく、激しい競争がくり広げられている。インスタグラムのネットワークが人気になればなるほど、タクシーに乗っているとき、コーヒーを買う行列に並んでいるとき、仕事に飽きたときなど、ちょっとした空き時間にフェイスブックではなく、インスタグラムを選ぶ人が増えてしまう。

当局最大の失策

フェイスブックは、単なる成り上がりで足下もおぼつかないと見せかけ、政府の追及をかわすのがとてもうまい。だが同時に、フェイスブック自身がそう心配しているのもまちがいのない事実である。急速に成長するソーシャルメディアは、フェイスブックのネットワーク効果に対する脅威であり、自分たちに使ってくれる時間が奪われるかもしれない脅威なのだ。そういう脅威は、なんとしても阻止しなければならない。この意識を全社員に持たせようと、ザッカーバーグは、「君臨しろ!」と発破をかけて社内会議を締めくくっているという。[9]

インスタグラムも、勝者総取りの兆しが見えていた。成長速度がどんどん上がっていたのだ。ユーザー数も、買収時点で3000万人だったものが夏には5000万人を突破している。

英公正取引庁の報告書はネットワーク効果に言及していない。つまり、なにを考えて買収したのか、フェイスブックがすべてを説明したわけではないということだ。また、「インスタグラムに力があることはまちがいないが、同時に、普及の障壁は比較的低く、アプリの魅力は『流行』

に左右されるものであることも明らかである」と、インスタグラムの成長については、真逆の判断を下している。

フェイスブックは、いま現在、28億人以上のユーザーがさまざまなアプリで利用していて、ソーシャルネットワークの世界に君臨する立場を保っているし、インスタグラムを最大の収益源としている。この買収を承認したのは、ここ10年における規制当局最大の失策だと言われるほどの状態なのだ。[10] フェイスブック創業メンバーのひとり、クリス・ヒューズでさえ、2019年、「マークは前代未聞の力を手に入れた。これはアメリカらしからぬことである」とニューヨークタイムズ紙に語り、[11] いまからでも買収をなかったことにすべきだとしている。

フェイスブックは「有能なスタッフが徹底的な調査を行った」とコメントしているが、2012年夏に行われた米連邦取引委員会の調査は非公開で、報告書も公開されていない。調査終了時にフェイスブックとインスタグラムへ送られた書簡には「現時点でこれ以上の調査を行う予定はない」と書かれていたが、同時に、「公益という観点から必要があれば」調査のやり直しも考えられるという警告も記されていたという。[12]

「腹が減りすぎて食うのもままならない」

インスタグラムは、フェイスブックに身売りする必要があった。サイトを動かすだけで悪戦苦闘しているというのに、シストロムもクリーガーも、非の打ち所がない人材しか採ろうとせず、新規採用が難航していたからだ。ツイッターの買収提案を断り、5000万ドルの資金を調達したわけだが、その時点で、ある投資家の言葉を借りれば、「腹が減りすぎて食うのもままならない」状態になっていた。投資家が期待する投資利益率を上げられるスピードで成長するには、10倍は社員がいないとどうにもならないはずなのだ。

限界だった。また、身売りすれば、この問題は簡単に解消するはずだった。フェイスブックには3000人から技術者がいるし、そのなかには世界トップクラスの実力者もいる。買収が決まり、米連邦取引委員会に承認されれば、社内で人材を集められる。そう思ったのに、お預けをくらってしまった。ユーザーの流入はどんどん増えているのに、買収の行方がはっきりするまで、社員もインフラも増やせない。インスタグラム成長の証とも言えるクリーガーの睡眠不足も続くことになった。

6月末のとある金曜夜、クリーガーは、なんとか時間を作ると、付き合って2年になる恋人のケイトリン・トリガー（のちに結婚する）と週末を過ごそうとしていた。オレゴン州ポートランドのレストランでディナーを楽しもうというのだ。そのとき、例によって例のごとく、アプリに問題が起きたとの通知が来たが、スウィーニーもいるし、つい先日入ったリック・ブランソンもいるのだからなんとかなるだろうと無視することにした。

間の悪いことに、よくある障害ではなかった。インターネット全体がダウンしていた。正確には、アマゾンの設備を使っているインターネットが、だが。東海岸で嵐が吹き荒れた影響で、ピンタレスト、ネットフリックス［Netflix］、インスタグラムなど、アマゾンのインフラを使ってサーバーを構築したところが軒並みオフラインとなってしまったのだ。[13] ふつうは、こういう問題にも対処できるようにと、バックエンドのエンジニアを何十人も抱えているものなのだが、インスタグラムは3人だけだし、うちひとりはわずか2週間前に参加した新人だ。

「運転手さん、戻ってくれ」

すまないとトリガーに言う間も惜しんで、クリーガーはこう指示した。よくあることなのだ。親族の集まりがサンフランシスコであり、障害の通知が鳴ったとき、みんなでジャイアンツの試合を見ていたスウィーニーは、一言断って3回の途中で会場を出ると、サウスパークの事務所まで数ブロックを歩いて戻った。

サーバーが復旧したら、インスタグラムのコードを一から再構成しなければならない。データは無傷で残っているのだが、それをどう扱うのかは、また、コンピューターに教えなければならないのだ。サーバー復旧から36時間、クリーガーとスウィーニーは必死に修復作業を進めた。ブランソンもできるかぎりは手伝ったが、インスタグラムのコードベースはまだよくわかっておらず、なんとももどかしい思いをしていた。

ここまでひどいサーバー障害は初めてだった。また、インスタグラムは注目の的で、ピンタレストやネットフリックスに並んで、障害報道で必ず取り上げられてしまう。

ほかの社員は、障害復旧などやったこともないわけで、応援しているよとアイスクリームを届けるくらいしかできなかった。スウィーニーはそれを食べつつ夜を徹して作業を進めたが、ときどき、キーボードに手を乗せたまま居眠りをしてしまう状態だった。

インフラ以外にも、対応の追いつかない問題がいくつもあった。サイトはスパムだらけ。よからぬユーザーコンテンツやとげのあるユーザーコンテンツも増えていて、手作業で処理できる範囲を超えてしまった（対応にあたるコミュニティチームは夢にまで見るようになっていた）。

フェイスブックに買収されれば、財務面の心配はもとより、社員の働き方もまっとうに戻るのではないかと思われた。

「同窓会」か「初デート」か

インスタグラムのユーザーは自分たちと異なる層だとフェイスブックは規制当局に語ったが、これは事実である。フェイスブックは実名主義なのに対し、インスタグラムは匿名で使える。フェイスブックはくり返しシェアができるしハイパーリンクも用意されているが、インスタグラムにそういう機能はない。フェイスブックは互いに友達となる場であるのに対し、インスタグラムはフォローバックをする必要がなく、一方的なフォローで構わない場である。

フェイスブックは継続的な高校同窓会という雰囲気で、最近どうしているのかを節目ごとに確認する場だと言える。対してインスタグラムは、ずっと初デートをしている感じで、人生のきらめきを誇らしげに示す場だと言える。

インスタグラムにはすごいと思ってもらえるものを投稿したいと、みな、考える。美しいもの、すぐれたデザインのもの、感動するものなどだ。だから、行動が変わる。料理の盛り付けや都会風ファッションを工夫したり旅をしたりするようになる。「今日のコーディネート《outfit of the day》」、「フードポルノ」、「インスタ映え《Instagrammable》」などの言葉が生まれる。でも、フェイスブック映え《Facebookable》などと言う人はいない。インスタグラムのほうがハードルが高いのだ。

シストロムは、もともと、優れた物や体験を愛《め》でるタイプで、インスタグラムの写真はそういうハードルを越えるものであって欲しいと考えている。ただし、そのためにがんばるべきはユーザーではなく、インスタグラムだという。フィルターでさっと写真の質を高められるようにしなければならないわけだ。

人気に振りまわされない場にするのも、インスタグラムの仕事である。インスタグラムにも「ポピュラー」ページがあり、そこでは、フェイスブックのニュースフィードと同じようにコンテンツが人気の順番に並べられている。ここについては、インスタグラムが大好きな有名シェフ、ジェイミー・オリバーが「『ポピュラー』ページはくってもくっても、おっぱいにイヌにセクシーな女の子ばっかりで、やはりそういう使い方が多いんだなと思ってしまう」[14]と2012年の会議で語るような状況だった。だが、本来のインスタグラムはそういう場所ではないとコミュニティチームは考えている。ごく一部の人がおもしろいと思うものがあっちにもこっちにもある世界、そういう世界こそ、インスタグラムがブログやインスタミートを通じて布教し、おすすめユーザーのリストでじっくり醸成しようとしているものだ。

すばらしいストーリーが語られるようになればアプリの価値も上がると、おすすめユーザーのリストを作ったベイリー・リチャードソンが語っているように、ストーリーテリングも、もり立てたいことのひとつである。

フェイスブックは、ユーザーフィードに示す内容を決めるにあたり、人の判断を排除した。対してインスタグラムは、これはと思うものを拾って示す。ピックアップされたユーザーはフォロワーが急増し、他のユーザーのお手本となる。だから、だれを選ぶのかは大事だ。ドリュー・ケリーのような人だけをピックアップしておすすめユーザーのリストが作れれば、理想的かもしれない。

インスタグラムがドリュー・ケリーのアカウントをみつけたのは、この年の夏のことだ。このころ、インスタグラムは買収騒動でなんとなく落ちつかず、気晴らしを兼ねて、写真を地図上に配置する機能を作ろうとしていた。そんなとき、まさかと思う場所、北朝鮮からインスタグラムを使っているユーザーに気づいたのだ。それがケリーである。ピョンヤンで教員として働くケリーは、いい機会なので、圧政以外の側面を示すことができればと考えたらしい。だから、試験前の学生やカフェテリアで語らう人々、買い物の様子などをとらえて投稿することにした。

部屋も電話も盗聴されているし、インスタグラムは監視されているし、だれとどういう話をしたのかも、逐一、外務省に報告されているしという状況だったが、珍しく外の世界につながっている学校のＷｉ-Ｆｉを使い、投稿はなんとかできていた。これだけで、北朝鮮の帯域を３分の２も使っていたらしい。ケリーは、自分がいる世界においてインスタグラムはごく小さな外交の手段だ、人と人の理解を促《うなが》す橋だと表現している。

ケリーのような人が増えれば、たわいもないラテアートを卒業し、世界的重大事が語られる場になれたかもしれない。それはありえないとツイッターのエバン・ウィリアムズが否定した道だ。だが、ケリーは、インスタグラムのブログで取り上げられただけで、おすすめユーザーのリストには加わらなかった。彼はリストの力を知っており、身の安全に不安が生じるからと断ったのだ。

コミュニティチームはこれにめげず、リストの影響力をいい方向に活用しようと、カメラマンやパン屋さん、職人などをピックアップしていった。人気が上がれば、生活費を稼ぐための仕事はやめ、情熱を追うこともできるはずと考えたからだ。

企業と契約するインスタグラマーたち

だが、思ったような展開にはならなかった。このリストでフォロワーが増えた人々、インスタグラムで人気を博したふつうの人々は、多くがその人気を利用する方向に舵を切ったのだ。

たとえば、@newyorkcityアカウントのリズ・エスワイン。彼女が獲得したフォロワーは、20万人近い。一方、もっと少ない読者しかいない雑誌にお金を払って出稿する広告業界で働く友だちもいる。ライム病がまだ完治していなかった彼女は、お金をもらって投稿することを考えた。エンデュランス系のパラアスリート、ジェイソン・レスターのピンボケ写真を#betterworldというハッシュタグで投稿し、そこに@nikeとタグ付けし、100ドル以下とすずめの涙だがナイキから支払いを受けるなどしたのだ。そして、インスタグラマーをもうふたり誘い、小さな広告代理店を立ち上げた。クライアント第1号はサムスン。GALAXY Noteでインスタグラムの写真を撮り、#benoteworthyというハッシュタグで投稿するという契約だった。

この後、フォロワーがたくさんいるインスタグラマーが、次々、同じようなことを始める。インスタグラムとしては、ほかのユーザーのお手本になってほしいと思ったアカウントを紹介しているわけで、その結果得た人気で商売されるのは困りものである。だから、その夏、ブランド化の動きをくじこうと、おすすめユーザーのリストを200アカウントから72アカウントに縮小。おすすめユーザーにリストアップしているメンバーには、「広告を試せるほど人気を博すユーザーが出たのは喜ばしいことですが、そのようなコンテンツは、新しいユーザーに見ていただきたいと我々が考えるものとは異なっていると言わざるをえません」[15]と、縮小の理由を説明するメールを送った。

インスタグラムは自己顕示や自画自賛の場ではなく、創造性やデザインを体験する場である、誠実を旨とする場であるとシストロムは言う。２０１２年６月、フランスで開かれた技術会議、ＬｅＷｅｂでシストロムが語った言葉を紹介しよう。

「写真はウソをつかないからいいんだと思います。インスタグラムでは、誠実でうそ偽りがないと感じられる使い方をする会社やブランドのほうが成功するのです」[16]

「誠実でうそ偽りがないと感じられる」――するどい表現である。インスタグラムを商売に使うなと言っているわけではない。ただ、ぎらぎらした商売っ気を前面に出さないでくれと言っているのだ。

ビルボード広告がずらりと並んでいるのは見苦しい、インスタグラムはそうなって欲しくないとシストロムは考えていた。ブランドをアピールするにしても、いかにもな感じにせず、プライベートを見せている雰囲気にするとか、ほかのいい物と並べた写真にするとか、ストーリーを語るとか、もっといいやり方がいくらでもあるはずだ。

こういう流れがあったから、後々、インスタグラムで名をはせ、いい商品を紹介したりするようになった人のことは、「販売員」や「有名エンドーサー」などではなく、「インフルエンサー」と呼ぶようになったのだろう。大事なのは誠実に見えること。大金が絡むと、本当に誠実であるのは難しいかもしれないが。

ヘッドキュレーターとしてビジュアル革命を進める立場となったシストロムは、こうして、世の中に送り出した製品が人々の行動を変えるのを目の当たりにしたり、自分も有名人の仲間入りを果たしたり、自らの好みやビジョンを信じることが大事だと学んだりしたわけだが、このあとは、生み出したいと願ったとおりのインスタグラムになるよう、インスタグラムを使うクリエイティブな人々とも、そして、シリコンバレーで最も実利的と言われる会社、フェイスブックとも戦わなければならなくなっていく。

ツイッター社の反応

ジャック・ドーシーは、実質的にインスタグラム初のインフルエンサーとして、インスタグラムそのものの名を上げるべく、奮闘努力してきた。だというのに、シストロムには裏切られた上、今度は、持ち株がツイッター最悪の敵の株式になるという。踏んだり蹴ったりである。

この買収が浮上するまでは、いつの日か、ツイッターがフェイスブックより大きくなる可能性もあると考えていたが、それもあやしくなってしまった。ツイッターの取締役がフェイスブックの株を持っているというのも、不倫をしているようで落ち着かない。だが、IPOからしばらくのあいだ、インサイダーは株を売ってはならないと法律で規制されているので、売り払うこともできない。

とりあえず、ツイッターの欠けているところを補完してくれる会社を探すことにした。ビジュアルなストーリーテリングを強化するのだ。

フェイスブックの一部になるのなら、インスタグラムは弱小スタートアップではなく、手ごわい競争相手として考えるべきだとツイッターは考えた。夏ごろには、ツイッターのフォローリストを使ってインスタグラムで友だちを探そうとすると、エラーが返ってくるようになったのはそのせいだ。ツイッターが改修され、インスタグラムからのアクセスを拒否するようになったのだ。「ツイッターのフォローグラフは大きな価値を持つわけですが、このデータをインスタグラムから使えなくなったことは事実でまちがいありません」[17]と広報担当のキャロライン・ペナーがニュースサイトのマッシャブルに語るなど、ツイッターは、インスタグラムの成長をこれ以上は後押ししないと立場を明確にした。

なんとも残念な形で協力関係が終わったわけだが、シストロムに悪意があったわけではない。ツイッターにカウンターオファーのチャンスなどなかった。フェイスブックとの契約でそういう機会を与えてはならないことになっていて、シストロムにはどうすることもできなかったのだ。

公聴会の結論

連邦政府の認可が下り、残るは州政府のみとなった。8月末の水曜朝、爽快な天気のもと、スーツ姿の人々が30人ほども、サンフランシスコのカリフォルニア州法人局6階の会議室に集合。一番背が高いのはシストロム。タイクリップまでつけ、ビジネスマンらしいビシッとした姿だった（タイクリップは報道で取り上げられた。ザッカーバーグが、IPO直前もラフな格好をしていて叩かれたからだろう）。長方形に並べられた机の一方にはフェイスブックの弁護士とアミン・ゾウフォノウンが座り、逆側にはインスタグラムの弁護士とシストロムが座っていた。ザッカーバーグの姿はなかった。出席する必要もなければ、ややこしい話にはならないはずだからだ。ともかく、これは、密室で下された判断について公開で審問を行う異例の会議だった。報道陣や市民も、電話で話を聞くという形で傍聴できる。

これは「公正取引に関する公聴会」と呼ばれる会議で、シンプルな取引について、カリフォルニア州が法人向けに提供している手続きである。たまにしか使われないが、連邦政府のややこしい手続きを踏まず、州政府の承認のみで株式を発行できるようになる。今回は、インスタグラム株式の保有者19人にとって公正であることを確認するのが目的だ。

まず、ゾウフォノウンが、交渉がごく短期間に行われたこと、また、ファイナンシャルアドバイザーや投資銀行は関わっていなかったと証言。同時に、条件の交渉はしっかり行われたと強い口調で添えることも忘れなかった（復活祭の祭日にビールを飲みながらできるかぎりしっかりと、なわけだが）。

次はシストロムの番だった。宣誓すると、インスタグラムは、美しい写真をさっと投稿できるクリエイティブな仕組みであり、インスタグラムが独自に構築したネットワークはもとより、さまざまなサービスにまとめて投稿することもできると、彼は、会社の説明から話を始めた。さらに、インスタグラムは創設から2年ほどであること、270万ドルの純損だが現預金が500万ドルあること、登録ユーザーは8000万人であることなどが語られた。

「収益はどのような形で得ているのでしょうか」

コミッショナー代行のラファエル・ライラグが尋ねた。

「そこは気になりますよね。いまのところ、収益を上げる手だてはありません」

シストロムはこう答えると、今回の買収が成立しなければ、まだ当分のあいだ、自己資金で運用していくことになるだろうと付け加えた（「当分のあいだ」が具体的にどのくらいなのかには言及しなかった）。フェイスブックに買収されたほうが、インスタグラムの株主にとっては将来的な不安が減っていいのだとも。

これに対して、独立を保つか、あるいは、別の会社に身売りしたほうがいいということはないのかと、ライラグから追加の質問が飛んできた。フェイスブックの株価は、この日、19ドル19セントで取引されているが、ここまで株価が下がり、実質的な買収価格を10億ドル以下にしてしまうことも想定はしていたのか、とも。

「10億ドルという評価は、基本的に、各種報道によって生み出された数字です」

とシストロムは返した（そんなことはない。10億ドルという数字はフェイスブックのコメントにも入っていたし、シストロムが社員に語ったのもこの数字だった）。

他社から買収のオファーはなかったのか。法人局側弁護士のイバン・グリスウォルドがこの点をただした。

「買収のオファーを受け取ったことはありません。インスタグラムの事業を進めるなかで何社かと話をすることはありましたが、正式なオファーを受け取ったことは、一度もありません」

「交渉の直前、オファーを受け取ったのではありませんか？　え〜……」

「正式なオファーを受け取ったこともなければ、タームシートを受け取ったこともありません」

グリスウォルドの言葉をさえぎったのは、具合のよくない質問だったからだろう。シストロムはツイッターによる買収に気乗りがしていなかったが、ツイッター側が真剣にインスタグラムを買収したいと考えていたのは明らかだったわけで。

最後に、出席者あるいは電話経由の傍聴者に対し、質問や懸念があれば申し出るようにとの問いかけが法人局側からあった。ツイッターにとって、結婚式で花嫁を奪う映画さながらの異議申し立てをするか、永遠に沈黙を守るか、選択の時がきたと言える。残念ながら、ツイッターは傍聴していなかったらしい。

「提案されている買収の条件は、公正、正当、衡平だと判断されました」

これが法人局の結論だった。公聴会は、開始から1時間22分で終了。10営業日後には、フェイスブックがインスタグラム買収に充てる株式を発行し、インスタグラム社員はフェイスブック社員になれると決まったわけだ。

明暗

後に、この公聴会でシストロムは偽証したとツイッター上層部が批判しているとの記事がニューヨークタイムズ紙経済面に載った。フェイスブックにしてやられた後のことだ。

ツイッターには、こういうやり方しか残されていなかった。買収は特に問題も遅延もなく、6カ月ほどで承認されてしまった。その結果、ツイッターは前途が不確かとなり、逆にインスタグラムは、世界最大のネットワークをめいっぱい活用できる立場となった。そして、フェイスブックは、最大のライバルとなる製品を自社に取り込むことに成功したわけだ。

第5章

「さっと動いてどんどん打ち破れ！」

「見くびられるのはとにかく嫌なんです。一花咲かせるようなことになどならない、売ったんだからおしまいだって言われるの、嫌なんです。外から見るとそうなるのはわかります。ただ、それは違うと証明したかったんです」[1]
――ケビン・シストロム、2019年、ティム・フェリス・ショーに登場して

「キャンパス」到着

買収手続きが完了した翌週月曜日、インスタグラム社員は、いやでもしなければならなくなった通勤の1時間をWi-Fi完備のフェイスブックバスで過ごした。

会社に着くと、まず、社員証をもらい、自分たちの机に案内された。外壁は、青い枠が縦横に

走るガラス製ガレージドアだった。

インスタグラムの新しい本社は、学生の延長だと言いたいのか「キャンパス」と呼ばれているフェイスブック本社区画のど真ん中にあった。外に出ると、目の前に、大きな「ＨＡＣＫ」の一言がセメントにグレーで描かれている。あまりに大きく、サンフランシスコ国際空港へ向かう航空機から見えるほどだ。すぐ近くには、たき火ができる炉がいくつも並んでいるし、ソフトクリームやカップケーキを無料で配るスイーツショップもある。

システロムは、買収とはどういうことなのかを、ようやく、実感として理解しつつあった。インスタグラムの社員は猛烈に働き、どんなことも情熱でさっとこなしてきたわけだが、これからは、巨大企業の一員として、激しい人材争奪戦がくり広げられるシリコンバレー特有の豊富な福利厚生を享受することができる。食べ物もただ、通勤もただ、トレーナーも水もパーティも、全部ただだ。そのせいで、がつがつ頑張る気力をなくしてしまうかもしれない。ゴールした気になり、身を粉《こ》にするような働き方はしなくなるかもしれない。

システロム自身、周りからは、目的地に着いたとみなされていた。シリコンバレーの場合、会社を売った創業者は、「レスト＆ベスト」に入るのがふつうである。４年間、親会社でぶらぶら過ごし、そうして得たストックオプションでミリオネアになるのだ。だからシストロムも、これからどうするんですかと、よく尋ねられ、そのたび、勘弁してくれよ、まだまだインスタグラムは発展途上なんだからさ、と苦々しく思っていた。

この日、システロムは、ガレージドアを背景に、いまだ小さいインスタグラムチーム17人の写真を撮り、「新しい事務所の初日。次の展開が楽しみだ」の一言を添えてインスタグラムに投稿した。夕方には、たき火の写真を投稿し、「そろそろ初日もおしまい。家に帰る時間だ」とコメントした。まだ6時半だというのに、フェイスブックの社員がいないのにはびっくりである。

この週、シストロムの不安をあおるようなことがあった。フェイスブックのアクティブユーザーが世界全体で10億人に達したことを祝う大パーティが、真っ昼間から開かれたのだ。ソーシャルネットワークの世界で初の偉業に、全社、大宴会状態となった。フェイスブックが創業間もないころは、プール付きの家をパロアルト郊外に借りて事務所とし、そこでビアポンに興じるなどフラタニティのような生活をしていたが、その伝統とでも言えるような光景だった。

インスタグラムのデザイナーも、何人か参加し、ほろ酔い加減でガレージに戻ってきた。厳しい夏を過ごし、一息つきたかったのだろう。だが、シストロムは

「我々のユーザーは10億人に達していないぞ」

としぶい顔だ。まだまだ、やらなければならないことが山のようにあった。

10億ドルの価値を証明せよ

シストロムとクリーガーがフェイスブックの提案にイエスと答えたのは、いつの日か、インスタグラムをだれもが使う大きくパワフルなものとするためだ。フェイスブックと同じようにすればそうなれるのは明らかだが、独立性が約束されていることもあり、インスタグラムはビジョナリーであり続けようとした。大会社の一部でありながら、ブランドも文化も異なるスタートアップとして自分たちを位置づけようとしたのだ。

フェイスブックになじむには、文化的な側面より評価基準に重きを置いた企業哲学としなければならない。フェイスブックがユーザー数10億人などを目標とした評価基準を定めたのは、人と人のやりとりで生まれるデータを少しでも多く吸い上げるためだ。そのデータを活用して製品を改良すれば、ユーザーの利用時間が長くなり、投稿やコメントも増えて、集められるデータがさらに増える。また、このデータを使えば、広告主がターゲットにしたいと考える小さな集団にユーザーを分類することもできる。

フェイスブック社員が平日に遊びほうけたことにも、理由がある。そのくらいしなければ、やってられない状況だったのだ。社員のやる気は株価に比例する。フェイスブックの株価は、5月の売り出し価格38ドルから9月には半分ほどまで下がっており、なにがなんでも事態を好転させなければならなくなっていた。このころのザッカーバーグは、スマホからの利用を第一に考えられていない企画には返事もしなくなっていた。業界の動きについていくためには、インスタグラムなどのアップスタートに後《おく》れを取らないためには、スマホ対応が大事だと考えたからだ。

インスタグラム買収が承認されたとき、フェイスブックの株はほぼ底値だった。その結果、決算書に記載された買収価格は、大々的に報じられた10億ドルではなく、キャッシュと株式、合わせて7億1500万ドルとなった。それでも、10億ドルという大台の数字が出たのは事実であり、シストロムもクリーガーも、それほどの価値があると証明しなければならないという思いを抱いていた。

周りからは、疑いの視線ばかりが降りそそぐ。報道される論評もそういうものばかりなら、友だちからもそういう言葉ばかりをかけられる。さらに、フェイスブック社員も、この買収にそれほどの価値があるのかと上司に問う人がたくさんいたし、通りがかりに思案顔でガラスドアから中をのぞき込む人も少なくなかった。こんなことで金が手に入るのなら、退職し、フェイスブックに買収してもらうことを夢見てライバル会社を立ち上げるのがいいのではないかというわけだ。

この年の下半期、フェイスブックのロードマップにインスタグラム関連のなにかが登場することはなかった。インスタグラムはモバイル専用の製品だが、収益はゼロだし、フェイスブック的にはスタートラインに立てるほど大きくもなっていなかったからだ。

いまだ脅威と見ていた可能性もある。

きみたちをつぶすことが我々の仕事だ

フェイスブックのユーザーは、パーティに参加するたび、どこかで休暇を過ごすたび、中毒なのではと思うほど写真を投稿し、友達をタグ付けする。そしてタグ付けされた友達は、通知メールが届くし、アイコンに赤いマークがつくしで、フェイスブックにアクセスすることになる。どのアクセスも、おろそかにしてはならない。だが、アクセスデータを解析したところ、写真の共有が下火になりつつある兆候がみつかった。原因はインスタグラムかもしれない。

インスタグラムのエンジニア、グレゴー・ホックムスは、フェイスブックのカメラチームからランチミーティングに誘われた。当時は、買収が成立するのか否か、はっきりしない状態ではあったわけだが、インスタグラム買収が合意された1カ月後という不思議なタイミングで、インスタグラムのパクリを作ってリリースしたチームである。そこから、このランチミーティングでは、きみたちをつぶすことが我々の仕事だとの話が出てきた。この言葉はどう受け取ればいいのだろうか、これから彼らの同僚としてどうやっていくべきなのだろうか。ホックムスは悩んでしまった。

この直後、今度は、精鋭が集まる成長チームに呼ばれた。こちらのメッセージは明快だった。競合していないとデータで示すことができなければ、インスタグラムがユーザーを増やす手伝いをフェイスブックがすることはない、である。

成長チームは、ホックムスがしていた分析を引き継ぎ、どういう人がインスタグラムを使うようになるのか、また、インスタグラムを使うとフェイスブックで写真を共有することが減るのか否かを明らかにしようとした。買収成立から数日しかたっていないのに、中核製品に対する脅威となりうるのであれば、買収した会社を日干しにすることも辞さないと言い出したわけだ。

結局、はっきりした結論を出すことはできず、インスタグラムは、フェイスブックのリソースを活用してよいことになった。ユーザー数がフェイスブックは10億人、インスタグラムは８０００万人にすぎないことを考えると、いじめとしか思えない扱いだったが、こういうことをしっかりやってきたから、フェイスブックはここまで成功したとも言えるのだ。

フェイスブックが実際にしていること

フェイスブックは、ソーシャルネットワークを通じて「世界をつなぐ」を一番の目的として掲げている。広報資料には、「人々が感情でつながれるようにする事業だ」など、立派な言葉が並んでいる。だが、実際にしているのは、「できるだけ多くの人にできるだけたくさんフェイスブックを使わせる」で、身もふたもなく言葉どおりである。どういう機能を追加するのか、それをどう作るのか、できた機能をアプリのどこに置くのか、それをどうユーザーに勧めるのかなど、やることなすことすべてを成長第一主義で決めているし、それこそが善行であると社員にたたき込んでいる。

新たなことに興味を持ってもらおうとするのがインスタグラムで、人々が欲しいと思っているものをデータで解き明かし、それをどんどん提供するのがフェイスブックだと言ってもいいだろう。ユーザーの行動を観察し、そこから好きなことと嫌いなことを算出し、必要なら調整するのだ。

フェイスブックは、ユーザーの挙動を事細かに記録している。どういうコメントを投稿したのか、なにをクリックしたのかなどはもちろん、書きかけたが投稿しなかった言葉も記録しているし、スクロールを止めて見たけどクリックしなかった投稿も記録しているし、検索したが友達になろうとしなかった名前も記録している。そういうデータから、たとえば、仲がいいのはどの人なのかを判定し、「友達係数」と呼ばれる数字で仲の良さを表す。0から1の範囲で変動する数字で、1に近い人をニュースフィードのトップに表示したりするのだ。

ニュースフィードはもちろん、広告のターゲティングにいたるまで、フェイスブックはパーソナライゼーションの塊《かたまり》だ。ある商品を、高学歴でトロントに住み、ネコが好きな人には、そういう人に刺さるメッセージを添えて売り込み、バンクーバーに住むイヌ好きのブルーカラーには、また別の、そういう人に刺さるメッセージを添えて売り込むといったことさえできる。画期的なことだ。テレビ広告では、どういう人が見てくれているのか、知ることなどできなかったのだから。

ただし、こういうデータを手に入れるには成長しなければならない。ユーザー数も増やさなければならないし、利用時間も延ばさなければならない。そして、あらゆることを記録し、分析すれば、ニュースフィードや広告、また、フェイスブックそのものに対して人々がなにを望んでいるのかを把握できるわけだ。使う人が増えれば増えるほど、投稿が増えれば増えるほど、広告枠が増えるという側面もある。

ハビオ・オリバーン率いる成長チームは、問題の検出・診断・修復も担当している。行動の種類、国、使用デバイスなど、さまざまな項目のチャートを巨大なコンピューターモニターに表示し、ユーザーの挙動を追跡。フランスで成長速度が急に落ちるなど、おかしなことが起きれば、すぐに調査し、フランスでよく使われているメールシステムから連絡先リストをインポートする機能が働かなくなっていると突き止めたりするのだ。原因がわかれば修復し、次の問題、次の問題と対処していく。

社員は、全員、コードベースのどの部分にもアクセスできるし、ほぼ自由に改変することができる。求められるのは、利用時間などの重要評価基準をごくわずかでも改善すること。このやり方なら、なぜ作るのかとか作るべきか否かとかの議論をする必要があまりなく、エンジニアもデザイナーもどんどん仕事を進められる。成長や共有を促進できたか否かで、次の昇給が決まる、それ以外はどうでもいいに等しいと、社員はみなわかっている。

脅威や新たな可能性も、同じように詳細な分析でみつける。各種アプリの使用頻度データを手に入れ、そこから、競合製品が生まれる兆候を早期にみつけるのだ。いつか追い越されるかもしれないアプリが登場したら、可能なかぎり、同じようなものを、すぐ、作ってみる。そうして作ったものがいまいちなら、インスタグラムのように買収を検討する。

「永遠の敗者」フェイスブック

このあと、フェイスブックの力が強くなるにつれ、競争相手をみつけて無力化する戦法が批判されるようになっていく。ユーザーが望むものを与えるという戦略も、世界を汚染するジャンクフード中毒のデジタル版だと言われるようになる。データの収集も、プライバシーとの絡みで大きな問題になる。

だが、このころは、まだ、世間の風当たりもそれほどではなかったし株価も下がっていたので、フェイスブックは、いろいろ言われているようにはならない、携帯電話の世界でも生き残れるとなにがなんでも証明しようとやっきになっていた。

発破をかけるポスターがキャンパスのあちこちに貼られた。

「旅はまだ1％しかすんでいない」

「リスクを取らないほど大きなリスクはない」

「拙速は巧遅に勝る」

「さっと動いてどんどん打ち破れ！」

社内から異論が出ることはまずない。新入社員のオリエンテーションで配られる小冊子にも書かれていることだが、なにをもって成功というのかがわかりやすいからだ。

「ひとつ上のステージに上がると、つい、やったぞとうれしくなってしまう。そんな気持ちを抱いても、もうひとつ上のステージに上がるチャンスが小さくなるだけだ」

２００９年のメールにザッカーバーグが書き、小冊子にも収録されている言葉である。フェイスブックは永遠の敗者で、それは、大きくなっても変わらないのだ。

インスタグラムの評価基準

インスタグラムは、まだ、価値を体系化しなければならない規模に達していなかった。だが、フェイスブックのハッカー文化に接した結果、これは違うというものがはっきりした。自分たちは、世の中に出す前にしっかり検討し、じっくりデザインしたい。大事なのは人間であって数字じゃない。大事なのはアーティストやカメラマン、デザイナーであって、いいねをつけるかつけないかというだけの存在として人々を見たくない。こんなの初めてと思うようなものを人々に見せてあげたいのだ。

いずれにせよ、評価基準は明確にする必要があった。フェイスブックの成長チームからも、少しは大人になれと諭されてしまった。インスタグラムも成長がにぶる日が来るし、そうなれば、ユーザーはなにを求めてアプリに時間を使うのか、ほかに行ったユーザーはなぜ戻ってこないのかを考えなければならなくなる。そのとき、我々のアドバイスが正しかったとわかるはずだ、と。

そんなことを言われても、どこか別世界の話にしか聞こえなかった。アプリが落ちないように保つだけでも大変なほどの勢いでユーザーが増えていたからだ。だが、フェイスブックは、欠かせないアプリとなるためには、通知やリマインダーのメールを送る、登録が簡単にできるようにする、データを理解する、守りを固めるといった成長のレシピを学ぶ必要があると言ってくる。これは、下手を打つと、コミュニティを殺してしまう恐れのあるレシピでもあった。

フェイスブックの場合、うまく行かなければ謝罪すればいいと、心安らかとは言いがたい領域までプライバシーに踏み込んで共有を増やそうとすることが多く、ユーザーもそれに慣れてしまっている。たとえば、２００６年には、プライベートなものだった投稿を多くの人の目に触れる「ニュースフィード」という形に前触れもなく変えてしまい、大規模な反対運動が起きた。このときは、しばらくすると、すばらしい新機能だと評価が変わり、騒動は下火になっていった。

プライバシーに踏み込むとみんな怒るが、そのうち忘れてしまう、なぜなら、みんな、フェイスブックを楽しく使っているから、結局のところ、過去の行動からこういうものが望みだろうとフェイスブックが推測したものが好きだから――そうフェイスブックは考えている。しばらく待てば、みんな落ちつく。いつまでたってもユーザーの気が静まらないなら、元に戻すなり、そこまで問題にはならないと思われるものに作り変えるなりすればいい。リスクを取らないほど大きなリスクはない。こういう考え方でやってきた結果、降りかかった不具合は、米連邦取引委員会から横やりが入り、吸い上げるデータの種類を増やすときにはユーザーの許可を得なければならないとなったことくらいだ。

フェイスブックに同化する気は、インスタグラムになかった。だが、自分たちが得ている世間の評判をフェイスブックが理解できる数字で説明することもできない。結果、繊細な感受性が理解されることはなく、お高くとまりやがってと冗談のネタにされる始末だった。なお、このあたりは、シストロムにも責任の一端があると言えるかもしれない。

　買収手続きが終わり、数週間がたったころ、シストロムは、フェイスブックの上層部と顧問が出席するミーティングに参加した。場所は、パロアルトのギリシャレストラン、エビアエスティアトリオである。

　会場についたところで、ザッカーバーグの副官中の副官、広告担当バイスプレジデントのアンドリュー・ボスワースに出くわした。遠慮しない物言いで知られる大柄・禿頭《はげあたま》の人物だ。仲間内ではボズと呼ばれている。ボズは、「あわてずハックだぜ《Keep Calm and Hack On》」と書かれたTシャツを着ていた。

「お、いいシャツ着てますね～」

　シストロムが声をかける。

「でしょう？　ロンドンのハッカソンで買ったんすよ」

「え？　なんだ、あわてずロックだぜ《Keep Calm and Rock On》じゃないんですね。それはまたつまらないものを」

　ハッカーとはね、と鼻で笑う。

「なるほど。言ってくれるじゃないか。ま、少なくとも、サイズはちょうどだったりするけどね」

　シストロムのシャツは、ぴっちりすぎる感じだった。

「このシャツ1枚で、あんたの車なら余裕で買えるよ？」

　あやうく、ファッションは芸術だと戦いになるところだったが、もう始まるよとふたりとも会議室に引きずりこまれたので事なきを得た。

この一件で、シストロムについて、ボズは、思い上がっているのか、自分に自信がないのか、あるいはその両方なんだろうなと思ったそうだ。ちなみに、シストロムのシャツは若いエリート向けのブティック、ガントのもので、ボズの車は10年物のホンダアコードだった。

ザックプライ

フェイスブックにおけるシストロムとクリーガーの役割もはっきりしていなかった。肩書きは、それぞれプロダクトマネージャーとエンジニアで、ごくふつうである。シストロムの上司は、新しく最高技術責任者になったマイク・シュロープファーで、移籍のあれこれは事業開発のトップ、ダン・ローズが取り仕切っていた。ふたりとも、インスタグラムにはあまり口をはさまない。それがザッカーバーグの意向だったからだ。

ザッカーバーグは、インスタグラムのじゃまはするな、自由にやらせろと全社に通達していたが、自身ははっきりとした考えを持っていた。だから、成長チームを派遣し、フェイスブックの写真共有に対してどのくらいの脅威になるかを検討させたりしたわけだ。インスタグラムそのものについては、まず、被写体のタグ付けができる機能を作るように要請した。

フェイスブック社内では、開発の優先順位を数字で表している（最優先は1、その上に喫緊の要事ですぐに対処しなければならない0がある）。その上を行くのが、ザッカーバーグが直々に監督するもので、「ザックプライ」と呼ばれる。ザックプライは最優先中の最優先で、インスタグラムにおける写真のタグ付けは、ザックプライだった。昔、絶大な効果を発揮したやり方で、インスタグラムについてもうまく行くはずだとザッカーバーグは考えていた。

シストロムとしても、タグ付けは優先的に開発したい機能だったが、フェイスブックと違い、もっと微妙なやり方にしたいと考えていた。シストロムもクリーガーも、タグ付けされたユーザーにメールを送るのはやめたい、いや、できることならメールは一切使わずにすませたいと考えていたのだ。短期的には利用が増えるかもしれないが長期的にコミュニティの信頼を失うおそれがあることはしたくない、と。

また、プッシュ通知を送るとスマホのアイコンに赤い印が付き、確認するまで消えないわけだが、そこにメリットがあるとも思えずにいた。なんでもかんでも通知すると、通知そのものに意味がなくなってしまうのではないか？

このあたりは、小さいからこそ考えられることだ。フェイスブックのニュースフィードはさまざまな機能が競争をくり広げる場だ。イベントやグループ、友達申請、コメントなどのプロダクトマネージャーは、みな、自分のチームが成長目標を達成し、高い勤務評定をもらえるように、担当する機能に赤い印やプッシュ通知を割り当ててもらいたいと考える。新機能を立ち上げるのに通知はいらないと言うなど、成長至上主義のフェイスブックでは考えられないことだ。

この希望は聞き届けられた。インスタグラムの好きにさせろとザッカーバーグが言っていたからだ。だから、写真のタグ付け機能が導入されても、インスタグラムの成長に変化は見られなかった。だが、ユーザーにとっては、気持ちよく使える状態が続いた。そのことにどの程度の価値があるのかはわからなかったが。ともかく、自身のフィード以外でも自分が写っている写真があればわかるのは便利だった。

この一件を通じ、クリーガーもシストロムも、自分たちの立場はけっこうおいしいところがあるのかもしれないと感じた。フェイスブックのノウハウを学び、そのノウハウの成功例と失敗例からそうすることのメリットもデメリットも確認できる。その上で、自分たちにとっていいと思えば、別の道を進むこともできたりするわけだ。

各国語版の翻訳問題

インスタグラムに関するザッカーバーグの意向は、好きにさせろ、ただし、必要なときには手助けしてやれ、だった。すりつぶさずに残すつもりで会社を買うのは初めてだったこともあり、事細かに口出ししておかしくしたくないと思ったのだろう。ユーザーがフェイスブックに十分はまるまで広告の導入を待ったのと同じように、力とスタミナがつくのをじっくり待とうとしたのだ。

インスタグラムも大会社の傘下に初めて入ったわけで、どうすれば親会社のリソースを使えるのかがよくわかっていなかった。そこまで、大がかりなシステムを作る力はなく、職人芸的な工夫でなんとかしてきたが、1カ月に何百万人もユーザーが増えるようになると、そういうやり方ではどうにもならない。おせっかいなプッシュ通知はなくしたいと考えたシストロムもクリーガーも、拡大のスピードについていくためには品質面の譲歩も必要だと考えるようになった。

フェイスブックのリソースをうまく活用したひとりが、ジェシカ・ゾールマンだ。コミュニティの維持管理を担当し、ユーザーがさまざまな危険や困難に直面していることをよく知っているゾールマンは、自分ひとりでやるより、フェイスブックのコントラクターに人海戦術でやってもらったほうが多くの問題を発見し、解決できると考えた。

だから、これはひどいと思うものをユーザーがみつけ、「報告する」をクリックすると、フェイスブックでそういう案件を担当する人々に話が回るようにした。何百万人も流入してくるユーザーに対応するには、そのほうがいいからだ。

フェイスブックは、裸体、暴力、虐待、なりすましなど、ルール違反で削除すべきものを探す作業を低賃金のコントラクターに外注している。おかげで、インスタグラムのメンバーは、悲惨なコンテンツの確認に追われずにすむようになった。悪夢のような仕事をアウトソーシングしたわけだ。

フェイスブックには翻訳ツールも用意されているので、利用される国を増やすのもたやすい。それまでは、スーパーファンがボランティアとして自国向けに翻訳してくれたくらいで、ほんの数カ国語にしか対応できていなかったが、フェイスブックのシステムを使えばこれを大きく増やせる。ただ、「言語アンバサダー」の松林弘治など、翻訳の質が悪くなったと眉をひそめた人もいる。

松林は、シストロムの呼びかけに応え、インスタグラムのアプリをひとりで翻訳した。好きだからできたことで、大変な作業である。そのとき、訳語を英語の音に近い「フォト」ではなく「写真」にしてくれなど、細かな要望が日本のユーザーから寄せられたので修正したのだが、フェイスブック版では、元に戻ってしまっていた。

懸念をしたため、クリーガーにメールする。

「3・4・0の翻訳には細かな問題がいろいろとあり、今後、翻訳の質が下がっていくのではないかと心配になったので、このメッセージを書いています」

だが、返事はなかった。インスタグラムの将来という観点からは、質が多少損なわれても、フェイスブックのシステムを使うほうがいいからだ。

フェイスブックでは、少ない労力で多くのユーザーに対応することをめざすべきだとされている。フェイスブックに頼れば頼るほどあきらめなければならないことが増えるが、インスタグラムが大きくなるには避けて通れない道だと言える。

ツイッターとの緊張関係

インスタグラムには、競合他社ではなく、自身を利する形で大きくなってもらいたいと、フェイスブックは考えていた。要するに、インスタグラムの写真がツイッターに表示されるのはおかしい、ということだ。ジャック・ドーシー、スヌープ・ドッグ、ジャスティン・ビーバーらがフィルター加工を施し、投稿した写真をツイッターで紹介したからインスタグラムは注目を集められたという側面もあるわけだが、それは、とりもなおさず、フェイスブックではなく、ツイッターがPRの材料を無料で手に入れられる、という側面も持つ。

だから、ツイートには青いリンクだけが表示され、そこをクリックしてインスタグラムのウェブサイトに飛べば、写真を見たりアプリをダウンロードしたりできるようにしようとフェイスブックは考えた。

この変更が行われたのは、２０１２年の12月。すぐ、おかしくなったとの苦情がツイッターに多数寄せられた。同時に、フェイスブック側から、すぐに、こちらの方針変更によるものだとの発表があった。

この仕打ちでツイッター側は火がつき、ツイッターの本を書こうと取材していたニューヨークタイムズ紙のニック・ビルトン記者に買収交渉の恨みつらみをぶちまけた。夏の公聴会で買収提案を受けたことはないとシストロムが否定した件も含めて、だ。証拠として、２０１２年３月に用意したタームシートも見せた。

これが本当なら、シストロムは偽証罪に問われる可能性がある。ニューヨークタイムズ紙としても慎重に対処しなければならない案件で、弁護士に検討を依頼した。

「ツイッターは株式非公開だが翌年には10億ドルの収益を上げると予想されていたので、その評価額はかなりの高値だったはずだ。つまり、ツイッターに身売りすれば、インスタグラムの投資家の懐に入るお金は何百万ドルも増えた可能性がある」

ビルトンはこう報じた。フェイスブックはモバイルであがいている最中で、その苦境を脱することができるかどうかはわからない状態だったのに対し、ツイッターは、はでなＩＰＯに向けて歩んでいた、というわけだ。

新聞各紙の報道によると、カリフォルニア州法人局のスポークスマン、マーク・レイエスは、これは仮説にすぎず、利害関係者から正式な苦情申し立てがないかぎり、調査を行うことはないとコメントしたそうだ。利害関係者というのは、この場合、フェイスブックとインスタグラムの株主を指す。もちろん、苦情を申し立てた関係者はいない。

アリゾナで火を囲み、どういう話がなされたのか、インスタグラム側で真相を知るのはシストロムだけなわけだが、彼が態度を変えることもなかった。それどころかシストロムは、創業者やCEOの友だちを集めて開くディナーパーティによく招待してきたのに、インスタグラムが注目されたからとあんな記事を書くなんてと友だちに語ったりしている。ちなみに、これ以降、そのディナーパーティにビルトンが招待されることはなかったらしい。インスタグラムの写真が再びツイッターに表示されるようになることもなかった。

ユーザーの写真を販売?

インスタグラムは基本的にメディア受けがいいのだが、今回は、同じ12月のうちに、もう1回、報道関係で危機を経験することになる。

インスタグラム社内には弁護士がいなかったので、利用規約は、ひな形になりそうなものをインターネットで拾い、こんなものかなと思えるくらいまで、自分たちの状況に合わせて書き換えていた。だが、フェイスブックという上場企業の一部になった以上、もっとしっかりしたものが必要だ。だから、この12月、インスタグラムも、法務部の意見を受け入れて利用規約を改定し、将来的に収益をあげる可能性やフェイスブックと情報を共有する可能性も視野に入れた文言とした。

シストロムもクリーガーも、少し不注意だったのかもしれない。この改定で、メディアは大騒ぎとなった。

「インスタグラム、今後はユーザーの写真を販売」[2]

CNETが大々的に報じた。

「フェイスブック、インスタグラムユーザーに写真販売を強要」[3]

こちらはガーディアン紙の見出しである。

このあとも、次から次へと報道が続いた。いずれも、オプトアウトが用意されていないので、新しい利用規約が有効になる1月より前にインスタグラムのアカウントを削除するしかないと報じていた。

ツイッターでは、#deleteinstagramというハッシュタグとともに、新しい利用規約に入れられた1文、「有償コンテンツやスポンサードコンテンツに関わる形でインスタグラムに投稿された写真を表示し、その対価をインスタグラムが受け取ること、ただし、ユーザーに報酬は支払われないこととする」がものすごい勢いで拡散していった。

この1文は、たしかに、インスタグラムで人気を博したカメラマンやアーティストを商売のネタにしようとしているように読める。だが、これにショックを受けているのはクリーガーやシストロムも同じだった。ふたりとも広告はそのうち取りたいと思っていたが、まだ、はっきりしたビジネスモデルがあるわけでもないし、まして、ユーザーの写真を売って儲けようなどとは考えていなかった。

最大のミスは、フェイスブックに対する不信を過小評価していたことだろう。いや、憎しみと言うべきかもしれない。次々流れてくる怒りのツイートを見れば、買収後、インスタグラムが使えなくなる兆候を、みんな、ウの目タカの目で探していたのだと納得せざるをえない。

ネットの大炎上を承け、シストロムは、ザッカーバーグがよく書く謝罪のブログ記事を書いた。初めての経験である。

「インスタグラムのコンテンツはユーザーのものであり、それに対してインスタグラムが所有権を主張することはありません。精魂を込めて美しい写真を生み出すクリエイティブなアーティストや趣味人に対しては、いつも、頭が下がる想いを抱いていますし、そういう方々が撮った写真はそういう方々の写真であると我々は考えています」[4]

など、問題になっている文言はそういう意図があってのものではないと説明するとともに、急いで修正すると約束した。

この記事の公開ボタンを押すとき、成長チームに提供された分析ツールのチャートには、アカウントの削除がどんどん増えていることが示されていた。謝罪の記事が知られると削除が減りはじめ、そのうち、また、成長に転じる。

FOS

この騒ぎを注視している人物がいた。買収後の経営統合を担当するフェイスブックの幹部、ダン・ローズである。

わかったことがいくつかあった。まず、インスタグラムはユーザーが心から大事に思うブランドで、フェイスブックとは大きく異なる、という事実だ。もうひとつは、インスタグラムをどうするか、細心の注意を払って考えなければならないという点だ。ふたつの会社をつなぐ連絡役を置き、違いに注目しつつ、リソースの使い方を考えていく、そういう形でインスタグラムのニーズをフェイスブックの言葉で表せるように模索していくのがいいのかもしれない。

最高執行責任者のシェリル・サンドバーグに相談すると、モバイル関連の提携でめきめき頭角を現しているエミリー・ホワイトが育児休業から復帰するので、彼女に相談してみろとアドバイスされた。

「どうにもうまくない状況になってまして。シストロムと話をしてみていただけませんか」

ダン・ローズの依頼を受け、インスタグラムをどうすべきかをシストロムと数週間話しあったホワイトは、次第に、彼と仕事をしたいとの思いが膨らんでいくのを感じた。グーグルでも早い段階で仕事をした。フェイスブックでも早い段階で仕事をした。インスタグラムなら、転職しなくても、早い段階で仕事をすることができる。

仲間からは、やめておけと言われた。前途洋々なんだから、そんな小さな仕事にかかずらうことはないというのだ。フェイスブックは男社会で、社内で「ＦＯＳ」と呼ばれる「サンドバーグのお友だち」は、サンドバーグの傘から外れると輝きが落ちると男性陣に見られているという問題もある。

こういう意見をホワイトは一蹴した。どういう会社を買ったのかが理解できないせいで、10億ドルもの費用ととびきりのチームをドブに捨てようとしている、とんでもないことだ、と。

この騒ぎのあと、シストロムはＣＥＯの肩書きを取り戻した。決断できる自由を彼に持たせる必要があるとフェイスブック側が認めたのだ。

三つの価値

どうすればフェイスブックの社内で会社を作っていけるのか、相談できる人ができたのは、シストロムにとってもありがたいことだった。ふたりは、毎週何時間も、どう訴えればインスタグラムは違うと理解してもらえるのか、なには支援が必要で、なにはいらないのかなどを話し合った。インスタグラム利用率の社内調査も行い、米国平均とあまりかわらない10%ほどにすぎないことも確認した。であれば、まず必要なのは教育だ。

ホワイトは、デザイナーに頼んで内装をやり直すことにした。写真の本や古いカメラ、バーボンのボトルなどはすべて棚にしまい、思索が似合う知的な空間にする(友だちや取引先がくれたバーボンがたくさんあった。シストロムが昔作ったアプリがバーボンにちなむ名前だったからだ)。フェイスブックの本社は、配管はむき出しだし木部は仕上げがされていないと、「旅はまだ1%しかすんでいない」なるモットーを体現するデザインだが、そのなかにあって異色の空間ができあがった。

さらに、週に1回、ガレージドアを開け、コーヒーを飲んでいきませんかと前を通る社員に声をかける。自分たちのことを知ってもらうのが目的だ。(フェイスブックキャンパスはどこに行ってもただでコーヒーが飲めるが、インスタグラムはいろいろ試した結果、ハンドドリップやエスプレッソマシンを使っているので、おいしいのだ)

ミッションステートメントも、クリーガー、シストロム、ホワイトの3人で相談し、用意した

――「世界の瞬間をとらえ、共有する」だ。これを、ウォール・ストリート・ジャーナル紙は、崇高だが感傷的とも言えると報じた。

ホワイトのリクルートで、フェイスブックから何人かが移籍してきた。当然ながら彼らは分析が大好きだったが、古巣では重視されたハッカー思考も、インスタグラムでは衝突の原因になりがちだ。フェイスブックからの移籍組が利用促進のアイデアとして当然のようにリグラムボタンを提案し、生え抜《はぬ》きのインスタグラマーが「それはインスタグラムのやり方じゃない」と却下するとか、生え抜き組がインスタミートの魅力を説いたり、@instagramアカウントでアルバカーキ国際気球フェスティバルを紹介すべきなんじゃないかと検討したりするのを見て、移籍組があきれ顔になるといったことがよくあるのだ。

インスタグラムは、本当のところ、どういうやり方をしてきたのだろうか。その文化をどう説明すればフェイスブックの社員にもわかってもらえるのだろうか。生え抜き組は知恵を絞った。ブレインストーミングもしたし、いろいろと調べてもみた。インスタグラムを人の姿で表すとどうなるかと、フォーカスグループに絵を描いてもらったこともある（ほとんどの人は、目の色が濃く、髪を横に流した男性の絵を描いた。コミュニティマネージャーのジョシュア・リーデルに驚くほど似ている絵だ）。

インスタグラムの価値を表す言葉も、三つ、用意した。フェイスブックとの文化的衝突が念頭にあるのだろうなと思うものばかりだ。

一番大事なのは「コミュニティファースト」である。なにかを決めるときには、必ず、気持ちよく使えることを最優先にする。その結果、事業の成長が速くならなくてもかまわない。だから、なんでもかんでも通知を出すのはよくないのだ。

次は「簡潔が大事」だ。新しい機能をリリースする前に、ユーザーが直面している問題を解決する機能なのかを考えなければならない。その改修は本当に必要なことなのかも考えなければならない。アプリが複雑になりすぎることはないのかも考えなければならない。フェイスブックの「さっと動いてどんどん打ち破れ」は実用性や信頼より成長を優先するモットーだが、その真逆を行くものである。

最後は、「創造力を刺激する」である。芸術を発表する場にしたい、そのためには、ユーザーを教え導くようなこともするし、これはと思うユーザーは紹介したりする。誠実で有意義なコンテンツを大事にする。このころ、人気のアカウントにはいろいろごまかして自己顕示や自画自賛しているものがあると言われるようになっていたが、そういう行為を否定する宣言だとも言える。

フェイスブックは、「我々に発言権はない。ユーザーが声を上げられるようにするのが我々の仕事だ」とニュースフィードを統括するクリス・コックスが言うくらいで、人手を廃してアルゴリズムによるパーソナライゼーションを進めているが、それと大きく異なる戦略である。

買収された創業者の末路

インスタグラムにはコミュニティチームがあり、注目に値するアカウントをブログで取り上げたり、ユーザーイベントを支援したりしているが、これも、大規模なものに集中するというフェイスブックの大方針にまっこうから対立するやり方である。フェイスブックは、パワーユーザーに手を差し伸べたりしない。影響力がどれほどあろうと、戦略的に部分が全体ほどの意味を持つことはありえないからだ。何億人や、それこそ何十億人にも影響を与えられる資源をひとりや数十人に振り向け、どれほどの利益が得られるのか、というわけだ。

インスタグラムは、コミュニティチームこそが肝《きも》だと考えていた。@instagramアカウントで紹介すると、そのユーザーをフォローする人は増えるし、そのまねをする人も増える。そういう形でユーザーに方向性を示しているのだ。国による使い方の違いもチェックしていて、ユーザーの要望や苦労している点、改善できそうな点などをプロダクトマネージャーに伝えたりもしている。新しく増えたユーザーが興味を持ってくれるかもしれないのでおすすめユーザーのリストも維持しているし、タンブラーでブログを書くのも続けている。

紹介するのは、京都で抹茶を挽《ひ》く体験やキリマンジャロ登山、オレゴン州の海岸近くでカヌーを自作する様子の写真など、インスタグラムが理想と考えるものだ。こんな使い方があったかとほかのユーザーが感心するような使い方をしている人も紹介する。そのような使い方は積極的に推進したいので、空中にジャンプしている写真(#jumpstagram)や足下から撮ったローアングルの写真(#lowdownground)など、週末ごとにテーマを決めてコンテストをしたりもしている。優秀作は@instagramアカウントで紹介されることもあり、毎週、数千枚も応募があるという。

インスタグラムの場合、ユーザーがブランドに親近感を抱いており、インスタミートを主催しては友だちの輪を広げたり写真について語り合ったりする人があちこちにいた。アレンジフラワーや手編みの毛布、デコレーションケーキなどでインスタグラムのロゴを表現するユーザーもいる。だが、こういうユーザーの思い入れは、価値を客観的に測ることも難しいし、どこまでをコミュニティチームの成果とすべきかも難しい。

こうしてユーザーに働きかけ、どれだけのリターンを得られるのか、ゾールマンはホワイトとけんか腰で言い合うことが多かった。自分の貢献は認められなくなったのだと感じ、1年勤めればもらえるボーナスをもらう前にやめてしまうほどに、である。シャトルで通勤しなければならない、愛犬を連れてこられない、みんなで一緒に楽しむことがなくなったなど、辞める理由はほかにもあった。なかでもがまんならなかったのが、評価基準でしか測られない勤務評定のやり方である。ユーザーに刺激を与え、誘導する仕事がどれほどの成長をもたらしているのかなど、明確にできるはずがない。

この問題は、辞める前、シストロムに訴えたこともあるが、援護射撃はしてもらえなかった。フェイスブックで認められたければ、きわめて好条件の買収提案や、コミュニティチーム向けも含めた各種支援にふさわしい存在であると証明したければ、フェイスブックが価値を認めるなにかをなし遂げなければならないとシストロムは理解していたからだ。具体的には、ライバルをつぶす、利益を上げるなどが考えられる。そのなかで狙うべきは利益だろう。ビジュアルな媒体には人を惹きつける魅力があり、いわゆる広告だとわからない形でうまくやれれば、販売のツールとしてもブランド構築のツールとしても申し分ないものになるはずだ。

だから、こういう形で収益をめざすつもりだとザッカーバーグに伝えたが、

「そんなこと、いまは気にするな。とにかく前に進め。いまは、前に進んでさえいればいい」

と言われてしまった。

システロムは広告担当バイスプレジデント、ボスワースにもこの話を持っていった。1年前にけんかした例の人物だ。

「そんなの、気にしなくていいっすよ。いまのところは、ね。まずは、もっと大きくなってください」

システロムの夢を認め、いい人だと思うようになっていたボズにも、こう言われてしまった。このころ、フェイスブックのモバイル広告もめどが立ちつつあったので、システロムとしては、金儲けは簡単に揺るがないいくらい足下を固めてから考えればいいというザッカーバーグの理論に従うしかない。

気にするなとは言われたが、それでも、どういう戦略が考えられるのか、商取引に乗りだすのか広告を入れるのか、はたまた、なにか別のことをするのか、システロムは、ホワイトやビジネス担当のエイミー・コールとブレインストーミングをくり返した。

この検討が日の目を見るまでは、同じようにザッカーバーグが優先事項としているほかのことをするしかない。とりあえずは、ライバルへの対応だろう。

このころのシストロムは、よく、自分と同じように、立ち上げた会社を買収された創業者に思いをはせていた。靴のオンライン販売で脚光を浴びたザッポス［Zappos］のCEO、トニー・シェイは、アマゾンに買収された2009年以降、ジェフ・ベゾスの側近となることができなかった。ユーチューブの創業者にいたっては、2006年に会社がグーグルに買収されたあと、ユーチューブにかかわること自体をやめてしまった。

そんな風に忘れられるのはいやだ。シストロムはそう心に誓った。

第6章

君臨

「他社に抜きん出るレベルのインパクトを世界に与えたい。そのためには、のほほんと達成感に浸っていてはいけない。まだ勝てていない、今後も勇猛果敢に攻め続けなければならないと自分に言い聞かせていなければ、気づいたら衰退していたなんてことになりかねない」

——フェイスブック社員に配布されている小冊子に書かれたマーク・ザッカーバーグの言葉

シストロムとザッカーバーグ

ザッカーバーグがインスタグラムにある程度の独立性を認めたのは、創業者が自分に似ていると感じたからなのかもしれない。少なくとも、経歴はとてもよく似ている。

ふたりとも、都市郊外で両親に愛情をたっぷり注がれて育っているし、兄弟仲もいい。東海岸の寄宿学校から有名私立大学というエリートコースを歩き、大学時代には、エンジニアリングとともに歴史を熱心に勉強した。細かなことを言うと、ザッカーバーグはギリシャ帝国とローマ帝国、シストロムは美術史とルネサンスという違いはあるが。年齢も5カ月違いとほぼ同じ。シストロムが微妙に年上だが、会社の経営については、経験が長い分、ザッカーバーグのほうが長《た》けているようだ。

だが、ふたりの関係はビジネスライクで、シストロムは、自分の手から取り上げられないように注意しつつ、インスタグラムをフェイスブックにとって重要なものにしようと奮闘していた。毎月のようにザッカーバーグ宅で夕食をともにする間柄だったが、そこで話し合うのは戦略だし、ザッカーバーグ宅は事実上、事務所に等しい場所だ。2010年に映画『ソーシャル・ネットワーク』が公開されると、どこかに出かけたりふつうの飛行機に乗ったりしようものなら、ザッカーバーグがいると騒がれるようになってしまい、セキュリティやプライバシーにお金をかけざるをえなくなったのだ。2013年には、プライバシーを少しでも確保しようと、自宅を囲む家々を総額3000万ドルで買い上げることまでしている。

ザッカーバーグ宅は、仕事の打ち合わせ以外にも使われている。シストロムが呼ばれているものも含め、楽しくお付き合いをする場にもなっているのだ。広告部門を率いるアンドリュー・ボスワースやニュースフィードを統括するクリス・コックスなど、週末、夫婦でバーベキューに誘われる社員も少なくない。混乱の立ち上げ期からフェイスブックで働いてきた古参の社員である。

当時、会社はパロアルトの中心部にあり、そこから半径1・6キロメートル以内に住めば月60

0ドルの家賃補助がもらえたりした。そんなこともあり、当時からの古参社員はそのあたりに集中していて、互いに行き来しながら仕事に励み、その様子をフェイスブックに投稿するという生活を続けている。

バーベキューに呼ばれる古参社員は、月曜日に開かれるリーダーシップ会議のメンバーでもあるのだが、シストロムはこの話し合いにうまく参加できず、苦労していた。みな、敬意は払ってくれるがなんとなくよそよそしいし、自分とクリーガーの関係にどれほどの力が秘められているのか理解してもらうことができないのだ。

ザッカーバーグとのスキー対決

ザッカーバーグがシストロムをスキーに誘ったこともある。親睦をはかるためだったが、逆に、考え方の違いが浮き彫りになっただけだった。

シストロムは負けず嫌いだが、めざすのは一番いいもの、一番いいやり方だ。ワインなら収穫年が最高の当たり年と言われるものを選ぶ。なにかを学ぶときは、その道の第一人者に教えを請う。なにか身につけたいときは、山のように本を読んで勉強する。だから、スタイリストやパーソナルトレーナー、経営管理のコーチをお願いするようになっていく。コーヒーは、焙煎から4日たって最高の状態になったブルーボトルの豆しか使わない。ファッションブランド、ミスターポーターのオンラインマガジンによると、秒単位で抽出の進み具合をはかり、グラフで示してくれる特別なマシンを使っているらしい[1]。

子どものころ、裏庭で野球の練習をしようと父親にバットとボール、ミットを渡されたとき、まず図書館に行って投球のテクニックを調べてきてもいいかと尋ねたという逸話もある。

対してザッカーバーグは、なにごとにつけ一番にこだわる。「リスク」などの戦略ゲームを中心にボードゲームが大好きで、フェイスブックを立ち上げたころも、ときどき、事務所で遊ぶことがあった。次の一手を読まれないようにするのが得意らしい。ビジネスジェットに乗っているとき、友だちの子どもにスクラブルで負け、10代の小娘に負けたのがよほど悔しかったのか、自分のタイルで作れる単語を洗い出すコンピュータープログラムを作ってしまったこともあるという。[2]

グーグルがソーシャルネットワークを立ち上げた2011年には、ローマ時代の政治家、大カトの言葉「カルタゴ滅ぶべし！」を引いて社員に檄《げき》を飛ばした。[3]なにか警戒すべきことがあると、すぐ、「ロックダウン」と称して残業を求めたり、競争相手をたたきのめすための「作戦本部」を立ち上げたりする。なんでもかんでも作戦本部なのだ。

スキー旅行に行ったとき、シストロムは、スキートラック［Ski Tracks］というアプリで、滑った距離や滑り降りた高さ、斜度などを確認していた。少しでもいい滑りをしたいと思ったからだ。

それを見たザッカーバーグに聞かれた。

「それ、なに？　最高速もわかるの？」

わかると答えると

「おし。次の1本、オレが勝つ！」

と宣言され、シストロムは、なんともいたたまれない気持ちになってしまった。

シストロムは、思わぬことが次々起きるバックカントリースキーのほうが挑戦的で好きなのに対し、ザッカーバーグは、昔から、ゲレンデをできるだけ速く滑り降りるのが好きだった。また、山でも自分が大将でいたいらしい。

フェイスブックもインスタグラムも、創業者の趣向が色濃くにじむ会社になっている。

シストロムが作っているのは、なにかがとても上手で魅力的な人がフォローされ、称賛され、まねされる場だ。だから、才能あふれる人にみんなが注目するように、手間暇をかけてコミュニティを育てる。また、アプリはあくまで場であり、体験の質が下がらないという確証がないかぎり、大きく手を入れてダメにするリスクを取るのは避けるべきなのだ。

ザッカーバーグは、人類史上最大のネットワークを構築した。そのために、人がインターネットに費やす時間の少しでも多くを振り向けてもらうことを目的に、製品にいろいろと手を加えてきた。同時に、ライバルの動向を見張り、その力をそぐ戦略を考えてきた。

ザッカーバーグは、シストロムが知るなかで一番抜け目のない人物だ。だから、彼からノウハウを学びたいと思うとともに、自分も優れたCEOのひとりであること、攻撃的ではないが、自分のやり方はやり方で優れていることを示したいとも思っていた。やるべきなのは、インスタグラムはパートナーとして役に立つとザッカーバーグに示し、アピールすることのはずだ。だが、業界君臨というザッカーバーグの渇望をインスタグラムの存在だけでいやすことはできない。

「バインが動画のインスタグラムになるのは許さない」

インスタグラムの買収に、業界は色めき立った。フェイスブックやツイッターに高額買収される日がいつか来るかもと、投資家がソーシャルメディアのアプリに注目するようになったのだ。

フェイスブックは、最初、テキストだけのサービスだった。インスタグラムは写真だけだった。次は動画だ。動画をサポートして欲しいという要望は、インスタグラムにもずいぶん前から届いていたし、機先を制するべく、ビディ［Viddy］、ソーシャルカム［Socialcam］、クリップ［Klip］などのスタートアップがベンチャーキャピタリストの支援を受けて立ち上がってもいる。ユーチューブやフェイスブックは動画に対応しているが、もともとスマホ用ではないという問題がある。そんな状況でも、どうしても必要となるまで、インスタグラムは動かなかった。

インスタグラムの買収で後れを取ったツイッターは、ジャック・ドーシーの勧めに従い、バインを買うことにした。6秒の動画をくり返し再生するアプリを開発する会社で、アプリがリリースされる2013年1月までまだずいぶんと間があるタイミングで、である。

6秒の動画と言われても、ふつうは、なにを撮ったらいいのかわからないはずだ。だが、真四角の写真しか投稿できないインスタグラムや140文字しか書けないツイッターを見ればわかるように、そういう制約があればこそ、新しい使い方が生まれるのも事実だ。実際、笑いやトリックの瞬間をバインで上手に表現するクリエイティブな人々が登場し、コントでちょっとしたスターになっていく。キング・バッチ、レレ・ポンズ、ナッシュ・グライアー、ブリタニー・ファーランなど、フォロワーが何百万人規模に達した人もいる。だが、インスタグラムをどうすべきかわからないフェイスブックと同じように、ツイッターも、バインをどうしたらいいかわからずにいた。

　常に質を気にするシストロムは、携帯電話は通信速度が遅すぎて動画を気持ちよく使えない、だから、動画に手を出したいとは思わないと言ってきた。そうとはかぎらないとバインに証明されてしまった格好だ。

「バインが動画世界のインスタグラムになるのは許さない。動画世界のインスタグラムにはインスタグラムがならなきゃいけない」

　シストロムはこう宣言し、15秒の動画をインスタグラムに投稿する機能を6週間で作れとエンジニアに発破をかけた。フェイスブックなら何秒が一番いいのか、最適化したはずだが、そんなことはしなかった。シストロムに聞いたら、美的感覚の問題だとでも返ってきそうだ。[4]

　このミッションで、買収後、もやもやしていた社内がしゃきっとした。戦争が始まると愛国心が高まるのと同じだ。特に、成長についていくためインフラの整備・修復ばかりをしてきたクリーガーにとっては、なにか作れることがこの上なくうれしかった。期限内に動画機能をリリースするため、アンドロイドの独習も進めた。

　アンドロイドのスマホはいろいろなサイズのものがあるし、いろいろな会社が作っているしで、アンドロイドアプリは作るのがとても難しい。リリース前夜になっても、クリーガーは、アンドロイド版のバグ取りを必死で進めていた。午前3時過ぎまで、イーベイで買ったさまざまなアンドロイドスマホでアプリの試験をくり返したのだ。ほかのメンバーも泊まり込みで、会議室にカウチのクッションを並べて寝た人もいた。朝5時半、クリーガーは、はだしで洗面所に行き、歯を磨いた。

リリースの記者会見は、テーブルに新聞が散っているなど、コーヒーショップに見ちがえそうな内装の部屋で行われた。インスタグラムにラテの写真がよく投稿されるからだろう。ザッカーバーグは、冒頭のあいさつをしただけで、あとの進行はシストロムに任せた。驚くべき事態だ。フェイスブックが製品を発表する場なのに自分で仕切らない、インスタグラムのブランドを前面に出す、ということだからだ。インスタグラムは、ついに、一目置かれる存在になったわけだ。

記者会見が終わると、ザッカーバーグ、シストロムを含む全員がインスタグラムの事務所に移動した。ザッカーバーグがインスタグラムの事務所に来たのは、これが最初のはずだ（おそらくは最後でもある）。みんな、投稿される動画数が増えていくのをじっと見つめた。そして、数字が100万に達すると、大歓声を上げた。

クリーガーは寝不足の目をこすりつつ自分のフィードを見て、インスタグラムを立ち上げたころからフォローしている日本人が愛犬の動画を投稿しているのに気づいた。この友だちの声を聞くのは、初めてのことだ。思わず涙ぐんでしまった。

インスタグラムで生まれるつながりにとってだけでなく、フェイスブックにとっても意味があることを、インスタグラムは、ついになし遂げたのだ。これは祝わなくてはならない――シストロムが望むやり方で。だから、ワインで知られるソノマにみんなで行くと、ソラージュリゾートに泊まり、熱気球に乗ったり有名シェフの料理に舌鼓を打ったり、メルセデスコンバーチブルを借りて乗り回したりした。

バイン、敗れる

シストロムもクリーガーも、愛犬の動画を投稿した日本人のように、だれもが動画を投稿するようになるだろうと考えていた。だが、結局、ケーキのデコレーションやフィットネスの解説、ちょっとしたコントなど、動画でなければわかりにくいものを見せるなどの場合以外に動画が使われることはあまりなかった。バインも同じ状況だった。

そんなふうだったから、インスタグラムの動画に注目したのは、結局、バインで人気になりつつあるのと同じ人だった。多くは知り合い同士でコントを一緒に考えたり撮影したりしており、ウェスト・ハリウッドのメルローズとガードナーが交差するあたりにあるダーウィン・メッザーの会社にたむろすることが多かった。メッザーの会社ファントム〔Phantom〕なら、そういう共同作業ができる設備もあるし、ブランド化交渉も手伝ってもらえるからだ。ファーランやマーロ・ミーキンス、ジェレ・ジャーレなど、金儲けに走ればファンにそっぽを向かれると、否定的なバイナーもいた。だがそのうち、それなりの金額が示されるようになり、バイナーの収入で暮らすスターが増えていく。1投稿で数千ドルを稼げたりするのだ。

この状況は長続きしないとメッザーは考えていた。ツイッター上層部が信じられなかったからだ。この懸念が現実になったのが、インスタグラムに動画機能が追加された日である。フェイスブックが後ろ盾のライバルが登場したのだ。バインの将来は暗いと言わざるをえない。だから、仲間に、「これからは、ファンを別のどこかに連れていくことに時間の3分の1を使え。インスタグラムでもいいし、ユーチューブでもスナップチャット［Snapchat］でもいい。とにかく、バイン以外にも活躍の場を作れ」と発破をかけた。

つらいニュースだったが、みな、このアドバイスに従った。ファーラン、ポンズ、アマンダ・チェルニーなどはインスタグラムへ軸足を移し、そこで数百万人ものフォロワーを獲得していく。

スナップチャットの台頭

動画の分野でライバルをたたきつぶしたのは、親会社となったフェイスブックをうまくあしらうという意味で正しい選択だった。ただ、ザッカーバーグが異様にこだわる性格であることをシストロムはわかっていなかった。

ザッカーバーグは、いつのまにか、インスタグラムのような会社がほかにもないか、探し始めていた。フェイスブックもいつか衰退してしまう、その日は意外に早いかもしれない、だから、いろいろなアプリに分散投資することでリスクをヘッジするべきだと考えていて、高額でインスタグラムを買ったのも、その戦略の一環に過ぎなかったのだ。

だから、シストロムを迎え入れたのと同じころ、大成功しそうな別アプリを開発している若者にメールを送った。やはり有名校卒で、少なくとも教育費を潤沢にかけてもらったと言える人物だ。ただし、ライバルに対する見方はかなり厳しいものがある。世の中みんな、まちがっている、なのだ。

そのエバン・シュピーゲルが作ったスナップチャットというアプリは、もともと、スタンフォード大学のパーティを楽しくするために作ったもので、目的は、フェイスブックやそれこそインスタグラムがめざした世界の否定だ。いいねやコメントがたくさん付くよう、磨き上げた投稿ばかりではおもしろくない。若気の至りを披露する場があってもいいんじゃないか、後々までソーシャルメディアに残ると就職で困ったことになりかねないことだって披露できる場があってもいいんじゃないか。フラタニティのカッパシグマでパーティ部長をしていたシュピーゲルは、そう考えたのだ。

フラタニティブラザーのボビー・マーフィーとレギー・ブラウンにも手伝ってもらい、シュピーゲルは、投稿から数秒で消える写真投稿アプリ、ピカボ［Picaboo］を開発した。

フラタニティのウェブサイト、ブロバイブル［BroBible］に送った宣伝メールには、「このアプリなら、さっと消える写真をさっと投稿できます」[5]と書かれていた。ちなみに、題名は「アホなｉＰｈｏｎｅアプリ」、署名は「認定取得済みのブロ」である。写真を投稿するとき、10秒以内でタイマーを設定する。その写真に友だちがアクセスし、設定時間が過ぎると写真は削除される。

「どうしようもなくくだらないけど、おもしろい」とシュピーゲルは言う。

シストロムはとにかく慎重だが、シュピーゲルはどうしようもなく失敬だ。細身で背が高い。また、淡い茶色の短髪にすっと引いたような眉で、あごは割れている。小さいころから内向的で、他人を信用しない。大がつくほど高級車が好きなことでも知られている。父親は企業法務を専門とする弁護士で、２０１０年にメキシコ湾原油流出事故を起こしたオイルリグの運営会社、トランスオーシャンを弁護するなど実力者である。[6]

口汚いのも口汚いのだが、その上、けんかっ早く、恨みを引きずるタイプでもある。[7] そのせいか、後々、共同創業者と認めてももらえず会社を追われたとブラウンがスナップチャットを訴える事件も起きている（この件は最終的に和解が成立した）。

スナップチャットで非礼はアピールポイントだ。自分の人生や選択だ、他人にどう思われようが知ったこっちゃないと考えるのは、シュピーゲルだけではないということだ。最近は、オンラインのパーソナルブランドが重要になっていて、その分懸念も増えている。ピカボは受けなかったが、名前をスナップチャットに変え、動画機能を追加し、さらに、写真や動画にデジタルマーカーで書き込みができるようにしたところ、手軽でおもしろいと若者に評判となった。

シュピーゲルは、フォーブス誌の記者、J・J・コレイオの取材にこう語っている。

「デジタル版の自分を取りつくろわなきゃいけなくて、みんな、すっごく苦労してる。だから、人付き合いがつまらなくなっちゃったんだ」[8]

スナップチャットは、最初、テキストメッセージを送るテキスティングならぬセックスティングアプリと呼ばれた。消えて欲しいと思うなんて、裸の写真くらいだろうというわけだ。だが、若者は、まったく違う使い方をした。

インスタグラムにはフィルターがあり、現実と違った雰囲気に写真を作り込むことができるが、これにはマイナス面もある。プレッシャーだ。インスタグラムを使う若者は、少しずつアングルを変えて何十枚も写真を撮り、一番いいものを選んでから、さらに編集で完璧に仕上げて投稿したりする。クールで目を引くことを無理にでもやろうとする。投稿しても、いいねが11件に達しなければ削除することが多い。いいねが10件以下だと写真下にいいねをした人の名前がずらりと並ぶが、11件以上は人数だけになる。もともとはスペースを節約するための機能なのだが、若者にとっては、人気のあるなしを分けるポイントになっているのだ。

スナップチャットは様子が違う。セルフィーや撮っただけの動画を送り合うのだ。座って画面をスクロールし、じっくり楽しむようなアプリではなく、立ち上げると、まずカメラモードに入るなど、ふつうの人にはわけがわからないかもしれない。目の前で起きていることをそのまま切り取って送るアプリなのだ。テキストメッセージのやりとりに似ているというか、そのときテキストではなく動画をやりとりするというか。これが楽しいのだ。

シュピーゲルも、「コンテンツがいいから、みんな、スナップチャットを使うんだ。寝ぼけ眼《まなこ》の友だちとか、おもしろいに決まってんじゃん」とフォーブス誌に語っている。

大人にはわからない感覚だろう。２０１２年11月、スナップチャットのユーザー数は何百万人規模になっており、毎日３０００万本ものスナップがやりとりされていたが、大半は13歳から24歳だった[9]。

ザッカーバーグ、シュピーゲルを脅す

このアプリもいつの間にか消えていたとか、大学を中退したシュピーゲルが実家から追い出されたりとか、そんなことになってもおかしくなかったのだが、インスタグラムの買収で世界が一変する。投資家から資金を調達するのも簡単になれば、敬意を払われるようにもなった。買収の話もあちこちから入ってくるようにもなった。

その年の11月、インスタグラムをどう統合すべきか模索しつつ、次なる獲物を探していたザッ

カーバーグは、シュピーゲルにメールを送った。

「エバンさん。スナップチャットの試み、いつもすごいなと思いながら見ております。もしよければ、近いうちに一度お目にかかり、うちの本社キャンパスをぶらつきながらでも、ビジョンやスナップチャットをどう考えておられるのかなどをお聞かせいただければ幸いです。会ってもいいよと思われたら、お知らせください」

　ザッカーバーグが注目したのは、スナップチャットはティーン層に絶大な人気を持つからだ。高校を卒業し、世界が広がる時期であり、このころにできた友だちの輪は人生の基礎になると言ってもいい。新たな習慣を身につける時期でもあるし、親にどうこう言われず使えるお金が増える時期でもあり、このころ好きになったブランドはその後も長く好きであり続ける。フェイスブックはもともと大学生を対象に始まったものだが、もっと若い層にアピールする必要があることにザッカーバーグは気づいていたのだ。

　インスタグラムアプリの人気が高まったころ、シストロムも思わせぶりな連絡をテックジャイアント数社からもらったが、このメールも、そんな感じである。シュピーゲルからは、若干つれない言葉が返ってきた。

「ありがとうございます（^^）　ぜひ、お目にかかりたいと思いますので、ベイエリアに行くことがあったらお知らせしますね[10]」

　これにザッカーバーグは、もうすぐロサンゼルスに行く用事がある、本社キャンパスビルを設計してもらうフランク・ゲーリーに会わなければならないので、そのとき、ビーチかどこかで会うのはどうだろうと返す。それならばということだったので、シュピーゲルと同じく共同創業者であるマーフィーのふたりに、とあるアパートで会うことになった（アパートは、この面談のためにフェイスブックが借りた）。

直接会うと、ザッカーバーグは甘い顔をやめ、脅しモードに入った。協力の道がみつけられなければぶっつぶすとほのめかしたのだ[11]。もうすぐポーク［Poke］を公開する、スナップチャットと同じように消える写真が投稿できるアプリを公開する、うり二つにすることも辞さないし、フェイスブックの力をフルに投入し、なにがなんでも成功させてやる、と。

インターネット界の王者、ザッカーバーグに脅威とみなされるなんて光栄だとシュピーゲルは思った。いいところを突いていると言われたようなものだからだ。

シュピーゲルの決断

ポークは2012年12月に公開された。スタートダッシュは、さすがはフェイスブックだと思わせるものがあった。すさまじい数のユーザーに告知した結果、公開と同時に、アップルのアプリストアで無料アプリのトップに躍り出たのだ。

だが、翌日以降、ランキングはただ下がり。脅しを現実にできなかったわけだ[12]。それどころか、ポークをダウンロードしてどうしてとやるうちにスナップチャットのことを知り、同じことがもっとやりやすいのならと、スナップチャットを使い始めた人が少なからずいた[13]。

スナップチャットの機能はコピーしたが、肝心のクールな側面はコピーできなかったことが敗因だ。インスタグラムをまねてカメラアプリを作ったときと同じ失敗である。たくさんのユーザーに告知する力はさすがだが、そのあとは、製品の質や使い勝手などが物を言う。
フェイスブックには奥の手があった。お金だ。使い道はザッカーバーグが自由に決められる。というわけで、30億ドルで買おうという話になった。すごい値段である。ユーザー数が同じくらいのインスタグラムが10億ドルで、しかも、払いはフェイスブックの株式が主体だったことを考えると、驚きの値段と言うしかないだろう。

だというのに、23歳のシュピーゲルは、これを断った。敵は弱気になっている、これはチャンスだと思ったのだろう。もともと、共同創業者ふたりとも、ザッカーバーグの傘下に入るのを潔《いさぎよ》しとしていなかったことも大きい。

買収を断ったシュピーゲルは、２０１３年６月、ベンチャーキャピタリストから８０００万ドルを調達[14]。創業2年足らず、社員17人で売上ゼロという会社に8億ドル以上の価値があると認められたわけだ。

スナップチャットと同じものを作ることもできず、買うこともできなかったザッカーバーグは、ティーン層をもっとよく理解しよう、彼らはなぜフェイスブックを使わないのか、どうすれば彼らに使ってもらえるのかを理解しようと腹をくくった。

ストーリー

この一件で、フェイスブックは年寄り向けだ、そのうち、ヤフーやＡＯＬみたいに衰えていくだろうとの思いをシュピーゲルは強くした。その轍《てつ》なんぞ踏んでたまるか。そう考えた彼は、

「シェア」や「投稿」などフェイスブックを連想する言葉は使うな、スナップチャットはもっとパーソナルなのだ、言葉は「送信」などのほうがいいと社員に発破をかけた。

また、ザッカーバーグには思いつけないだろうアイデアの実現にも心を砕いた。24時間などで自動消滅するコンテンツを全員に一斉送信する機能などだ。学生時代に思いつき、24時間で現像・プリントをするチェーン店にちなんで「24時間フォト」と呼んでいたアイデアである。複数の写真をまとめて送信できれば、パラパラ漫画のように楽しめるはずだと考え、実現方法をスタンフォードの友だち、ニック・アレンと考えたりもしている。インスタグラムでは、パーティで撮ったなかからこれはという写真や動画をひとつだけ投稿する。それはそれでいいが、出かける準備をしているところから会場に向かう途中、会場で出会った友だち、さらには、翌日、講義に出られないほどの二日酔いで苦しむ姿まで、一連の写真や動画にできたら楽しいだろうというわけだ。

また、ロサンゼルスはベニスビーチに小さな青い家を買い、スナップチャットの仕事も、シュピーゲルの実家からそちらに移した。若者がスケートボードで走り回っていたり、ヒッピーがスプレー缶で絵を描いていたり、すてきな水着の観光客が日光浴をしていたりと、おもしろいことが常に起きている地域だ。ここにいれば、自然に、出来事を伝える方法が足りないことがメディアの大きな問題なのだとわかる。

ビジョンをエンジニアに説明する役割は、２０１３年に大学を卒業して加わったアレンが担当した。開発するのは、ストーリー［Stories］という機能だ。ツイッターやインスタグラムは新しい投稿が必ず最初に来るが、逆に、古いものから順に並べる。ストーリーに送信したものは、24

時間で消える。消える前に見れば、そこまでに閲覧したユーザーを確認することもできる。

なお、ストーリーは「投稿」するものではなく、「追加」するものである。ともかく、このくらいならソーシャルメディアに公開してもいいという基準が低くなるからと、スナップチャットは、プレッシャーから解放されたいと望んだ若者が習慣的に使うものとなった。

広告

一方、シストロムは、スナップチャットに声をかけているとは知らなかったし、まして、脅したり買おうとしたりまでしているとは思いもしなかった。だから、ザッカーバーグがティーン層の重要性を訴え始めると、ウチはもう対応できているよと思った。ティーン層がフェイスブックを使わないのは、親が使っているからだ。インスタグラムは親世代にまでまだ広がっていないし、フェイスブック傘下に入ってデータを分析するようになった結果、若者はインスタグラムが大好きであることも確認できていた。

動画機能で成功したこともあり、フェイスブック社内で独立性を確保できたとも感じていた。相手にされていないだけかもしれないが、どうせなら自分に都合よく考えておこう。そう、シストロムは考えた。インスタグラムはいまも基本的に別会社であり、そのCEOは自分で、ザッカーバーグは取締役にすぎない、と。

だが、フェイスブックの広告収入で食べているのでは、別会社と言いがたい。CEOとは言うものの、稼げないCEOのままなのだ。以前、ビジネスモデルのことはまだ考えるなとザッカーバーグに言われたが、その少し後には、ユーザー数が1億人を突破するなど成果をちゃくちゃくと挙げている。というわけで、2013年半ばには、広告の導入を検討してもよいことになった。

インスタグラムとしては、ふつうの投稿と見まちがうような広告でなければならない、売らんかなではだめで目に心地よく、センスのよいものでなければならない、そのためには、広告文や価格が入っていてはならないと考えていた。この前年にシストロムが語ったように、「誠実でうそ偽りがないと感じられる」ことが大事なのだ。モデルとしたのはヴォーグ誌。美男美女が楽しく暮らす場面にさりげなく製品が登場するハイエンドブランドの広告である。

この9月、「インスタグラム、収益確保を視野に」なる記事がウォール・ストリート・ジャーナル紙に登場した。エブリン・ルスリー記者が、フェイスブックにおけるシェリル・サンドバーグと比較する形でインスタグラムのエミリー・ホワイトを取り上げた記事で、フェイスブックにおける広告関連の失敗をくり返さないため、ホワイトは、コカ・コーラ社やフォード・モーター社などの有力広告主と頻繁に会っていると書かれていた。[15]

この一文で社内に波風が立ったが、フェイスブックとインスタグラムで広告に対する考え方が正反対というくらいに違うのも事実である。

フェイスブックは広告を受け付けるオンラインシステムがあり、クレジットカードさえあればだれでも出稿できる。逆に、営業担当が回るようなトップブランドであっても、このシステムから申し込む以外に道はない。

指定が細かければ細かいほど、あるいは、みんなが広告を出したいと思う相手であればあるほど料金は高くなるが、広告を出す相手を自由に選べるのがこのシステムの利点だ。指定すれば、その条件に合うユーザーが自動的に選ばれ、そこに広告が表示される。広告は、基本的に社員が見ることもなく表示され、事前チェックが行われるのはごく一部の例外のみである。

対してインスタグラムは、広告主と綿密な打ち合わせを行い、手作業で広告を掲載するという方法で最高の広告を生み出そうとしていた。もちろんずっと続けられる方法ではないが、アプリの構築時からずっと、まずはシンプルなやり方を試してみるのがシストロムとクリーガーの流儀なのだ。フェイスブックの広告営業部隊と微妙な駆け引きをくり返し、貴重なエンジニアリングリソースを使って、最終的にうまく行くかどうかもわからないシステムを作るより、とりあえずはごく少量を手作業で作ってみるほうがたしかにいいだろう。

というわけで、会社を立ち上げたときと同じように、バーバリーやレクサスなど一緒に歩んでくれるパートナーを一本釣りで集めたし、広告そのものもシストロム自身が一つひとつ承認した。だれでも好き勝手な広告を出せるようにしたのでは、せっかく築いたインスタグラムのブランドに傷が付きかねないからだ。

大事なのは技術より「写真の質」

2013年11月1日、インスタグラムに広告が初めて登場した。[16] 打ち合わせを重ねたトップブランドのひとつ、マイケル・コースが@michaelkorsアカウントに写真を投稿し、それをフォロワー以外にも配信するという流れである。写真は、ファッション誌がおしゃれなライフスタイルを紹介する感じのもので、ダイヤをちりばめた金の腕時計を中心に金をあしらったティーカップや色とりどりのマカロンが並ぶ机が写っている。一口かじったマカロンも写っているのは、広告臭を消すためだろう。キャプションは「午後5時15分。パリでご褒美の時間。#MKTimeless」[17]である。

広告は1日1社にかぎる。特例は認めない。20日にベン&ジェリーズが出稿すると決まっていたら、その日に広告を出したいとルイ・ヴィトンが言ってきても断る。広告が始まったころは、どの日にどこの広告を出すのか、ホワイトボードのカレンダーに赤いマーカーで記されていた。広告原稿は全部印刷し、シストロムが確認して、これはいい、これはだめと振り分ける。だめなものには抗議するのだ。

食べ物がおいしそうに見えない写真があった。特にフライドポテトがべっちゃりとまずそうなのだ。シストロムは、フェイスブックから移ってきた広告部門のトップ、ジム・スクワイアーズを呼んだ。

「これはだめだ」

「そうですか。でも、これは急いで掲載しなきゃいけないヤツなんですが」

「わかった。これから飛行機に乗るんで、機内でホワイトバランスを調整し、いい感じに仕上げよう」

ポテトがぱりっとしたものがフェイスブックのメッセンジャーで送られてきて、広告は、無事、掲載されたという。

シストロムは、インスタグラムの技術が成熟しているかどうかより、写真の質を気にする。そのせいで問題が起きることもある。広告が初めて掲載された日、マイケル・コースから苦情が入った。腕時計は5時15分ではなく5時10分を指しているのでキャプションを編集したいのだが、それができないというのだ。実は、このころのインスタグラムでは、ユーザーがキャプションを編集することもできないし、インスタグラム側でユーザーのキャプションを書き換えることもできなかった。だから、まちがいのまま放置するしかなかった。インスタグラムの初広告を報じた各社がまちがいに気づかなかったらしいのは、幸運だったと言えよう。

裏切られた期待

広告収益を得るためには、フェイスブックが広告代理店に嫌われているという困った現実をどうにかする必要があった。フェイスブックの古参社員でインスタグラムに移籍し、広告プロモーションの担当となったテディ・アンダーウッドは、インスタグラムが反フェイスブックであると示すしか方法がないと考えた。だから、大手広告代理店に対し、磨きに磨いたパワーポイントのプレゼンテーションでインスピレーションの価値を訴えた。インスタグラムは経営も完全に独立しているし、フェイスブックの広告システムも使わない、さらに、代理店との関係を重視しているし、美しく、また、ターゲットに適した効果的な広告を作りたいのだと訴えた。

このあたりは、実のところややこしいことになっていた。アンダーウッドの上司は、一応、インスタグラムのエミリー・ホワイトということになる。だが、広告戦略を握っているのは、フェイスブック営業部門のトップに就任したばかりのキャロライン・エバーソンだった。インスタグラムで営業やマーケティングを担当する人々の多くは、同じように上司がふたりいる状態だった。

好きにやらせろとザッカーバーグが言ってくれたので、製品やエンジニアリングの面では独立が保たれていたが、シェリル・サンドバーグが束ねている営業や業務については、フェイスブックからの干渉が厳しくなりつつあったのだ。

というわけで、ある日、アンダーウッドは、進捗をテレビ会議でニューヨークにいるエバーソンに報告した。フェイスブックよりインスタグラムのほうが広告の価値は高いという売り込みが功を奏し、4大広告代理店の1社から大きな契約を勝ちとった件についてだ。

「来年、インスタグラムに4000万ドル分の広告を出すとの確約をオムニコムから取り付けました。もう1社からも、もうすぐ、同じような確約がもらえるものと思われます」

だが、反応は期待と異なっていた。エバーソンは、広告代理店からフェイスブックにもっと多くの広告を出させる方法を探していて、アンダーウッドの成功も、どう使えば会社全体の利益が大きくなるのかという目で見ていたのだ。

「インスタグラムは、いま、強く輝いていて、広告代理店にとってなんとしても手に入れたいもの。つまり、ウチには意外な交渉材料があったということね」

これほど短期間でこれほど高額の確約が得られるのは驚きであり、それを最大限に活用しようと考えた彼女は、アンダーウッドに対し、インスタグラムに4000万ドルの広告を出したければフェイスブックに1億ドルの広告を出せと広告代理店に要求するように指示した。だが、アンダーウッドはこれを拒否。そんなことをしたら広告代理店とせっかく築いたいい関係が壊れてしまう、約束したのは新しいタイプの広告であってフェイスブックへの出稿増ではないのだから、と言って。だったら、ここから先はこちらで処理する、がエバーソンの結論だった。インスタグラムが独自に広告を取ってくることを禁じるというおまけもついた。アンダーウッドは、インスタグラムに転属すれば、また、スタートアップの仕事ができると楽しみにしていたが、それはまちがいだったと思い知らされた格好だ。彼は、ほどなく、この仕事に見切りを付けることになる。エバーソンの期待も、また、裏切られる結果となる。2014年に発表されたオムニコムとの契約は、インスタグラムへの出稿のみとなっていた。なお、彼女自身は、のちに、そのような要求をしろと言ったことはないと否定している。

VPNアプリ買収の真意

フェイスブックは君臨に終わりはないと考えており、周りが敗者だらけになっても、もう一歩先に進む方法はないかと休むことなく探し続ける。インスタグラムで#vineハッシュタグをみつけにくくさせたのもその一環だし、[18]人気のユーザーにスナップチャットのユーザー名を使わないようにと働きかけたのもその一環だ。[19]もちろん、インスタグラムに対してならまだしも、競争をコントロールするのは難しい。それでも、どうすればできそうかの検討はする。細かく、だ。

フェイスブックは、2013年、イスラエルのオナボ［Onavo］という会社を買収した。消費者向けの派手な製品を作っているところではないため、ほとんど話題にならなかったが。作っていたのは、バーチャル・プライベート・ネットワーク（VPN）のアプリである。これを使うと、どのサイトを見ているのか国に知られることなく自由にインターネットをうろつけるし、ファイアーウォールもバイパスすることができる。

フェイスブックにとって、この買収には大きな意味があった。このアプリを経由するトラフィックのデータが手に入り、そこから全体を推測することが可能になる、つまり、競争の分析に利用できる情報が得られるようになるからだ。どのアプリを使っているのかもわかる。そのアプリをどのくらいの時間使っているのかも、それこそ、そのアプリのどのスクリーンを見ているのかまでわかってしまう。たとえば、スナップチャットの数ある機能のなかでストーリーの人気が高まりつつあると知ることもできる。VPNがあれば、報じられるより早く、競争相手の台頭を知ることも可能だ。

このデータは、上層部や成長チームが競争の状況を把握できるようにと定期的に報告が上げられるし、フェイスブックの社員なら簡単に見ることができる。スナップチャットに30億ドルの買収をもちかけたとウォール・ストリート・ジャーナル紙が報じたとき、エミリー・ホワイトがまず確認したのもこのデータだった。

ヘッドハンターから押しの強い留守番メッセージをもらったとき、彼女の頭に浮かんだのもこのデータだった。

メッセージは、最高執行責任者になる気はないか、一生に一度レベルのすごくいい話だ、すぐ連絡してもらえないのであれば、この話はなかったことに、というものだった。ホワイトはすぐに折り返した。

「そのうちお世話になれればいいとは思うのですが、たぶんそれは5年後とかの話で、いまはけっこうです」

そう言って電話を切ったあと、どこの話なのだろうと考えた。消費者向けのなにかを作って急成長しているスタートアップで、カリフォルニア州北部ではないとのことだった。ということはあそこか。それはおもしろいかもしれない。

ホワイトは、グーグルで、また、フェイスブックで、ほぼずっとシェリル・サンドバーグの下で働いてきた。また、インスタグラムにおける仕事の半分は社内調整で、サンドバーグの傘から出てなにができるのか知りたいという思いもあった。だが、ライバルに転職するのは違う。

オナボのデータを確認すると、スナップチャットとインスタグラムは競合ではなく、正の相関が認められる。インスタグラムを使う人はスナップチャットも使っている可能性が高いのだ。スナップチャットはソーシャルメディアのすき間を埋めているのだろう、くつろいだ自分をさらすことができる場所として、インスタグラムを補完するものになっているのだろうとホワイトは考えた。

夫に相談すると、リスクを取らない人はリスクを取る人の下で働くんだよと言われた。その言葉に背中を押され、彼女は、詳しい話を聞かせてくれとヘッドハンターに連絡を入れた。

スナップチャットに引き抜かれた幹部

アクセスデータから競争のすべてがわかるわけではない。実はこのころ、スナップチャットは、インスタグラムにとって初めての脅威となりつつあった。スナップチャットは、ストーリー機能を実装することで、個人的なメッセージのやりとりだけでなく、多くの人に配信することも可能にした。逆にインスタグラムは、このころ、ダイレクトメッセージ機能の準備を進めていた。フィードで幅広い人に見てもらうだけでなく、見せる相手を選べる機能を導入しようとしていたのだ。

ホワイトがスナップチャットのCOOに転じたことで、シストロムの自信は大きく揺らいだ。彼女とはブレインストーミングもくり返したし、出張にも一緒に行ったし、ビジネスモデルも彼女に相談しながら練り上げた。彼女を幹部として受け入れるのと、フェイスブックを信じるというのは、ほぼ同義のように感じていたのに、それがこういう結果になったのだ。だれを信用すべきかなど、自分の判断に自信が持てなくなってしまった。ホワイトが連れてきたのも、大半はフェイスブックの社員である。彼女がいなくなってしばらく、シストロムは、スタッフの質問に答える会議を開くのをやめた。2カ月ほどは、出社時間も遅くなったし、採用も一部控えるようになってしまった。

ザッカーバーグの策略

ザッカーバーグはザッカーバーグで、心配にさいなまれていた。ホワイトの退職には気づいてさえいなかっただろうが、いつものように、影響力の拡大について、忘れられる日が来るのをどうすれば避けられるのかについて悩んでいたのだ。創立からもうすぐ10年。インターネットが使える人の約半分がフェイスブックを使っている。政府によって利用がブロックされている中国を外して考えるなら、利用者の比率はもっと高い。今後も、利用者を世界中で増やしていくとして、さて、どうなるのだろうか。今後は、スナップチャットのように拒絶されることが増えるかもしれない。インスタグラムのような会社を買えなくなるかもしれない。それでも成長できる道をザッカーバーグは模索した。

まずは、フェイスブックよりおもしろいライバルを社内に作れと発破をかけた。商売敵台頭の早期発見をオナボにのみ頼るのは不安だし、みつけた商売敵を買収できると考えるのも危険だ。スナップチャットやバインのようなものを自分たちで作り出す必要もある。だから、２０１３年12月、おもしろそうなアプリをコーディングするイベント、ハッカソンを三日にわたって開催した。社内スタートアップアクセラレーターとすべく立ち上げたクリエイティブラボの新規構想を得るのが目的だ。40件ほどのアイデアが有望とされたが、いずれもせいぜいポーク並みの成果しかあげられずに終わることになる。[20]

次は、将来的にフェイスブックのユーザーになってくれるインターネット利用者を増やす方法の開発だ。インターネット・ドット・オルグ［Internet.org］という非営利組織かと思うような名前の部門を立ち上げ、ドローンやレーザーなど、どんなやり方でもいいから、人里離れた場所でインターネットを使えるようにする方法を探させた。

最後は、シストロムの活用である。秘密兵器として使えることに気づいたのだ。インスタグラムの広告でフェイスブックと広告代理店の関係が改善できたのと同じように、フェイスブック傘下に入るべきか否か決めかねている創業者に対しては、インスタグラムが一応は独立している点が大きなセールスポイントになるだろう。シストロムの立場は、創業者ならうらやましく思うはずなのだから。２０１２年のシストロムと似た立場の創業者に対し、つまり、製品には人気があるがビジネスモデルが怪しかったりないに等しかったりする創業者に対し、財務的なリスクなし、フェイスブックのネットワークやインフラは使い放題という条件でCEOとして経営を続けられますよと声をかけられるわけだ。

スナップチャットで失敗したことを承け、次のターゲット、ワッツアップの買収はシストロムに手伝ってもらうことにした。月間ユーザー数が世界全体で4億5000万人を数えるメッセージングアプリである。オナボのデータから、フェイスブックが君臨できていない国に強いことがわかっていた。

請われるまま、シストロムは手伝うことにした。2014年の初めごろ、サンフランシスコのニホン・ウイスキー・ラウンジで寿司を食べながら、フェイスブックはいいパートナーであり、ワッツアップの特徴を台無しにするようなことはまず考えられないなどと、ワッツアップのジャン・コウムCEOに語ったのだ。

コウムは疑り深いことで知られている。旧ソビエト連邦が監視するウクライナで育てば、疑り深くもなるだろう。そんなだから、彼が作ったアプリはエンドツーエンドで暗号化されており、そのアプリでどういうやりとりがなされているのか、だれにも読み取ることができない。警察はもちろん、開発した彼の会社にも読み取れないのだ。「広告なし。ゲームなし。ギミックなし。」がうたい文句のシンプルなツールで、料金は年1ドル。ユーザーから集めたデータの活用で広告収益を上げているフェイスブックの傘下にここが入るというのは、ちょっと考えられない事態だと言えよう。

だが、シストロムの話を聞いたコウムは、独立を保証するというフェイスブックの約束は信じられる、自分も共同創業者のブライアン・アクトンも、広告をビジネスモデルとするフェイスブックのもとでも自分たちの信ずるところを守れると納得したらしい。

コウムの場合、金額も大きく物を言った可能性がある。発表された買収の条件は、インスタグラムの社員が驚くレベルだった。なにせ190億ドルとすさまじく高額なのだ。さらに、コウムはフェイスブックの取締役に就任するし、ワッツアップの事務所はマウンテンビューから動かさない。50人ほどの社員は、全員、ばく大な富を手に入れることができる。

スナップチャットを追ったあたりからこのあたりで、インスタグラムに10億ドルもの価値があるのかという声は聞かれなくなった。逆に、身売りを急ぎすぎたのではないかとの質問がメディアや業界関係者をはじめあらゆる方面からシストロムに寄せられるようになった。

第7章 新たなるセレブの誕生

「象徴的なものならたくさんある。コカ・コーラとか。対してインスタグラムは象徴的という言葉ではくくれない。社会現象と言うべきだ[1]」

――ガイ・オセアリー(マドンナ、U2のマネージャー)

ランディ・ザッカーバーグの活躍

２０１２年末、フェイスブックで著名人関連の仕事を統括するチャールス・ポーチは、マーク・ザッカーバーグの姉、ランディのもとを訪れた。ガレージを改装した部屋に入ったインスタグラムに移籍すべきか否か、相談したかったからだ。フェイスブックには10億人もユーザーがいるが、インスタグラムには８０００万人しかいない。それでも、いつの日か、インターネットにおけるポップカルチャーの中心になるだろうとポーチは思っていた。

彼女がロスアルトスに持つ、500平方メートルを超える邸宅の裏庭でローズティーを前に話が始まった。最初は、フラストレーションだらけの思い出話だ。

ランディ・ザッカーバーグはかなり早い段階からフェイスブックで働いていた。そして、2009年、バラク・オバマ大統領が国民向けの発信チャンネルにツイッターを選んで以来、そういう役割をフェイスブックが果たすことはできないのかと思うようになった。ミュージシャンや各界の著名人、それこそ大統領などにも、情報発信の場としてフェイスブックを選んでもらえるようにできないかと考えたのだ。だから、消費者向けマーケティングの統括という通常業務に加え、著名人にもっと投稿してもらう戦略を推進することにした。

ところが、この戦略には、大きな障害がふたつあった。著名人があまり興味を示してくれないし、フェイスブックもそうだったのだ。そんなこんながあり、ランディはポーチを引き抜いた少し後、2011年秋にはフェイスブックを退職してしまった。

マーク・ザッカーバーグはロボットのようだとよく言われる。対して身長165センチメートル、髪はブルネットのランディ・ザッカーバーグは、逆に、気持ちが表に出やすく気分屋だ。ダイニングの壁は大きく真っ赤な唇をそこここに散らした紫で、テーブルの周りには、大きさも形も違う椅子がたくさん並べられている。[2] また、人前で話すのも好きだし、子ども時代の夢はオペラ歌手だった。

2010年に引き抜かれるまで、ポーチは、著名人のファン層を対象としたミニソーシャルネットワークを提供するニング［Ning］で働いていた。ポーチは白人で髪の毛がかなり後退していて、前歯にすき間があり、人当たりがとてもいい。また、人の名前と顔を覚えるのが得意だし、セレブ界の人間関係にも詳しい。「インフルエンサー」なる言葉がまだ登場してもいない時代から、ロサンゼルスのだれをお昼に誘えば、女性セレブにフェイスブックの新機能を使ってもらえるようになるのかを熟知していた。

ランディはひとりめの子どもを妊娠していたが、ポーチとふたり、あちこち飛び回って、著名人のさまざまなイベントをフェイスブックに誘致した。世界経済フォーラムにおけるボノの話を中継したら、ユーザーが増えたりするのだろうか。CNNキャスター、クリスティアン・アマンプールがアラブの春を取り上げる動画を流したらどうなるだろうか。ゴールデングローブ賞の授賞式にフェイスブックからも人を送るべきなのかもしれない。シンガー、ケイティ・ペリーのライブを流すなども考えられる。

ここに挙げたのは、実際にやってみた例ばかりだ。社内では、CEOの姉が会社の金で著名人と遊んでいる、一族は道楽ができていいよなと不評だった。ピラミッドの上部をエンジニアが占める会社なので、こういうコラボレーションが成長につながるとは思ってもらえなかったのだ。

著名人側も、ザッカーバーグの名前もあって会うのは会ってくれた。だが、フェイスブックやファンページの仕組み、いいね、アルゴリズム、投稿の宣伝など、いろいろめんどうだと感じてしまい、たいがいは、スタッフにアカウントの管理を任せてしまう。

フェイスブックに演奏動画を流していいのかわからない、ファンページ管理の契約をどことしているのかわからないからと、ロックバンド、リンキン・パークのメンバーに言われたこともあった。ランディ・ザッカーバーグとポーチがあれこれ説明をしている最中に、ブラック・アイド・ピーズのウィル・アイ・アムとして知られるウイリアム・アダムスが立ち上がり、会議室の中を歩き回りながら携帯電話でゲームを始めたこともある。これじゃ骨折り損のくたびれ儲けにしかならないとランディは思った。

ランディ・ザッカーバーグは、フェイスブックで6年働き、株式公開の前に退職した。[3] ポーチは残り、リアーナなど、トップクラスのスターに本社を紹介するなどしたが、成果らしい成果は挙げられなかった。ユーザーは、友だちや家族とやりとりしたり、リンクをシェアすることを目的としていて、著名人の動向をフェイスブックで知ろうとする人はほとんどいなかったのだ。

さて、話を2012年のロスアルトスに戻そう。何杯目かの紅茶がなくなるころ、ふたりは結論に達した。ポーチはインスタグラムに移籍すべきだ、と。社内の理解は得られなかったが、著名人に使ってもらえればポップカルチャーを取り込めるとした彼女の考えが正しいことはまちがいないのだ。

インスタグラムならうまく行きそうだ。すでに使ってくれている人は、みな、本人が投稿しており、スタッフに管理させている人はいない。フェイスブックと違いかっこ悪いファンページを作る必要もないし、ツイッターと違い140文字で気の利いたことを言う必要もない。真四角の写真を投稿するだけでいい。

実際のところ、ランディの考えは驚くほど的を射ていた。もともとカメラマンやアーティストのクリエイティブな活動の場だったわけだが、このあと、インスタグラムは大きく変化し、著名人にとって、さらには、ふつうの人にとっても、世間的なイメージを造り、それを活用するツールとなっていく。ほかの人々の体験をかいま見られる窓という開発目的に沿った役割も果たすが、それに加えて、ユーザー自身の広報活動にも使われるようになっていく。そして、使い方の変化に伴い、複雑に絡み合うインスタグラムの活動を中心に影響力の経済とも言うべきものが生まれていく。これは、フェイスブックにとってもツイッターにとっても未踏の地である。

最初にこの未踏の地に踏み込んだのがポーチである。ワインのグラスを重ねつつ策を練り、人脈を広げ、インフルエンサーとなる人々を動かしていったのだ。

いかにしてセレブたちの信頼を勝ち取ったか

フランス人の母とアメリカ人の父との間に生まれたポーチはゲイで、両国を行ったり来たりしながら育ったため、フランス語も英語も堪能になった。また、障害で話せない家族がいたことから、表情なども読めるようになった。戦略的な考え方は、軍事史を教える父から学んだ。ケーブルテレビを契約していなかったので、家の中には、いつも、クラシックが流れていた。音楽と言えば、ニュージャージー州プリンストンの聖歌隊学校に3年通った経験もある。長じてハリウッドの仕事をするようになるのに、子ども時代、ポップカルチャーにはほとんど触れていないのは驚くばかりだ。

学生時代は、外交官をめざし、モントリオールのマギル大学で国際開発を学んだ。だが、その後、音楽の世界に舞い戻ることになる。ただし、子ども時代に学んだものとは大きく異なる音楽の世界に。2003年、ロサンゼルスに移ると、クレイグスリスト経由でワーナー・ブラザース・レコードのインターンとなり、マドンナやレッド・ホット・チリ・ペッパーズ、ニール・ヤングといったスターのアルバムをオンライン掲示板で宣伝する仕事に就いたのだ。

そこで一緒に働いたのがエリン・フォスターである。父親はプロデューサーやソングライターとして活躍するカナダ人、デイビッド・フォスターで、当時、ジョシュ・グローバンやマイケル・ブーブレのアルバムに参画したことで知られていた。その娘がこき使われるはずもなく、暇をしていたので、通りの向こうにあるスターバックスでサボろうと、しょっちゅう、ポーチを誘った。インターンで認めてもらいたかったポーチは、当初、文句たらたらだったが、そのうちふたりは仲良くなり、親友と言えるほどの関係になっていく。

こうして、フォスター家は、ポーチにとって第2の家族となった。フォスター家は、音楽関係でハリウッドに幅広い人脈を持っていたし、デイビッド・フォスターの結婚を通じてカーダシアン＝ジェンナー家とも関係があるほどで、海沿いを北に6時間ほど行ったところに落ちついた生家とは別世界の住人だった。

「チャールスをあちこち引き回して、セレブとか有名な家族とかに紹介しましたけど、物怖《ものお》じした様子は記憶にありません」[4]

そう言うエリンは、恋人をとっかえひっかえするなどドラマチックな私生活を送っており、ポーチの落ちつきに助けられた面もあるという。

「彼自身が落ちついているので、みな、彼と一緒にいると落ちつくんですよ。相手がなにを望んでいるのか、なにを必要としているのかも、すぐわかるみたいです」

ワーナー社やニング社で働いたり、フォスター家の友人と付き合ったりしているうちに、セレブにとってデジタル世界のフロンティアはわけがわからない世界であり、すごくいい製品だと売り込みさえすればいいのではなく、ややこしい世界をどう歩けばいいのか、案内して信頼を勝ちとることが大事だとポーチは気づいた。当時は、まだ、デジタル戦略が必要だと考えるセレブなどいなかった時代である。そんな時代に、彼は、どうすればオンラインのファンベースが作れるのか、ズーイー・デシャネルやジェシカ・アルバ、ハリー・スタイルズなどの相談に乗っていた。仕事というわけでもないのに（そういう仕事はまだなかった）。ニングに転職したあとも、こういうことがしたいという希望がかなうようにと、自分とは関係のないツイッターの使い方をスターに教えたりしている。

フェイスブックに来たころには、どうすればソーシャルメディアサイトを著名人が使ってくれるのか、自分なりの方法が確立できていた。レコードレーベルやマネージャーに話を持っていくのではなく、なんとかして本人に直接コンタクトし、なにがしたいのか、じっくり聞く。飾らずあるがままの姿に見えることも大事だ。秘密のカーテンを少し開き、セレブ本人がどう考えているのか、また、どういう体験をしているのかをわずかでも見せてあげれば、ファンと絆を結ぶことができる。オンラインでやりとりを重ねるのであれば、どういうブランドを取り上げるのかもセレブ本人がコントロールできるし、そのブランドとのつながりも強くなる。そして、その結果、広告宣伝力も強化される。

流行を生み出す人をまず取り込む

ランディ・ザッカーバーグに相談した数日後、チャールス・ポーチは、ケビン・シストロムのところへ腹案を持っていった。写真はインスタグラムに投稿してもらうよう、ツイッターとユーチューブのトップユーザーにアプローチする。同時に、おすすめユーザーのリストから人気になったなど生え抜きのスターに対し、インスタグラムから直接的な支援を増やす。

アカウントを作ってほしい人も、オプラ・ウィンフリーからマイリー・サイラスにいたるまでリストアップしてあった。彼らにインスタグラムをうまく使ってもらえば、セレーナ・ゴメスやジャスティン・ビーバーのときと同じように、そのファンもついてきてくれるだろう。そのうち、インスタグラムを使うスターがさらに増え、そのファンがさらに増えるという循環が生まれるはずだ。著名人にとってインスタグラムは必要だし、インスタグラムにとって著名人は必要だ——そう、訴えたのだ。

シストロムは、名前を聞いたこともなかったポーチがやる気満々で企画を売り込んできたことに驚いたが、同時に喜びもした。シストロムは、もともと、インスタグラムはセルフプロモーションの道具ではなく、ふつうの人が見聞きしたり体験したりしたことを投稿する場だと考えていて、著名人の活用には後ろ向きだった。だが、コミュニティは進化しながら大きくなることも理解しており、放っておいてもいつかそうなるのであれば、積極的に手を貸すのもいいかもしれない。優れたシェフやエレクトロニックDJなど、各界の実力者はさすがにすごいと常々思ってきた。ポップカルチャーの世界はよくわからないが、そこはポーチがカバーしてくれるわけだ。

実は、すでに、スポーツ選手のレブロン・ジェームズや歌手のテイラー・スウィフトなどの大物に声をかけ始めており、とりあえずシストロムと事業部トップのエイミー・コールが担当していたのだが、正直なところ、この仕事を任せられる人間が必要だった。ふつうは知ることができないトナカイを育てる人やラテアーティストの舞台裏がのぞけたりするのがインスタグラムのいいところなわけだが、プロモーション色さえ強すぎなければ、セレブについても同じようになるはずだ。コミュニティとの接し方もインスタグラムと似ているし、セレブが使ってくれれば、そのファンも使ってくれるようになる。

ビジュアル重視のインスタグラム文化と一般的な文化が交わるところをうまく突くには、ファッションコミュニティの活用が鍵になるとポーチは考えていた。ファッション系は、すでに、たくさんのブロガーやモデルがインスタグラムを活用しているので、あとは、この世界で情報の流れを左右する立場にある有名雑誌編集長などに、いま、そういう流れが大事なのだと納得してもらえばいい。ファッション界が動けば、続いて、ハリウッドの著名人が動くだろう。さらにミュージシャンも。スポーツ選手も。人気商売は全部つながっているからだ。

まずは、お試しとして、２０１３年2月のニューヨーク・ファッションウイークに出展した。開幕前夜、リンカーンセンターの展示用テントにディスプレイを2台設置し、木彫のインスタグラムロゴを置くという簡単な形にした。ここで写真を撮ると、設置したディスプレイに表示されるわけだ。

エイミー・コールの気に入るだろうかとポーチは思った。彼女は、ブランドのルック&フィールにうるさいのだ。

翌日、テントには人だかりができていて、撮った写真がすぐ表示される、これはすごいと大盛り上がりになっていた。このころ、イベントにフォトブースが置かれるのは珍しく、モデルもデザイナーもブロガーも、みな、インスタグラムの仕掛けに熱中した。

この様子を見た瞬間、ポーチは、これは当たりだ、押すべき人の背中を押し、握るべき人の手を握りさえすれば、大人気になることまちがいなしだと確信した。流行を生み出す人を最初に取り込み、成功に導いて、ほかの人もインスタグラムを使わざるをえなくするのがポーチ流だ。

この戦略がうまく行くには、キーパーソンみんなに、なんでこんなことをしなければならないのかと思われずにすむには、インスタグラムのトップをよく知り、信頼してもらわなければならない。好ましく思う人を支えているのだと感じてもらわなければならないし、なにかあればその人に聞けば大丈夫だと思ってもらわなければならない。マーク・ザッカーバーグと違い、シストロムが人付き合いを大事にするタイプであったのは幸いだった。

セレブの「不安」を理解する

2013年、シストロムとポーチは、新機能の「認証」を携え、その後さんざん訪れることになるロサンゼルスに飛んだ。アカウント名の横に小さなブルーのチェックマークを付け、本人のアカウントであると証明する機能で、ツイッターが提供しているものの丸パクリだった。もともとなりすまし対策として導入されたものだが、すぐに、一種のステータスシンボルへと進化。なりすましの対象になるほどの影響力を持つ人物だからツイッター社に認証されるというわけだ。

このころは、コネなしにインスタグラムの認証バッジを得ることはできなかった。フェイスブックやツイッターもそうだが、インスタグラムはカスタマーサービスのシステムもなければ代表電話も公開されていなかった。社員と実際に会う以外に方法はなかったのだ。だから認証バッジは特別で、このバッジがついているアカウントの投稿はインスタグラムが承認しているとの印象を持たれるようになる——そういう意図はなかったのだが。

投資させろと2011年に求めてきた俳優のアシュトン・カッチャーとマドンナのマネージャー、ガイ・オセアリーのふたりは、スキー旅行でシストロムがカッチャーらを救ったことなどもあり、その後もシストロムと親交を保っていた。そして、自分たちの友だちにもメリットのある話になってきたことを承け、オセアリーがビバリーヒルズに持つ邸宅でインスタグラムのためにパーティを開き、ハリー・スタイルズやジョナス・ブラザーズなど、シストロムに会いたいと思う人々を招待することにした。参加はほとんど本人だけで、マネージャーを伴ってきた人はほとんどいなかった。飲み物やオードブルはインスタグラム持ちである。そして、宴たけなわとなったころ、隣にポーチを伴い、ちんちんちんとスプーンでグラスをたたいて、インスタグラムのCEOだとシストロムが名乗りを上げた。

その後は、まだ使っていない人は、次々、なぜインスタグラムを使うべきなのかとシストロムに尋ねてくるし、すでに使っている人は、使ってみてどうだったのかを話してくれるようになった。ファンとも友だちともやりとりできるのがいいと語った人もいる。悪意滴るコメントがつくことがあるという懸念の声もあった。わからないことがあったら聞くからとか、こうすればインスタグラムはもっとよくなるというアイデアがあったら連絡するからと言って、シストロムと電話番号を交換した人も何人かいた。

ミュージシャンはみずから売り込むのが当たり前の世界だが、映画俳優は違うとカッチャーは言う。

「これはいいものなんだとハリウッドの人間に納得させるのはとても難しいことでした。俳優の場合、人となりを知ってもらうというのは役作りにマイナスとなりがちで、いいことばかりではありませんから」

だが、これからのデジタル時代には、ツイッターでたくさんのフォロワーを持つなどの観客動員力がキャスティングを左右するようになる、だから、映画俳優といえども浮世離れした存在としてやっていくのは難しいはずだ、動員できる観客の数でエンターテイナーの価値が決まる時代がそのうち来るのは明らかだとカッチャーは言う。

ミドルセックス寄宿学校時代、クルーザーや別荘を持っていたりニュースで報じられる家族がいたりする友だちに囲まれ、疎外感を抱いたのと同じように、この会が始まったとき、シストロムは、場違いなところに来てしまったと感じていた。だが、いろいろな人の話を聞くと、実は、みな、不安を抱いているのだとわかった。自分の仕事をもっとしっかりやりたいと考えている人ばかりなのだ。であれば、インスタグラムと助け合うことができる。

なにげなく見かけたものをインスタグラムに投稿していけば、パパラッチにスクープされる形ではなく、みずから体験を語ることが可能になる。ただし、新しいアルバムや映画の紹介しかしなければ単なる宣伝だと思われてしまうので、パパラッチ対応とはまた異なるバランスの取り方が必要だ。暮らしのあれこれに混ぜる形にすれば、そういう投稿も暮らしの一コマ的なとらえられ方になるし、商業的な成功を喜んでもらえる可能性も高まる。

スターというのは、ふつう、雑誌などに写真が載ればお金がもらえる。だが、インスタグラムから投稿に報酬が払われることはない。少なくとも、直接の報酬はない。インスタグラムを使うプロジェクトに対し、ポーチのチームがアドバイスを提供する用意はある、かけるべき番号を知っている人には無料でコンサルティングを提供する、というのはあるが。うまく使えるようにはならないと思うなら、使わないほうがいいとポーチは考えている。だからこそ信用されるし、興味ももってもらえる。（最終的には、セレブもインスタグラムから収益を上げるようになるが、当時、そうした考えはやぼだと見なされていた）

このパーティで、オセアリーは、言動がビジネスライクじゃないなと思いながらシストロムを見ていた。テクノロジー業界の人間にしては珍しくおおらかで、なにかを売り込むより友だちになろうとしているし、著名人が使うとどういう影響がありそうなのかをなんとか理解しようと努力している。これがマーク・ザッカーバーグだったら、シークレットサービスに匹敵しそうな安全対策で大変なことになるし、広報関係者がぞろぞろくっついてくるはずで、こんなふうにパーティで人と交わることなど想像するのも難しい。

こうしてセレブの文化に飛び込んだシストロムだが、いかんせん、こちら方面は悲しくなるほど常識がない。このパーティでも、ブルネットの小柄な女性から、インスタグラムは好きだが、若者にはプレッシャーになってしまう側面もあり、オンラインでいやがらせの応酬が起きたりすると指摘された。スターはフォロワーが多いので、アプリのいい面も悪い面も極端に走りがちだ。写真にコメントをくれたファンが叩かれたりするというのだが、そういう事態への対処方法は用意されていなかった。

「ところで、どちら様でしょうか」

2メートル近いシストロムが覆いかぶさるように尋ねた。

彼女は、スマホを取り出し、インスタグラムのプロフィールを示す。800万人ものフォロワーを持つポップスター、アリアナ・グランデだった。

裏の仕掛け人たち

一部には、インスタグラムではなく、早くに使い始めたセレブ仲間から話を聞くことにした人もいた。一族郎党全員がセレブで『カーダシアン家のお騒がせセレブライフ』というテレビ番組まで作られているカーダシアン＝ジェンナー家の家長であり、そのビジネス面を取り仕切るクリス・ジェンナーのところにも、２０１３年から２０１４年にかけて、あちこちから電話がかかってきた。彼女の娘たちがインスタグラムに入れ込んでいるのはなぜなのか知りたいというのだ。

「とても多くの人が、私生活など秘密にする部分がなければ、世の中の興味を引くことはできないと考えています。そして、エンターテイメント業界では、きちんとした取材を通してや、テレビ番組に出演する以外の形でなにかを公開することはないというのが常識のようになっていたりします」[5]

カーダシアン＝ジェンナー家の場合、あれもこれもテレビで公開してしまっているので、オンラインに出してはいけないものなどなかった。テレビ番組は２００７年に始まった。それから２年ほどがたったころ、一族の中でも特に有名なキム・カーダシアンにツイッターを使わせてみたらどうかとプロデューサーのライアン・シークレストが提案。使ってみた彼女がそのノウハウを教えるという形で家族に利用が広がっていった。

ツイッターの成功を新しい世界でもと、２０１２年、キム・カーダシアンはインスタグラムを使い始めた。ファンにしてみれば、テレビ以外でも暮らしをかいま見ることができるし、ボン、キュッ、ボンの悩殺ボディも見られるしで、言うことなしである。そして、家族みんながフォロワーを増やし、ツイッターではなくインスタグラムがメインのブランディングツールになっていく。写真のほうがわかりやすいからだ。

　ポーチとシストロムがハリウッドの人々に会い、インスタグラムを使えば自分というブランドをうまくコントロールできますよとささやいたとき、ブランドや製品の写真を投稿して収益を上げられる可能性があることには触れなかった。カーダシアンは、このあたりも理解していた。

　写真によるブランディングは、２０００年代の初めごろ、社交界の友だち、パリス・ヒルトンから学んだ。ヒルトンは、そのころマネージャーをしてもらっていたジェイソン・ムーアから学んだらしい。ムーアは、インスタグラム登場前の世界でメディアを操る手練手管に長けていて、「有名だから有名」という理論を打ち出し、それを臆面もなくビジネスに活用した人物だ。

　リアリティ番組『シンプル・ライフ』で、ヒルトンは、頭空っぽのブロンド娘を演じた――本人がのちに語ったところによると、もともと番組プロデューサーが発案したパーソナリティだったらしい。[6]ともかく、彼女は、『シンプル・ライフ』にかぎらず世の中全体を舞台にするという計画に乗った。そのうちセックスの動画がリークされ、大衆紙で大きく取り上げられるようになる。ちょうどブログが普及し、セレブのニュースを四六時中流せるようになったころで、彼女の居場所をパパラッチに知らせるなどして、常に話題に上るようにするのもムーアが仕掛けたことだ。ペレスヒルトンやＴＭＺといった新興メディアサイトがヒルトンの話題でにぎわった背景にはこういうことがあったのだ。

ムーアは、ヒルトンを見たとき、オプラのメディア帝国ともオルセン姉妹の女優キャリアとも違う、新しいタイプのブランドに仕立てられる人材だと思った。ムーアは、学生時代、マテル社のバービー人形がなぜ成功したのかを半年かけて研究している。

「そのとき、実際に歩いたりうんこしたりするバービーがいたら、どういう女性になるのだろうと考えました。どういうブランドになるのだろうか、と。いまのバービーはライフスタイルですよね。すてきな家に住んですごいアクセサリーをたくさん持ち、思わずうっとりしそうな生活を送る女性です。これがアメリカで、また世界で人気となり、若者の心をつかんでいるのはなぜなのだろうと考えたのです」[7]

ムーアは、ヒルトンの一挙一動にいたるまで金儲けのネタにしようとした。『シンプル・ライフ』でヒルトンがよく叫んだ「それ、いい!《That's hot!》」という言葉さえ、Ｔシャツにプリントして販売するため、商標登録したこともある。そんなわけで、ヒルトンは、香水、アパレル、そして、慈善活動なども手がけるようになった。「有名だから有名」を起業の手段に使った形だ。当時は大勢のファンがついていることがわかるソーシャルメディアもなければｉＰｈｏｎｅもない時代で、ムーアは、みずからビデオカメラを持ち歩き、どこかの街を訪れるヒルトンや新製品を売り出すヒルトンを撮影しては事業提携の売り込みに活用した。熱心なファンに囲まれたヒルトンの姿を見てもらえば、彼女の名前を活用する価値をブランドに理解してもらえるはずというわけだ。

お金なら豊富にあったので、メッセージのコントロールに必要なところには惜しみなく投下した。家やクラブから出るとき、カメラ目線で写真を撮ってもらえるように、パパラッチにお金を払って緑のスカーフをしてもらう、などだ（拘置所を出たときもそうだった）。この写真は、セレブニュースのサイトにムーアが自分の名前を伏せて売り込む。
「そうすると、買ったところはコメントを求めてくるわけです。我々が仕組んでいるなんて夢にも思わずに、ね。このころのパパラッチは、いまインスタグラムに日々投稿されるパリの様子みたいなもので、リアリティ番組はインスタグラムの週間ストーリーみたいなものだと言えます」[8]
そのころ、クリス・ジェンナーは、有名になりたければ著名人とつながりを深めるのが手っ取り早いと考えるようになった（後に、彼女の家族を担当するスタイリストやトレーナーやメイクアップアーティストからインスタグラム経由でプチスターを輩出することになる考え方である）。だから、２００６年、『カーダシアン家のお騒がせセレブライフ』が始まる前、ダッシュというアパレルブランドを立ち上げようとしていたキム・カーダシアンがヒルトンと共演する機会を増やせないかとムーアに打診。ムーアは、カーダシアンはグラマラスでアピールするファン層が異なると考え、この提案を受け入れた。
ヒルトンは、写真や映像を細かくコントロールする形で事業に役立てた。だから、ユーチューブやｉＴｕｎｅｓなどのデジタルプラットフォームが登場したとき、動画や音楽を無償で提供するなどナンセンスだとムーアは切り捨てた。
「写真を撮るなら大金を払わせるのが当たり前だったわけで、それをただでと言われても、ね」[9]
だが、ツイッターが登場したころ、ジェンナーやカーダシアンはまだ売り出し中で、写真をリークして稼ぐのは難しかった。では、ヒルトンのようなライフスタイルブランドをソーシャルメディアで構築し、フォロワーをたくさん集めて広告収入を得る形にしたらどうだろうか。もっと大きなビジネスができるのではないか。ムーアが手作業でやっていることをソーシャルメディアでやると言ってもいいだろう。写真をリークしたりパパラッチにお金を渡したり、映像を撮影したりしてブランドを作っていく必要はない、インスタグラムにはポップカルチャー雑誌の読者など比べものにならないほど多くのユーザーがいるわけで、そこに自分たちの写真を投稿すればいいと考えたのだ。有名になったあと、いろいろな製品を売り込む場合にも、世間の人はどういうものが欲しいと思っているのかを確かめてから売ることが可能になる。香水を売るなら、ボトルは何色がいいかフォロワーに尋ねるだけで回答が得られるわけだ。

そういう利点があっても、使っていない人にはわかりにくい。オセアリーのパーティに招待されたようなトップクラスのセレブから、フォロワーに価値などあるはずないだろうと言われたことさえあるとジェンナーは言う。

「インスタグラムで最先端の動きに加わるのは、それ自体、おもしろいことなのですが、同時に、フォロワーがたくさんいて、ファンになにかを売って稼ぎたいと思うなら、そういう話に乗る気満々の人がたくさんそこにいるんだよという話ですからね」[10]

カーダシアン家は巨額の報酬をもらって各種ブランド品を写しこんでいるわけだが、2011年のスヌープ・ドッグと同じように、お金をもらっているか否かをはっきりさせることはまずない。そのため、広告という雰囲気にはならず、これはいいものですよと言ってくれているだけのように感じられがちだ。規制しようという動きもなかった。

人は広告やレビューで勧められる製品より、友だちや家族に勧められた製品を買いがちなので、こういう、広告だとわかりにくいまぎらわしいやり方は効果的だ。[11] テレビでもインスタグラムでもいろいろさらけ出すことでファンベースを築いてきたカーダシアン家は、ファンにとっては友だちのように感じられ、自分たちが買えば買うほど利益が得られる販売員とは思えない。だから、彼女たちがインスタグラムで勧めるとすさまじい効果があり、化粧品にせよ服にせよ、それこそ、ダイエットティーや、ウエストトレーナーなどと呼ばれる現代版コルセットのようなあやしい健康器具でさえも、さっと売り切れてしまう。

カーダシアン家のようなインフルエンサーを活用すると、オンライン販売の落とし穴を避けることができる。アマゾンなどが普及した結果、買い物の選択肢が広がった。また、なにを買う場合でも、まず、レビューを確認したり価格を比較したりするようになった。その時代に衝動買いを誘発できる例外がインスタグラムにおけるこのような投稿なのだ。信じている人が勧めてくれた物なら、それがウエストトレーナーのように怪しげな製品であっても、ちゃんと調べた上で決断した気になるからだ。

いま、キム・カーダシアン・ウェストにはフォロワーが1億5700万人もいて、1投稿で100万ドル前後もたたき出す。パリス・ヒルトンもインスタグラムを始めていて、フォロワー数が1100万人ほどに達している。一方、ポーチは、カーダシアン家などセレブの問い合わせに答え、ふつうのユーザーなら自力で対処しなければならない問題を解決するため、ロサンゼルスに社員を配置している。

「拡散」しないからこそブランド化できる

このあと何年もたつと、数え切れないほど多くの人がインスタグラムの著名人としてスポンサードコンテンツを投稿するようになり、そういうアカウントを眺めていると、買い物さえすれば万事解決できる代替現実の世界なんじゃないかと思えてしまう。ちょっと名の知られた人々が、暮らしの一幕をつい公開したかのようにみせかけ、大好きだとみせかけてなにかを売ろうとしている。これがあれば、本物であるかのようにみせかけているライフスタイルができるのだとみせかけてなにかを売ろうとしている。上昇志向の投稿が山のようにあり、ふつうに暮らすのでは不十分だという気になってしまう。早くからインスタグラムで働いてきた社員の中には、これは美しいとかこれはすごいとかいう思いを中心としたコミュニティを作ろうとしてきたのに、ショッピングモールができてしまったと感じ、肩を落とす者も出てくる。

だが、これは、当分先の話である。2013年ごろは、まだ、インスタグラムでたくさんのフォロワーを獲得するのはすてきだし、気分の上がることだった。セレブだけのものではなく、みんなのものだった。ふつうの人でもフォロワーさえ多ければ、社会的な関門にさえぎられることなく、投資する価値があると認めてもらえる——みんなが平等になれるアプリだと社員は思っていた。ブランドなどの魅力や認知度を示すQスコアなるものがあるが、インスタグラムのフォロワー数はそれと同じで、旅の写真や焼き菓子、焼き物、エクササイズなどでどれほど有名になっているかを示すものになっている。

インスタグラムの場合、よく使われる方法でフォロワーを増やすのは難しい。ツイッターではやぶから棒にツイートが拡散し、有名になったりするが、インスタグラムの場合、シェアボタンがなく、そういうことは起きない。ほかの人の投稿をリシェアする方法がないのだ。フェイスブックからの移籍組を中心に、新参の社員から、投稿を増やすため共有ツールを導入すべしとの意見がよく出るが、シストロムもクリーガーも、頑《がん》として首を縦に振らない。この機能は多くの人が欲しいと思うので、リグラムやリポストなど、そのためのアプリが開発されたりもするが、本体アプリそのものに機能が用意されているのとは雲泥の差がある。その分、注目を集めるのは難しいが、パーソナルブランドを作るのはむしろやりやすいと言える。自分の投稿は、すべて、自分の投稿でしかないからだ。そして、それこそ、創業者ふたりがめざしたものだ。

活用できる手段がないわけではない。たとえば、トレンドがわかる「ポピュラー」ページがある。フォローしていない人の写真も検索できるハッシュタグも用意されている。だが、バイラルな拡散が自然に生まれることはないようにしてあるので、ある程度は、注目をインスタグラム側で誘導することもできる。

これは、もともと、こういう投稿が望ましいと新規ユーザーに示すために始めたことだったが、取り上げられたユーザーに注目が集まるという副作用があった。コミュニティチームが選んで全体に紹介すれば、投稿そのものはもちろん、そのユーザーにも注目が集まるわけだ。そして、ユーザー数が増えるにつれ、コミュニティチームの影響力も強くなっていく。

この力は使える。ポーチはそう考えた。セレブはもちろん一般人も上をめざす場所になるには、ユニークでなければならないし、インスタグラムから生まれる流行や人気がなければならないし、インスタグラムだからこそのパーソナリティがなければならない。また、そのとき、そうして生まれるスターに対し、お金という意味ではなく、注目を集めたりチャンスを与えたりという意味で支援することがインスタグラムの役割となる。

というわけで、インスタグラムは、自身が最大のインフルエンサーとなった。ユーザーの大半は、大企業や著名人に取り上げてもらえるコネなどないふつうの人である。そういう人でも、おすすめユーザーのリストや@instagramアカウントに取り上げてもらえれば、みんなに注目してもらえる。なにせ、公式アカウントのフォロワー数は、セレブを超えているのだ。

社員が人力でおすすめユーザーを発掘

コミュニティチームでは、ファッションや音楽など分野ごとにいいユーザーを探す担当を決めた。たとえばペット担当はダン・トフィーというように。彼は、公平な評価ができるようにと、ペットの写真をよく投稿するアカウントを表計算ソフトで分析した。分類は、ネコ、イヌ、ウサギ、ヘビ、鳥という種類によるものと、里親になったもの、血統書付きの高価なもの、くしゃくしゃのもの、きっちり手入れされているものという分類だ。このリストからいくつか選んで今週のふわもふ《The Weekly Fluff》に紹介する。

仕事は仕事として、トフィー自身は、ちょっとかわいそうなところがある動物に惜しみない称賛を送るタイプである。たとえば後ろ足がなく車輪を体に縛り付けている赤ちゃんヤギ。たとえば舌がだらりと出たまま引っ込められないネコ。特に注目するのはイヌだ。そして、ある日、鼻は大きいし、歯のかみ合わせもおかしく、なんとも不細工なチワワとダックスフントの混血に目をとめた。

名前はツナ。２０１０年、だぶだぶのトレーナーを着せられ、ファーマーズマーケットでふるえているところを飼い主コートニー・ダッシャーが見初め、引き取ったという。

ダッシャーは、翌年、インスタグラムを始めた。プロフィールはツナの顔で、アカウントは@tunameltsmyheartである。フォロワーは家族や友だち以外にも広がり、数千人まで増えていった。そして、2012年12月の月曜夜、世界中からフォローされる事態になった。

インスタグラムの公式ブログに、トフィーが、ツナの写真3枚を投稿したのだ。フォロワー数は30分で8500人から1万5000人に急増。驚いてページをリロードすると、1万6000人に増えている。翌朝には、3万2000人に達していた。世界中から取材申し込みの電話がかかってくる。ジャーナリスト、アンダーソン・クーパーのトーク番組からは、旅費を出すからワシントンDCまで来て番組に出てくれないかとの話もあった。休みを取るのは無理だからウェブキャストでの出演にしてもらったが。

これ以外にも出演の依頼などが引きも切らず、友だちからは、予想もしなかったことを言われるようになった。ロスのパシフィックデザインセンターでしているインテリアデザイナーの仕事をやめ、ツナのアカウントに専念しなければならなくなるよというのだ。そんなばかなと思ったが、念のため、1カ月だけ試しにやってみることにした。すると、友だちとふたり、ツナを連れて8都市を回る仕事をしないかと、ペット用品を定期配送する会社、バークボックス［BarkBox］からオファーが舞い込んだ。

どの街でも多くの人が出迎えてくれ、気分がふさいでばかりだったり心配でしかたがなかったりの暮らしをしているが、ツナに元気と勇気をもらっているのだと涙ながらに訴えてきた。ダッシャーは、のちにこう語っている。

「多くの人にとって私の投稿には大きな価値があるのだと、あのとき初めて気づきました。そして、これに専念しようと思いました」

　こうして、ダッシャーは、ツナのマネージャーになった。

『ツナにメロメロ——オーバーバイトのぶさかわいい犬（Tuna Melts My Heart: The Underdog with the Overbite)』という本をペンギン・ランダムハウス社から出すと、ブランドからの引き合いがさらに増加。ツナのぬいぐるみやマグカップといった商品化の話も舞い込むようになった。前述の本の謝辞で、ダッシャーは、最大の感謝をツナに捧げるとともに、紹介してくれたおかげで人生が変わったとトフィーにも謝意を示している。インスタグラム社員の個人的な好みのおかげで彼女は大成功することができたし、また、アリアナ・グランデを含め、いま、ツナのアカウントをフォローしている２００万人あまりに上る人々の暮らしも変わったわけだ。

マリオン・パイルの身に起きたこと

　インスタグラムで新しいキャリアを得た人々も、その原因を作ったインスタグラム社員のことをまったく知らないのがふつうだ。

　マリオン・パイルもそうである。彼女は、２０１１年、雑誌の特集でインスタグラムのことを知った夫、ラファエルに勧められてアカウントを作った。旅先で撮った写真を公開するのに便利だと思ったからだ。年齢は30代。ウィーンにあるテレビ会社のマーケティング部門でデスクワークをしていて、写真の勉強をしたことは別になかった。ところが、２０１２年のある日、おすすめユーザーのリストに選ばれたとの自動メールがインスタグラムから届く。@ladyvenomアカウントのフォロワーは、６００人から数千人に急増した。

せっかくなので、同じくリストに挙げられている世界の仲間と友だちになることにした。みな、突然のことにどぎまぎしていたが、同時に、ありがたいことだという人が多かった。

そして、近場で写真を撮り歩くようにもなっていったし、インスタミートを手伝うなど、インスタグラムをオーストリアに広げるアンバサダーの役割をボランティアでするようにもなっていく。インスタグラム社員と会ったこともなければ、メールのやりとりさえしたこともないというのに、だ。

そんなこんなの結果、彼女は、会社員をやめ、旅写真家として独立。インスタグラムの戦略的な活用方法をブランドと相談するスタジオも開設した。20万人もフォロワーを持つ彼女のようになりたいと、多くの人が思ったのだ。こうして、彼女は、魅力的な収益源とみなされるようになったインスタグラムで注目を集めるエキスパートとしても知られるようになったわけだが、もともと自分が注目されたのはなぜなのか、いまだにわからないそうだ。

「舞台で人を感動させる力」より大事なもの

インスタグラム公式ページで取り上げられるのは最高だと言えるわけだが、見ず知らずの人々数千人をもてなさなければならないと感じてつらくなる人もいる。取り上げられてしばらくは、たくさんの人に見てもらえてありがたいと思うが、そのうち、プレッシャーにつぶされてしまう人もいる。宝くじに当たるようなものと言ったらいいだろうか。祝うべきことだが、いろいろとややこしいことにもなるし、うまく活用するのは意外に難しい。

インスタグラム公式の投稿や@instagramアカウント、おすすめユーザーのリストなどを分析し、どうすれば取り上げてもらえるのかを解明しようとする動きもあったが、成果らしい成果は上がらなかった。式やアルゴリズムで選んでいるわけではないからだ。フェイスブックはあらゆることをデータから導くが、インスタグラムは、社員の個人的な好みでキュレーションしている。

大きなメリットを与えられるということは、逆もまたできるということである。投稿ルールそのものもあやふやなのに、それにどう抵触したのかの説明さえもなく、警告もなく、おすすめユーザーのリストから外されたり、それこそ、アカウント自体を削除されることもある。気づいている人はほとんどいないが、インスタグラムを仕事にするというのは、カリフォルニア州メンロパークで行き当たりばったりにあれこれ決めている人々の手に将来を委ねることを意味するのだ。困ったことにならない方法はただひとつ――ポーチやトフィーなど、インスタグラム社員とのつながりを作るしかない。スケールアップできないやり方だとフェイスブックなら言われることまちがいなしである。

自動的にバズらせる仕掛けもひとつ、一応は用意して、平均より多いいいねやコメントを集めた投稿をリストアップしていたが、この「ポピュラー」ページは社内の評判がきわめて悪く、ほどなく廃止となる。人が介入しないと、ツイッターやフェイスブックと同じように、簡単に操れてしまうからだ。チェックする人が増えるお昼時や夕方、夜遅めの時間など、タイミングを見計らって投稿し、首尾よくポピュラーページに滑り込めればフォロワーが増え、次の投稿で同じことができる可能性が高まる。こうなると、フォロワーが増え、注目を集めたらなにができるかなど考えもせず、ただただ、評価を高めることだけに突き進む人が増えてしまう。

早い段階でポピュラーページを活用したひとりが、ペイジ・ハサウェイである。2012年、当時24歳だったハサウェイは、体を鍛える記録としてインスタグラムに写真を投稿するようになった。ブロンドの髪が美しいほっそりとした体つきだったが、肉体改造のコンテストに出ないかとジムでトレーナーにスカウトされ、筋トレに励むことになった。

ジムでは、トレーニングは妖艶なことだとでも言うかのように鏡に映る汗だくの姿をスマホで撮る変な人と見られていたが、インスタグラムでは、きれいな女性の体がどんどん鍛えられていく様子が興味深いと話題になった。2012年夏が終わるころには、45キロほどから55キロまで体重も増えたし、大会でも2位に入る好成績を得ることができた。

体を鍛えるようになって自分が望む暮らしや未来がつかめるようになったが、それまでは、苦労の連続だったという。小さなころは養護施設を転々とする生活だったし、オクラホマ大学の学費などはいろいろな仕事について捻出しなければならなかった。トレーニングを始めたあとは、かつてないほど自信が持てるようになったそうだ。そして、パーソナルトレーナーを仕事とし、大会などの目標は特になかったが、インスタグラムへの投稿はその後も続けた。

その後の人生をどう生きるか、はっきりと思い描いていたわけではない。ともかく、いつのまにか、1週から2週に1回はポピュラーページに取り上げられるようになっていた。狙ったわけではないのだが、人気が出るとチャンスが巡ってきた。彼女自身は、当時について、「仕事をしませんかといろいろな会社から引き合いをいただいたのですが、なにをどうしたらいいのか、さっぱりわかりませんでした」と語っている。ともかく、彼女は、フォロワーがまだ8000人ほどしかいないころ、ボディビルやダイエットに使うサプリの会社、シュレッズ［Shredz］の広告塔になった。２０１３年夏には、動画機能が追加され、ワークアウトを実際にやってみせることが可能になった。その結果、フォロワーは数百万のレベルまで急増し、それに伴い、彼女の収入も急増した。シュレッズの人気もうなぎ上りで、数百万ドル規模の会社となった。ジムの鏡に映った汗だくの姿をインスタグラムに投稿するのも、あちこちで見られる光景になった。

「手助けしてくれる人を雇う必要がありました。最初の2年間は、チームを組んで助けてもらったほどです。マネージメントをしてくれる人々とか、クライアントとオンラインでやりとりするのを助けてくれる人々とか、広告関係を手助けしてくれる人々とか。私ひとりの手に負えるものではありませんでした」

彼女の成功はフィットネス業界に衝撃をもたらし、どういう人がボディビルのスターにふさわしいのかが問い直される事態になった。ふつうならフィットネスの大会に参加するなどの道を歩いてスターになっていくのだが、ハサウェイは、そういうことをせずに世間の注目もメディアの注目も集めてしまったからだ。そんなわけで、２０１４年頭、シュレッズのアービン・ラルＣＥＯは、そういうたたき上げの人ではなくハサウェイをプロダクトマーケティングに起用した理由を弁明しなければならない事態に追いこまれた。

「インスタグラムで１００万人のフォロワーがいる人より、大会で舞台に上がる人のフィットネスや体のほうが上だと言える人はいるのでしょうか。ペイジ氏は、おそらく、世界一の女性フィットネスモデルだと言えます。大事なのは、舞台で人を感動させる力より、舞台以外の場でマーケティングをしたり人を感動させたりする力でしょう」[12]

ラグジュアリーブランドの常識を覆す

いま、さまざまな業界が似たような問題に揺れている。ワークアウトであれ、ホームデコレーションであれ、クッキーであれ、インスタグラムで人気になったものは、現実世界でも価値が上がったと考えるべきなのだろうか。インスタグラムの著名人には、頼んだりそれこそお金を払ってでも、これはいいと推薦してもらうべきなのだろうか。現実世界で人気のブランドは、インスタグラムでも人気を獲得すべく努力すべきなのだろうか。

ロンドンのバーバリーでクリエイティブ面を統括する最高責任者クリストファー・ベイリーは、時代に即したファッションブランドを生み出すアイデアを求め、シリコンバレーをよく訪れていた。そして、厳しい機密保持契約を結んだ上でのことだが、2013年のiPhone 5発表において、スマホによる写真撮影でなにか言えるようにと、アップルとのコラボレーション企画が持ち上がることになる。

ポーチが出向いた例のニューヨーク・ファッションウイークが終わったあと、ベイリーはシストロムに会い、舞台裏をかいま見ることができるものにしたいというビジョンに心を打たれた。また、バーバリーをはじめ、街中のファッションが次々に取り上げられていることにも気づいたし、新しいファッションがすぐ取り上げられることにも、それについて有名アカウントであれこれ言われていることにも驚いた。インスタグラムのユーザーは、バーバリーがいつ、どういう広告を印刷して打つつもりかなどおかまいなしなのだ。業界はもうすぐ大きく変わる、その前にバーバリー自身が発信を始めなければならないとベイリーは考えた。

「それまでは、写真を撮り、その写真を使って制作を進め、昔ながらのやり方で雑誌から広告枠を買うという具合で、時間も労力もすごくかかるやり方をしていました。雑誌に掲載されるまで6カ月から9カ月もかかるんですよ。ところが、インスタグラムの場合、カメラマンを雇い、必要となる人員のチームを用意すれば、ほんの数分でオンラインに発信し、我々のブランドに興味のある人々と対話を始めることができます。これはすごいことですよ」[13]

新型iPhoneの発表が近づいた9月のある日、バーバリーはロンドンで行うファッションショーにシストロムらインスタグラム関係者数人を招待した。ファッションイベントは、今後、ランウェイでウォークやスタイルを見せるだけでなく、幅広く発信できるようにならなければならないとベイリーは考えていた。どういう人がそういう装いをしているのか、どういう人がイベントに参加しているのか、さらには、その体験が心に残るものであるのか、また、インスタグラムでフォローしたいほどのものなのかを発信しなければならない、と。

そこで今回は、従来とやり方を大きく変え、初めて音楽も流すことにしたし、プロ以外のカメラマンも招待することにした。街中の写真をインスタグラムに投稿しているようなカメラマンも招き、アップルに提供されたiPhoneでショーの様子を発信してもらうことにしたのだ。写真は、いちいちバーバリーに断らず公開してよい。当然、眉をひそめる人も出てくるはずで、そういう人にも、なぜそんなことをしているのかを理解してもらう努力も必要だった。

「インスタグラムであんなことをしてと、ファッション業界ではさんざんに言われましたよ。あんなありふれたプラットフォームなど、裕福な顧客は使わないよ、とかね。あのときまでのファッションブランドというのは、秘密のベールをかぶった、ある意味、神聖なものでした。こう見られたいというイメージになるよう磨きに磨いたものを送り出すものだったのです」

これは、リスキーな路線変更である。ベイリーは、社内に対し、ハッシュタグとはどういうものかから、称賛する意見に並んで否定的な意見が出てもかまわないのはなぜなのかなどをくり返し説明しなければならなかった。いろんな人が#burberryハッシュタグをつけて投稿しているわけで、バーバリー自身が発信しようがしまいが、インスタグラムでバーバリーが話題になることは避けられない[14]。であれば、みずから打って出たほうがいい。

ランウェイイベント後は、わりとすぐに、このようなことを訴える必要がなくなった。1カ月後には、上司であるアンジェラ・アーレンツがアップル取締役に転身し、その直後、ベイリー自身がCEOに昇進したのだ。

技術は価値ではない

バーバリーのコラボに使われた新型iPhoneには、インスタグラムを念頭に改良されたソフトウェアが搭載されていた。編集や加工をせずそのまま投稿できるように、正方形の写真を撮る機能が用意されたのだ。フィルターも何種類か用意されていた。

このような動きがあっても成長に陰《かげ》りが生じなかったことからも、インスタグラムは、フィルター加工した写真をほかのサービスに公開する手段にすぎない存在でもなくなったし、単なるフィルターにすぎない存在でもなくなったことがわかる。その価値は、技術より、文化やネットワーキングにあるのだ。立ち上げからずっと、インフルエンサーとなりうる人々に声をかけ、ユーザーを誘導し、キュレーションを行い続けてきた成果である。

２０１３年、シストロムとポーチがロンドンへ行ったときには、著名人戦略とコミュニティ戦略を組み合わせて初の海外プロモーションを推進することにした。そして、バーバリーのランウェイショーのほか、有名シェフ、ジェイミー・オリバー主催の食事会にも参列した。オリバーは、フェイスブック買収のはるか前からインスタグラムを使ってくれているセレブである。ディナーで投資家に紹介され、どきどきしながら彼のアカウントを作ったのを覚えているとシストロムは言う。

さて、２０１３年、ロサンゼルスでオセアリーとカッチャーがしてくれたように、オリバーも、映画や音楽、スポーツで活躍するロンドンのスターを大勢集めてくれた。女優のアナ・ケンドリックのほか、ローリングストーンズのメンバーや、自転車選手のクリス・フルームなどだ。また、同じ夜、国立肖像画美術館で開いたインスタミートには、インスタグラムで名をはせた人々が何人も来てくれた。シストロムは、例によって例のごとく、あれこれ尋ねたり、フィードバックをもらったり、人脈を広げたりと忙しくしていた。

このやり方は、その後のひな形となった。つまり、セレブとの会食、ユーザーを集めてのイベント、ファッションショーやサッカーの試合など、ユーザーでない人も集まるイベントを組み合わせるやり方だ。

ツイッター以上のツイッターになる

著名人が使っているという面においては、以前からツイッターが独走している状態だったが、ちょうどそのツイッターが株式を公開しようというタイミングでインスタグラムは著名人との関係を深めていったことになる。ツイッターの価値をウォールストリートがどう判断するのか、フェイスブックの競争相手であると投資家は見るのか否かは、だれにもわからない。だからといって、のほほんと結果を待つなど、負けず嫌いのマーク・ザッカーバーグがするはずなどない。

というわけで、ランディ・ザッカーバーグ辞任の2年後、フェイスブックも、ついに、著名人との関係強化に乗りだすことになった。ツイッターをたたこうというわけだ。著名人に投稿してもらうことを目的にグローバルパートナーシップチームを立ち上げるなど、ツイッターIPO前の数カ月、ランディがあれほど苦労しても実現できなかった動きが急速に進んだ。

フェイスブックのやり方は、インスタグラムと違う。ポーチはスター本人にアプローチしたが、フェイスブックは、レコードレーベルやテレビスタジオ、タレント事務所といった組織との関係を重視した。ニュース投稿というツイッターの独壇場を切り崩すことを目的に、ニューヨークタイムズ紙やCNNといったメディアにも近づいた。ツイッターと同じように、公開の投稿をニュース記事に埋め込むこともできるようにした。報道機関側にとっても、紙版の定期購読など従来の収益源が細っていくなかフェイスブックのキャッシュインセンティブは魅力的で、試験運用に乗りだすところが多かった。

マーク・ザッカーバーグは、ツイッター風のフェイスブック投稿を「パブリックコンテンツ」と呼び、投資家向け決算説明会でも、この手の投稿を重視すると打ち出すようになった。ツイッター以上のツイッターになるぞというわけだ。

この戦略には、フェイスブックで語り合えることが増えるというメリットもある。フェイスブックを使っていると、つながる友達が増えていく。「世界をつなぐ」は事業目的としては成長と同義のすばらしいモットーだが、副作用として、フィードが知り合いばかりになってしまう。創業から10年近くもたてば知り合いの輪はかなり広がっていて、多くのユーザーは、心の内側や個人的な体験などが投稿しにくいと感じるようになっていた。ユーザー数も収益もまだいいペースで増え続けているが、そのうち成長に陰りが生じるはずだ、手遅れになる前に手を打たなければならないとマーク・ザッカーバーグは考えていた。

セレブのコンテンツやニュースがあれば、あまりよく知らない人や昔の知人と話を始めるいいきっかけになるはずだ。ユーザーの好みに関するデータを増やし、広告の精度を高める役にも立つ。

インスタグラムは運営がほぼ独立していて、フェイスブックが進める戦略に組み込まれることはなかった。インスタグラムがいくら成果を挙げても、それがフェイスブックの助けにならないかぎり、まともに取り合ってもらえることはないのだ。それでも、協力はできる。インスタグラムは小さいので、担当者がいない国に進出する際にはフェイスブックを頼る。逆に、インスタグラムが関係を築いているセレブに対しては、投稿時、フェイスブックにも同時にシェアするオプションをオンにするよう働きかけてもらうなど、フェイスブックがインスタグラムに頼る場合もある。

後者については、ポーチが大活躍した。俳優チャニング・テイタムに対し、生まれた子ども、エバリーの写真をセレブ雑誌に売るのは古くさい、それより、インスタグラムに投稿し、それをフェイスブックにクロスポストしたほうがいい、そのほうが新しいと思ってもらえると説得したのだ。テイタムの投稿は20万件以上のいいねを集め、その様子がメディアにも大々的に報じられる結果となった。

フェイスブックもインスタグラムも同じ会社が運営しているのに、ルールも戦略も大きく異なることに、セレブな人々はよく首をかしげる。インスタグラムやツイッターと違い、フェイスブックは、望むコンテンツを得るためならセレブや報道機関にインセンティブをばらまくことも辞さない。対価とするのは、現金ではなく権利である。何十万ドル分もの広告をフェイスブックに出せる権利を与えるのだ。赤ん坊の投稿の対価としてテイタムも広告出稿の権利を得て、それを出演する映画のプロモーションに使ったが、この対価が得られたのは、インスタグラムに加えてフェイスブックにも写真をシェアしたからだ。これほどの価値をもつ対価をセレブ雑誌が用意するのは、無理だ。

この件が契機となり、ポーチがわざわざ説得しなくても人生のさまざまなイベントをインスタグラムに投稿するセレブが増えていく。

ツイッターの誤算

ザッカーバーグはツイッターとの競争をやたらと気にしていたが、実は、その必要はなかった。フェイスブックはソーシャルメディア企業として初めて株式公開にこぎつけた会社であり、ウォールストリートによるソーシャルメディア企業の評価基準はフェイスブックに最適化されていた、すなわち、動きはすべて成長のみを目的としていることが前提になっていた。フェイスブックにとってバズることは重要ではなく、重視していたのは成長のみだったからだ。

２０１３年末、フェイスブックは、広告収益の半分を携帯電話からあげるようになっていた。なにがなんでもこの問題を解決するとザッカーバーグがレーザーのように集中した結果、1年あまりというわずかな時間でここまでの成果をあげることに成功したのだ。ユーザーは11億人。ネットワークが成長しさえすれば、結果として広告収入は増えるという彼の持論が証明された格好である。２０１３年12月の株価は50ドルと年初から80％も上がっていたし、ＩＰＯ価格の38ドルと比べても大幅に高い水準だった。ウォールストリートは二匹目のどじょうを狙うもので、次なるフェイスブックの登場を期待する声も大きかった。念頭にあったのは、もちろん、ツイッターである。

成長でフェイスブックに勝つことはできないと、ツイッターのディック・コストロＣＥＯはわかっていた。だが、米証券取引委員会への提出書類を準備する段階になり、フェイスブックが評価基準として使っている「月間アクティブユーザー数」を出さなければならないことが判明する。

増加スピードはスローダウンすると思われるのに、である。ツイッターはフェイスブックほど成長に注力してきていないわけだが、だからといって、世界に対する影響力や重要性を測れる評価基準をほかに用意しているわけでもない。いずれにせよ、米証券取引委員会は、比較できる資料を求めるはずでもある。

ツイッターは、2013年12月、1株26ドルで株式を公開。株価は、取引初日に44ドル90セントまで上昇。公開時にトラブったフェイスブックの株価が回復したことを好感し、楽観的な見方が市場に広がった結果、月末には74ドル73セントの高値を付けるにいたった。ユーザー数が5分の1程度と少ないことも、今後、フェイスブックと肩を並べるところまで成長してくれるだろうとの期待をあおる原因だった。

それから2カ月ほどがたち、最初の収支報告が出た。市場の予測を大きく上回る売上を広告で上げているので歓迎されるはずだとコストロは考えた。

そんなことにはならなかった。投資家は、ユーザー数の伸び率低下を嫌気した。この段階ではまだ問題にされないだろうというコストロの予想は外れた。ユーザー数が増えれば収益も増えていくのであれば、逆もまた真で、ユーザー数の伸び率が落ちれば収益の増加率も落ちることに投資家は気づいていたのだ。

ツイッターの強みは説明が難しい。政治やメディア、スポーツなど各界の著名人が、みな、世間が気にすることについてほかより先に発信する場にどれほどの価値があるのかは、いわく言いがたいものがある。

その価値をウォールストリートは理解していなかったようだが、インスタグラムは理解していた。

アカデミー賞授賞式で「自撮り」を仕込む

金銭的な成功と大きさという面ではフェイスブックが一番であり、文化的なインパクトという面ではツイッターが一番である。このふたつに比べると、インスタグラムは弱小と言わざるをえない（親会社から切り離して考えるかぎり）。広告はようやく導入してみたという段階だし、ユーザー数はフェイスブックの4分の1にすぎないし、使ってくれている著名人の数もたいして多くない。だが、その戦略はユニークだ。バイラルな拡散はなし。そのかわり、ほかのユーザーの模範となるコンテンツを選んだり、そういうコンテンツが投稿されるようにユーザーを教育したりするし、舞台裏を公開するようセレブに働きかけたりする。ツイッターはリアルタイム性とバイラルな拡散が肝なので、スターには、やりとりのきっかけになるような投稿やたくさんリツイートされるような投稿をしてもらいたいと考えている。実例として、２０１４年３月のアカデミー賞授賞式を見てみよう。

スターだらけの会場でみんながツイートしたいと思う瞬間をどうすれば作れるのか、何カ月も前から、ホストを務めるエレン・デジェネレス以下のチームとツイッターのテレビパートナーシップ・グループでアイデアを出し合い、準備を進めた。[15] デジェネレスが目を付けたのは、自撮りである。自撮りは、アップルが前面カメラを用意し、インスタグラムで写真の投稿が人気となって以来、大流行となった。自撮りを意味するセルフィー《selfie》という単語がオックスフォード英語辞典が選ぶ今年の流行語で２０１３年の大賞に輝いたほどだ。
リハーサルでは、前から３列目、通路近くの椅子に大女優メリル・ストリープの名札が貼られていることにデジェネレスは気づいた。[16] ストリープと一緒に自撮りができたらすごいだろう。このとき、すぐ近くにアカデミー賞の大手スポンサーであるサムスンの人間がいて小耳にはさみ、この話に飛びついた。ツイッターの広告担当役員に連絡すると、デジェネレスの自撮りは、彼女がふだんから使っているｉＰｈｏｎｅからではなく、サムスンのスマホからツイートするようにしてくれと頼み込んだのだ。そして、イベント当日の朝、自撮りの準備ができたサムスン製スマホがずらりと並べられたトレイが彼女の前に登場する。[17]
本番が始まると、ホスト役のデジェネレスはステージを降り、メリル・ストリープのところへ歩いて行った。そこへ、たまたま近くにいたブラッドリー・クーパーが乱入。デジェネレスからスマホを取り上げると、ジェニファー・ローレンス、ルピタ・ニョンゴ、ピーター・ニョンゴ、アンジェリーナ・ジョリー、ブラッド・ピット、ジャレッド・レト、ジュリア・ロバーツ、ケビン・スペイシーも入れて写真を撮ってくれた。案の定、この投稿は３００万回以上もリツイートされ、ツイッター史上最高の人気を誇るツイートとなった。

次なるフェーズへ

アカデミー賞授賞式でツイッターが仕掛け、メディアでも大々的に取り上げられたのを見て、やられたとインスタグラムは思った。バイラルな拡散はできないようにしているが、セレブと連携してこういう瞬間を創り出すのはずっとやってきていたからだ。いや、人気ユーザーとの関係強化だけでなく、キュレーションを通じておもしろいユーザーを掘りおこし、そのコンテンツをプロモートするところまでやっているし、その結果、小さな分野においてではあるけれど、ちょっとしたセレブと言えるようになった人も生まれている。

今回も、インスタグラムなら、フェイスブックと異なるやり方で戦える場面だった。よい悪いは別として、インスタグラムは、その実、ブランディングチームが何カ月も周到に用意して実現した、自然に起きたように見える瞬間を投稿するのにぴったりの場所となっていた。わざわざこうしなくとも、広告費を出すところも多ければ、フィットネスのペイジ・ハサウェイや愛犬ツナのマネージャーとなったコートニー・ダッシャーのように、インスタグラムで生計を立てる人も増えていて、ブランド自体がインスタグラムに価値を見いだすようになっている。

このように戦略的フェーズで商業的な利用が進むなか、社員第1号であるコミュニティチームのアーキテクト、ジョシュア・リーデルが退社した。大学に戻り、クリエイティブライティングの修士号を取るという。また、フェイスブックによる買収前にリーデルが連れてきたベイリー・リチャードソンも退社した。これはと思うカメラマンやアーティスト、アスリートを選んでおすすめユーザーのリストを作った社員だ。会社が大きくなり、創業期にはたしかにあった芸術的・魔法的な目新しさが感じられなくなったからだ。生え抜きよりフェイスブックからの移籍組や新規採用組のほうがずっと多くなったのも一因だろう。

ユーザーコミュニティも様変わりし、細分化していると考えるべきだし、そのすべてに対応するのは無理であり、対応する相手を選ばなければならない。シストロムはそう考えていた。対応すべきは、まずセレブ。さらに、ファッションや写真、音楽、ティーン層などとの関係強化にも資源をさくべきだろう。逆に、食べ物、旅、家のほか、インスタグラムで生まれつつある各種産業については、とりあえず動かないこととした。守れない約束はしたくないが、手を伸ばせば、その分野に対して長期にわたってコミットしているととらえられるおそれがあるからだ。

リーデルは、退社する前に、優先カテゴリーのユーザーと関係を強化できる人材をできるかぎりそろえた。技術系の人間ではなく、対応したい分野の住人である。たとえば、インスタグラムなどに作品を投稿して大丈夫なのかと心配するカメラマンやアーティストを説得するため、写真の祭典を毎年開催しているアンドリュー・オーウェンやナショナルジオグラフィック誌のパメラ・チェンを勧誘するといった具合だ。

先行するファッション系をさらに盛り上げるため、クリステン・ジョイ・ワッツもクリエイティブエージェンシーから引き抜いた。インスタグラムの将来を左右すると思われるティーン層など若者については、ハフィントン・ポスト紙のリズ・パーリィを引き込んだ。彼らは保険のようなもので、コミュニティを前向きで建設的な状態に保ったり、他の模範となるようなアカウントをみつけたりする仕事をしてもらう。

ふたつのメディア戦略

メディア戦略について、インスタグラム広報チーフのデイビッド・スウェインがよく使う言葉をふたつ、紹介しよう。ひとつは「蜜月を維持する」だ。フェイスブックと結ばれたあとも、なるべく長い間、インスタグラムはいいところだと思い続けてもらおうというわけだ。もうひとつは「やっちまったになるな」だ。フェイスブックはやらかしてしまったが、ユーザーの信頼を失うな、ということである。このふたつを実現するため、報道内容は、基本的に、会社そのものではなく、トップユーザーについてでなければならない。インスタグラムはできるかぎり黒子に徹する。インスタグラムを推薦してくれるインフルエンサーのキャンペーンを張り続けるイメージだ。

スウェインは、2008年からフェイスブックのコミュニケーションチームで働いてきた古参社員で、対外的な問題への対処もくり返し経験している。疑いの目を向けてくる世間に対し、戦略の変更を説明するとはどういうことか、よくよくわかっているのだ。2013年にインスタグラムへと移籍する直前には、フェイスブック友達のネットワークを利用している社外ゲームディベロッパーとの関係について広報する仕事をしていた（社外ディベロッパーとのデータ共有は、2018年、世界各地の規制当局に問題とされる）。

幸いなことにインスタグラムはユーザーに疑念を抱かれていないので、うまく行っている部分を強化したい、どうせならごく自然に、また、役に立つような形で、それこそ、インスタグラムが誘導しているとはわからないような形で強化したいとスウェインは考えていた。

このあと、コミュニケーションチームは、記者の仕事をやりやすくする支援に徹する。インスタグラムの最新トレンドや出来事などは、スウェインが記者に会って説明する。ツイッターを見にいかなくてもセレブ系の投稿がピックアップできるように、E!ニュースのページもポーチが用意した。メディアに最近のはやりをレクチャーする役割は、コミュニケーションチームのリズ・ボージュワーが担っている。インスタグラムではハッシュタグが利用されていて、加工なし、撮ったままの写真を意味する#nofilterや、昔の写真を意味する#tbtなどがよく知られている。#catbandなど新しいハッシュタグが登場したとき、メディアに興味をもってもらうのがボージュワーの仕事だ。ちなみに、#catbandで検索すると、ネコが楽器を演奏しているかのような写真がたくさん出てくる。

国や産業を指定し、その関係でフォローすべきなのはどれかと雑誌記者やブロガーに尋ねられた場合は、アカウントをリストアップし、「ロンドンのインスタグラムアカウント　トップ10」や「インスタグラムでフォローすべき新進ファッションカメラマン」といったリストやスライドショーの形にして送る。

これは、ややこしい側面のある仕事だ。こういう形で取り上げたアカウントはグーグル検索で上位に来るようになるし、その結果、ブランドの目にとまって有償プロモーションの候補になったりするからだ。社員が自分の好みでアカウントを選んでいる、一部のユーザーを優遇していると思われてはまずい。

「誠実で有意義」に見せろ

模範となるユーザーを通じてインスタグラムを売っていったわけだが、このころも、まだ、ユーザーがお金をもらって商品のプロモーションをすることを公認はしていなかった。こういう形で2014年に各種ブランドから支払われたのは総額1億ドルほどと実験的なレベルにとどまっていたが、これが急増するのはだれの目にも明らかだった。だから、インスタグラムのガイドラインにも、子どもに諭すようなトーンで次のように書かれていた――「セルフプロモーション的なことをすると、投稿を楽しみにしてくれている人々を悲しい気持ちにしてしまいます……インスタグラムにおけるつながりが誠実で有意義なものとなるよう、気をつけてください」

ここで「誠実で有意義」とは、要するに、ブランディングだとわからないようにしろ、やれと言われたからやっているではなく、投稿者がしたいようにしたらそうなっただけという雰囲気にしろ、ということである。ちなみに、セレブも、暮らしの一幕をつい公開してしまった感じにすべき、親しみが感じられるようにすべきとアドバイスされているし、広告を出稿するほうも、値札なしで見た目のいいものだけにすべしと言われている。

インスタグラムとしては、大きくなって成功し、ツイッターと張り合えるようになるためにも、また、親会社に十分貢献し、すりつぶされるのを避けるためにも、商業的な価値も大事であると考えている。ただ、求めてそうなったとは見えない方がいい。雑誌に特集されるのはチャールス・ポーチやコミュニティチームではなく、インスタグラムで話題になった写真やユーザーであるほうがいい。

そういう意味で大成功と言える成果が、ファッション雑誌のトップ、ヴォーグ誌の2014年9月号である。インスタグラムの特集号だったのだが、取り上げられたのは、ジョアン・スモールズ、カーラ・デルビーニュ、カーリー・クロス、アリゾナ・ミューズ、エディ・キャンベル、イマン・ハマン、フェイフェイ・サン、バネッサ・アクセンテ、アンドレア・ディアコヌだったし、見出しも「インスタガールズ！　いま人気のモデルと季節の装い」だった。[18]

インスタグラムで人気となったモデルには、有力ファッションハウスから声がかかり、勝負どころのランウェイに上がるようになっている、また、モデルみずからが発信することもできるなどと紹介されている。出版社まで足を運び、インスタグラムのストーリーをどう書いたらいいのかを教えてきた努力が大きく実を結んだと言える。

ファッション業界随一の実力者、ヴォーグ誌のアナ・ウィンター編集長にようやく振り向いてもらえたわけだ。この記事は、両方にメリットのあるコラボだったと彼女は言う。

「この記事に登場するモデルは、みな、自分を知ってもらうために、また、いままでなかったビジュアルな形で人々と対話するためにインスタグラムを活用しています。我々の雑誌のようにビジュアル主体のものにとっては、いや、実際のところ、我々のような会社にとってもなのですが、これは、あっという間にしか思えない電光石火でつながれるものだったりします」[19]

バイン、失墜

一方、フェイスブックは、この間も、セレブにもっと使ってもらう仕組み作りを進めていた。その結果、2014年に登場したのが、フェイスブックでセレブがファンと簡単にやりとりできるようにするメンションズ〔Mentions〕というアプリである。雑誌のようにフェイスブックを読めるペーパー〔Paper〕というアプリも開発した。フリップボード〔Flipboard〕と同じように、出版社による優れたコンテンツに焦点を当てるものだ。だが、どちらのアプリも失敗に終わった。別アプリなので、母艦と二重にダウンロードしなければならないのもめんどうだし、そもそも、インスタグラムが人と人のつながりやキュレーションで解決しようとしている問題を技術でなんとかしようというのがまちがいだったのだろう。

ツイッターはセレブや著名人に使ってもらうという面ではうまくやっているが、インスタグラムと異なり、人間が取捨選択することもないし、どういうコンテンツが望ましいといった方向性も特にない。フェイスブックと同じように、プラットフォームはあくまで中立であり、リツイートやコメントを通じ、世間の人々が見たいと思ったコンテンツが広がるに任せる。「言論の自由党の言論の自由派」を自称するくらいで、介入するべきではないというのだ。[20] 残念だったのはバインである。ユーチューブのスターに肩を並べるほどの人材が育っていたからだ。

バインの投稿ペースが落ちたとき、ツイッターはリバインボタンを用意し、ほかの人の投稿を自分のフィードで共有できるようにした。これが思わぬ副作用をもたらす。ほかのユーザーのコンテンツを自分のフィードで紹介できるのであれば、時間と手間暇をかけてクリエイティブなコントを生み出す必要などないと、みな、思ってしまったのだ。リグラムボタンを用意したらインスタグラムでも同じことが起きていたかもしれない。

それから2年もたつと、一部のプロ以外、オリジナルのコンテンツをバインに投稿する人はいないに等しくなってしまった。こうなっても投稿していた人々は、これを好機だととらえた。20人のトップクラスが集まり、ひとり１００万ドルを払ってくれればこれから6カ月間、毎日、バインに投稿してやる、払ってくれなければ、インスタグラムかユーチューブかスナップチャットかに活動の場を移し、フォロワーもそっちに連れて行くと、ツイッターに申し入れたのだ。これをツイッターは拒否。スター級がこぞってやめ、バインは終息に向かうことになる。

ついにツイッターのユーザー数を抜く

２０１４年、ヴォーグ誌特集の３カ月後、インスタグラムは、ユーザー数がツイッターを抜いて３億人に達したと発表した。これを承け、ツイッターの共同創業者、エバン・ウィリアムズは、インスタグラムの買収を見送って以来、仲間内でずっとぶつぶつ言ってきたことを、ついに、公の場でも口にした。フォーチュン誌の取材にこう語ったのだ。

「世界に対するインパクトという意味でツイッターとインスタグラムを比べてみていただきたい。重要な話はツイッターから始まるし、世界のリーダーが発信に使うのはツイッターです。そういう状態であるかぎり、どれだけ多くの人がインスタグラムできれいな写真を愛でていようが、そんなのはどうでもいいことです」[21]

ポーチにはとうにわかっていたし、ほかの人々にも理解されていくのだが、インスタグラムの力は、なにが投稿されているのかから生まれるのではなく、その投稿が人々になにを感じさせるのかから生まれる。インスタグラムは投稿の共有ができないので、ニュース向きでもなければ情報向きでもない。すべて個人的・私的であり、それぞれの人が世界になにを発信したいのかであり、それをほかの人がおもしろいと思うのか、クリエイティブだと思うのか、美しいと思うのか、価値があると思うのか、である。きれいな写真は、いいねやコメントや、場合によってはお金という形で、みんなに理解してもらうためのツール、承認してもらうためのツールにすぎない。命運をほんの少しだけみずからの手に握るためのツールにすぎない。

このあたりを理解していたから、ポーチは、２０１５年のアカデミー賞授賞式で大きな成果を挙げることに成功した。みんなの気持ちを考えたのだ。何週間もワークアウトを続けて衣装に体を合わせ、何時間もかけてヘアメークや化粧や着付けをして、めったなことでは着られない有名デザイナーの服を身につけ、人生最大級の成果を祝うというとき、人はなにを望むのか。最高の1枚、だろう。ふだんから写真を撮られまくっている人であっても。

というわけで、ローリングストーン誌のポートレートで有名なカメラマン、マーク・セリガーに依頼し、アフターパーティ会場にスタジオを準備した。撮影小物としてビクトリア風の家具なども用意して。オプラ・ウィンフリー、レディー・ガガ、『バードマン』の監督アレハンドロ・イニャリトゥなど、50人以上のスターが訪れ、セリガーの前でポーズを取る大盛況だった[22]。

こうして撮られたポートレートは、もちろん、すべて、インスタグラムに投稿された。会社のロゴなどが付くことなしに、である。

第8章

インスタ映えの追求

「フェイスブックによる買収は、インスタグラムをチンするようなものでした。電子レンジなら食べ物をさっと温められますけど、おいしくなくなることが多いんですよね」

——元インスタグラム幹部

「テクノロジー」ではなく「人」で問題解決する

インスタグラムはぜいたくなポジションにいた。フェイスブックの傘に守られ、ふつうなら心配しなければならないこともほとんど心配しなくてすむ。社員の大半がフェイスブックからの移籍組であることからもわかるように、人材も簡単に確保できる。新機能も、フェイスブックが開発したものをテンプレートのように使い、カスタマイズすれば、すぐに導入できる。ユーザー10億人を達成したいなら、必要なノウハウは、全部、フェイスブックの成長チームが持っている。

その戦略をそっくりもってくれれば、フェイスブックくらいまで大きくなることもできるわけだ。

だが、ケビン・シストロムは、フェイスブックに頼りすぎてはいけないと考えていた。大きくはなりたいが、フェイスブックにはなりたくなかったからだ。優秀な人材をフェイスブックから連れてこられるのはありがたいが、成長至上主義を持ち込まれるのは困る。そうでなくても、フェイスブックの文化に取り囲まれているという状態なのだから。ユーザー数こそツイッターは超えたし、フェイスブックの3分の1に迫るくらいにはなったが、社員数で比べると、ツイッターの3000人以上、フェイスブックの1万人以上に対し、インスタグラムは200人もいないくらいでまだまだ小さいのだ。

一番の懸念は、特別な場所だと思ってもらえる特徴が失われることだった。アプリはとてもシンプルながら練り上げられたデザインだし、投稿はすばらしいものがずらりと並ぶ。その状態を保ちたい。だから、ブランドの維持に力を注ぎ、大きな改修はしないし、よく知られたユーザーや広告主には、みんなの模範になるよう、いろいろなアドバイスをしていく。

フェイスブックは、なるべく多くのユーザーにとって問題が解決される技術的な仕組みを作ろうとするが、インスタグラムは、もっと創造的で、人間関係のなかで問題を解決しようとする。大事なユーザーであれば、個別対応さえいとわない。インスタグラムは編集に重きを置き、スポットライトを当てるべきユーザーを選んできたわけで、問題は、マイナス面に対処するのではなく、プラス面を伸ばすことで対処するものだと考えているわけだ。また、「創造力をかきたてる」を優先目標のひとつに掲げていて、人気アカウントがそういう機能を果たすよう、パートナーシップチームやコミュニティチームが培った絆を活用して努力している。

2015年の初めごろでフォロワーが2200万人もいたそういう有名アカウントのひとつ、女優でシンガーソングライターであるマイリー・サイラスの例を紹介しよう。彼女は、このころ、インスタグラムをやめようとしていた。LGBT+の若者をおとしめる言葉や憎しみの言葉が写真のコメントで多く寄せられることに心を痛めたからだ。だが、逆に、ポジティブなメッセージを伝えるいい機会になるかもしれないとインスタグラム側は考えた。

マリブの邸宅まで、パートナーシップ統括のチャールス・ポーチとポリシー統括のニッキー・ジャクソン・コラソのふたりが飛ぶと、インスタグラムを通じて買ったという美術品に囲まれ、ダイニングテーブルでマイリー・サイラスに別の道を提案。身体的な性別や性自認などで戸惑っている若者や路上生活を余儀なくされている若者を守るため、彼女が立ち上げたハッピーヒッピー財団のプロモーションを@instagramアカウントでするのはどうか。サイラスと@instagramが協力し、トランスジェンダーの俳優レオ・シェン（@ileosheng）などの人となりをうまく伝えるなどすれば、サイラスが支援したいと考えている人々のことを世の中にわかってもらう一助になるのではないか。

それはいいとサイラスは同意し、全体としていじめをなくす仕組みが用意されているわけではないが、それでもインスタグラムは使い続けることになった。

同じころ、リアリティ番組で知られるテレビタレントのカイリー・ジェンナー（17歳）も、思わぬ騒ぎに巻き込まれていた。唇を突き出した自撮り写真を投稿したところ、ショットグラスに唇を差し込んで思いっきり吸い、ジェンナーみたいなぷっくりの唇にするという危ないボディハックが若い女の子のあいだではやってしまったのだ。しかたなく、実は整形によるものだと告白すると、それがまたいろいろと取り沙汰される始末で収まらない。

　ここで、万が一アドバイスが必要になったら聞いてくれとインスタグラムに言われていたことを思い出し、わらにもすがる思いで連絡を取ることにした。うまく立ち回ればこの騒ぎをポジティブなメッセージに変えられるかもしれない――そう考えたティーン統括のリズ・パーリィから、インスタグラムユーザー10人の名前が送られてきた。体に悩みがあると語っているユーザーのリストだ。この人たちと話をし、その様子を発信したらどうかというのだ。ハッシュタグは#iammorethan《だけじゃない》。「唇だけじゃない《#iammorethan》」というわけだ。

　ジェンナーは積極的で、リストの人々にみずから連絡を取っていった。最初に話をしたのは、プファイファー症候群という遺伝子の病気で頭の骨に影響が出ている女性、ルネー・デュシェインである。２１００万人のフォロワーを持つジェンナーがデュシェインのアカウント、@alittlepieceofinsaneをシェアすると、その様子をさまざまなメディアが好意的に取り上げてくれた。[1]

「小さなチーム」の限界

　インスタグラムは、コンテンツのキュレーションを通じて、運命をみずからの手に握ろうと努力している。ネットワークが大きくなればなるほど、なにかを決めたときの副作用も大きくなることは、フェイスブックを見ていれば明らかだ。だから、うまく行くとわかっているものだけまねようとした。フェイスブックには14億人もユーザーがいて、みな、フェイスブックにおける最高の成果が得られるようなコンテンツ、すなわち、バイラルに広がるコンテンツを投稿しようとしている。

フェイスブックでは、「世界をつなぐ」ミッションの中核をなすのは共有だと教えられている。だから、クリックや共有はすべてプラス評価を示す行動として記録し、同じようなものを増やすパーソナライズのアルゴリズムという形で、つい、共有するような仕組みが用意されている。だが、バイラルな拡散には問題もある。くずコンテンツに染まりがちなのだ。インスタグラム側では、クリックというのは、本当にユーザーが望んでいることを示しているのだろうか、コンテンツに操られる状態になってしまっているのではないかなどと疑問の声が上がっていた。バイラルに広がるのは、「バーでけんかすると、信じられないことが……」、「え、あの子役がこうなるのかぁ！」といった見出しのリンクが多いからだ。

フェイスブックの場合、ある意味、ユーザーの選択がいいとか悪いとか判断しないことで成長の速度を上げ、そうすることでストックオプションの価値を高めるという成果を挙げてきた。なのに、インスタグラムは、フェイスブックの資源を使い放題使いながら勝手なことをしている。何様のつもりだ。そういう不満があちこちにたまっていた。バイラルな拡散の問題をインスタグラムがうまくよけてきたというのもある。

編集の努力をしてきた結果、インスタグラムの人々は、インターネット上に創造性の楽園を作るのに成功した、ここで見るまで、こんなものが見たいとは自分でも思っていなかったもの、そんなものがあふれる世界が作れたとの思いを抱いていた。フェイスブック社員が「世界をつなぐ」ミッションに染まっているように、インスタグラム社員は、自分たちはブランドであると信じていたと言ってもいいだろう。

インスタグラムは人と人のつながりを重視して慎重に展開してきたわけだが、そのやり方では、さすがにそろそろもたなくなりつつあった。ユーザーが増えるにつれ、小さなチームでは、ふつうのユーザーとの距離が離れざるをえないからだ。サイラスやジェンナーは氷山の一角であり、同じような心配事を抱えてはいるがインスタグラム社員に聞いてもらうなど想像もできないユーザーが何百万人もいるはずだ。計算上は、社員ひとりで150万人のユーザーに対応しなければならない。サイラスの例もジェンナーの例も、匿名によるいじめ、完璧を求めて無理をするティーン層などいずれも構造的な問題で、匿名で投稿できるようにしたとか、フォロワー数を競えるようにしたとか、インスタグラムが決めて作ってきたことから起きている問題にほかならない。

シストロムは、フェイスブックに匹敵する成功をめざしていた。同時に、インスタグラムの評判を落とすようなことはしたくない、よって立つ部分をだめにするようなことはしたくないとも考えていた。だが、成長が速すぎて、この両立は難しい。

この現実を突きつけてきたのは、マーク・ザッカーバーグである。最初は広告事業についてだった。

「いますぐインスタグラムの戦略を変えさせろ」

インスタグラムが広告を導入して6カ月ほどがたった2014年夏、インスタグラムの広告は、すべて、印刷してシストロム自身が確認していた。大手広告主は、#fromwhereirunや#nofilter

など必修ハッシュタグの使い方を学ぶとともに、焦点やバランスなど、インスタ映えする写真の撮り方もインスタグラムから学んでいた。だが、進みが遅い。遅すぎる。フェイスブックにとっては。

1年前にはビジネスモデルなど時期尚早だとブレーキをかけたザッカーバーグも、そろそろ収益という形で貢献し、買収コストをいくぶんでも回収してくれないと困ると思い始めていた。役に立つくらいインスタグラムも大きくなった、と。

フェイスブックのニュースフィードだけでは、じきに、広告スロットが足らなくなる。フェイスブックほど大きくなったネットワークはほかにないし、これからもユーザーは増えていくはずだが、ネットユーザー自体に限りがあるからだ。成長に陰りが見え始める前に、その分を補えるくらいまでインスタグラムの広告事業を育て、収益の拡大を続けたい。ザッカーバーグはそう考えていた。

だから、広告の頻度を上げる、広告主を増やすなどの対策を取れ、まずは、微に入り細を穿《うが》つ品質管理をやめろとシストロムに忠告した。フェイスブックには、クレジットカードさえあれば広告を出稿できるインフラが用意されている。ニュースフィードも広告も同じで、大事なのはパーソナライゼーションだから、だれに届けたいのかを広告主に指定してもらい、人手をほとんどかけることなく、自動的に、その相手に広告を届ければいい。フェイスブックのインフラを使いさえすれば、数十億ドル規模まであっという間だろう。1年もあれば、10億ドルくらい十分に突破できるはずだ。

一方、シストロムは、へたなやり方をすればせっかくのブランドをだめにしてしまうと考えた。

たしかに、フェイスブックの仕組みを使えばお金は入ってくるだろう。だが、そのとき、表示される広告はフェイスブックでよく見るタイプで、やぼったい言葉やクリックさせれば勝ちという言葉が並ぶものばかりとなり、インスタグラムの美的感覚ともユーザーが期待する体験ともまっこうからぶつかることになる。フェイスブックがチェックするのはクレジットカードだけで、広告主についてはなにもしないからだ。

若干の支援も得られた。何年も前、広告を増やすべきだとザッカーバーグを説得するのに苦労した広告担当バイスプレジデントのアンドリュー・ボスワースである。自分も昔は気乗りしなかったのに無理押しするのはさすがにどうよと思い、売っているものからしてまったく違うのだから、広告主としても、効果を高められる打ち合わせをするにやぶさかでないはずだと進言してくれたのだ。いまは最大のかき入れ時であるクリスマスシーズンに向けた重要な時期であり、そこで広告システムをいじるのはよくない、とも。

では、1月まで待とう。それがザッカーバーグの回答だった。年が明けると、部門ごとの目標を財務部門に示し、ウォールストリートに発表する2015年の業績予想を作るよう指示が飛んだ。インスタグラムは売上10億ドルをめざせ、だそうだ。

「あと6カ月、時間を与えてください」

ボスワースが頼んだが、ザッカーバーグは聞く耳を持たなかった。

「6カ月でなにかが変わるとは思えない。いますぐ、戦略を変えさせろ」

1枚のグラフ

シストロムは、フェイスブック幹部との打ち合わせに呼ばれ、1枚のグラフを見せられた。グラフには、インスタグラムが得ている広告収入の増え方を示す線と、ザッカーバーグが求める10億ドルに向けた急角度の線が引かれている。無理だと思うかもしれないが、心配はいらない。我々が手を貸してやるから。そういう話だった。

第14ビルの事務所に戻ると、シストロムは、エミリー・ホワイトの後任としてマーケティングを統括するエリック・アントノフなど、幹部を集めた。アントノフはフェイスブックで2010年から働いてきた古参で、フェイスブック語が堪能だし、社内政治の風を読むことにも長けていた。

「なにを言われたのかはわかってますよね？　達成しなきゃいけない数字を言われたんですからね？」

このときすでに、同じくフェイスブックからの移籍組で、収益関連を統括するジェイムス・クアールスは負け戦を戦っていた。クアールスとしては、拡大を慎重に進めたい、広告主と新たな関係を築いていきたいと考えたのに、それも果たせずにいた。できたのは「事業開発リード」を雇うところまで。あとはフェイスブックの販売部隊を訓練するマニュアルを作るくらいで、広告主とどう話を進めるのかには関知できない。拡大ペースを速めなければ、フェイスブックに従うしかない部分が広がってしまう。

最終的にはフェイスブックの仕組みから申し込まれた広告を解禁せざるをえなくなるのだが、そうなるまでの数カ月、インスタグラムでは、ピクセル表示のデジタルビルボード広告による死を免れられるシステムを作ろうと、必死の努力が行われた。

コミュニティを拝金主義の世界にはしない

考えてみれば、インスタグラムは、ユーザーが請け負って出すという形で、すでに、無審査の広告があふれている状態だった。その上前をはねる方法はないか。たとえば、ツイッターは、２０１５年２月、バインやインスタグラム、ユーチューブなどのインフルエンサーと広告主をつなぐ事業を展開しているタレント事務所、ニッチ〔Niche〕を現金と株式の総額５０００万ドル以上で買収している。[2]

いろいろと検討したが、最終的にこの道はあきらめることになった。理由は、このときも、質、である。インフルエンサー全員の人となりを把握するなど不可能だ。ということは、インフルエンサーに対しても、広告主に対しても、いい体験を保証することなどできない。広告事業の確立をめざしてはいるが、有償プロモーションのやり方をみずから増やし、インスタグラムコミュニティを拝金主義にするのは忍びないという思いもあった。

だから、ユーザーとの関係を強化することに力を注いだ。新しい人々がインスタグラムを使い、ここはいいなと思ってくれる一番の理由は、既存ユーザーだからだ。

その話をするために、まずは、インスタグラムの第１号海外社員となったハナー・レイの話を紹介しよう。ガーディアン紙でソーシャルコミュニティの運営を担当していた女性だ。彼女は、カリフォルニアの本社と同じように、インスタグラムの文化をロンドンのフェイスブック事務所に持ち込もうとした。オフホワイトの古いカウチを事務所の壁際に置く。シストロムとポーチが2013年に国立肖像画美術館を訪れたときに作ったバナーも何枚か飾った。世界各地のインスタグラマーが送ってくれる絵はがきも飾った。英国で定番のクッキーやキャンディの形をしたクッションもアーティストに作ってもらい、ソファに置いた。

レイはコミュニティチームの所属だったので、画一的なフェイスブックの机がずらりと並ぶなか、インスタグラムの祭壇を維持しようと必死だった。片隅でもいいからインスタ映えするところがなければならない、と。

そんなことをしていれば当然かもしれないが、フェイスブック営業部の幹部にも注目される存在となり、なんとも気まずい会話をすることがよくあった。いいアーティストはいないかと探していたり、大事なカメラマンに手書きで礼状を出そうとしていると、これこれこういうブランドが新製品のキャンペーンをはろうとしているのだけれど、どのインフルエンサーに声をかけたらいいだろうか、候補者の名前とメールをまとめてもらえないかと言われたりするのだ。

そういうことはしていないんですと答えても、ここは大事なクライアントで、なんとか支援すべきなんだよと引き下がってもらえない。

それでも、仲介はしないんですとしか答えようがない。

しかたがないので、こういうときは、彼女が手伝ってメディアが作り、オンラインに公開されている「〜に関するインスタグラムユーザーのトップ〜人」といったリストを送ってごまかすしかない。そうすれば、マーケティング担当が適当な人を選んで連絡を取るわけだ。

この程度でもややこしいことになる。彼女がかかわる世界は狭いので、幸運にもフェイスブックのクライアントと仕事ができたユーザーは（レイと知り合いであることが多い）、きっとレイが自分を推薦してくれたのだと思い、お礼を言ってくるし、選に漏れた人からは、次回はよろしくと頼まれたりする。みな、お金はあって困らないからだ。

意図したわけではないのに、実質、仲介をしてしまうことになるわけだ。事務所の片隅にあるインスタ映えする場所をたまたま訪れた人に大金が転がりこむことさえある。

香港でインスタミートを開くなど協力的なカメラマン、エドワード・バーニーがロンドン旅行のついでにレイのところを訪れてくれたときのことだ。例のカウチでビスケット形クッションとともに夫婦ふたりの写真を撮ってから、カメラマン仲間数人とともにパブにくり出すことになった。それから1時間もたたずに、バーニーのフォロワーが1万人以上も急増。カウチでの写真をレイが公式アカウント、@instagramに投稿したからだ。

人気が急上昇したこと、また、インスタグラムが公式に推薦したかのように見えたことからだろう、ほどなく、ウチのバッグを提供するからそれを手にした写真を撮らないかという提案がバブアーからバーニーのところに舞い込んだ。これを承諾すると、大手からも次々とオファーが舞い込むようになった。このころはインフルエンサーとはなんなのかまだよくわかっておらず、他社が信用しているところなら大丈夫だろうと考えるところが多かったのだ。そして、カートゥーンネットワークの社員にすぎないというのに、バーニーは、休みごとに旅費すべてナイキやアップルやソニーの丸がかえで、アジア各地の写真を撮る旅に出るようになっていく。信じられないほどの幸運と言わざるをえないだろう。

こういうことが起きるたび、レイは、だれかの人生を大きく変えてしまう力を持っているのだと怖くなるそうだ。

「今後は、ソファで撮った写真を公式アカウントに投稿するなど、絶対にしないことにします」

レイがバーニーに語った言葉である。

エスカレートするユーザーたち

インスタグラムが普及し、同時にフェイスブックからは成長しろ、広告を出せとプレッシャーが強まったこの時期、インスタグラム側は、自分たちは美や芸術のアプリなのだと反発が先行した。インスピレーションを得るためわざわざモロッコまで出かけて開発したフィルター5種類を公開したところだったのも、反発を強めた一因かもしれない。

実のところ、フィルター公開はユーザーが望んだものではなく、アプリの実情にそぐわないものだった。インスタグラムの公開から数年でスマホのカメラは高性能になったし、インスタグラム公式アカウントに紹介されれば劇的な効果があるのは変わらなかったが、アプリそのもののデザインや、フォロワーや承認、そして、お金を追い求めたくなるインセンティブのほうが大きな力を持つようになっていたからだ。

事実、バーニーは、レイに会う前から、コミュニティの変化に気づいていた。香港のインスタミートでいい仲間に出会ったこともあり、バーニーは、自分もインスタミートを主催し、カメラを趣味とする人々とともにアングルや光の具合などを議論しながら写真を撮り歩くようになった。そして、2013年ごろには、香港に住んでいる人にとっても初めてとなる場所にでかけていくようになった。これがすごくよかったのだそうだ。お金がもらえるとか、ただでなにかが手に入るとか、そういうこととは関係なく。[3]

2015年ごろなると、勤めをやめて写真で食べていくことにする仲間が出始める。そうなると、互いに写真を撮り合うチャンスでもあるインスタミートは、仕事の現場という側面も持つようになる。

「ぜんぶの写真に登場しようとぎらぎらしてる人が出るようになったんです」

知らない人が見る写真にタグ付けされれば、自分のフォロワーが増える可能性があると考えてのことだろう。うまく行けば、インスタグラム公式が作っているおすすめユーザーのリストにだって入れるかもしれない。

「インスタミートとか撮り歩きとかは公式が必ずチェックするし、そこからおすすめユーザーが選ばれることもあると、みんな、知っていますからね[4]」

いろいろ考えて動いているのは、熱心なユーザーだけではなかった。インスタグラムで人気の内装をまねたカフェが世界各地に続々と登場していた。裸電球をぶら下げたり、サボテンの鉢植えを飾ったり、照明を明るくしたり、壁一面を植物で覆ったり鏡にしたり、カラフルなジュースやアボカドトーストなど、目を引くメニューを前面に打ち出したりという具合だ。だが、そうやって流行の最先端を行こうとすればするほど、型にはまった無個性になっていく。空港やオフィスがどこもそっくりであるように。インスタ映えするデザインはこういうものだとの共通認識ができつつあった。そのなかで、バーニーは、２０１３年に撮った写真はいい、インスタグラムがはやる前の歴史をとらえていると感じられるから、インスタグラムで人気の見た目がはやる前の歴史をとらえていると感じられるからと思うようになっていった。

「インスタのためならとことんやる」といった言葉も聞かれるようになった。人と同じことをしていても、インスタグラムで稼ぐことはできない。だから、見晴らしのいいところやきれいなビーチにわざわざ出かけていく。これには、外に出ることや新しい場所にでかけることが増えるという側面があるが、写真に撮りたいと思うきれいな景色がゴミや人出で荒れてしまうという側面もある。たとえば、すごい写真が撮れる断崖絶壁として知られるノルウェーのトロルトゥンガを訪れる人は、２００９年の年間５００人から２０１４年には4万人まで急増したと、ナショナルジオグラフィック誌は、「インスタグラムで旅が一変」なる記事で報じている――「たしかに写真はいずれもすばらしいが、その裏には、インスタグラムで有名になった写真を自分も撮ろうと、毎朝、そこにいたる岩だらけの道にハイカーが列をなしている現実がある」[5]

２０１５年には、バーニーが知る香港のインスタグラマーが大胆すぎることを始めた。ビルや橋からぶらさがっているところを撮るのだ。そのひとり、ルシアン・ヨク・ラム（@yock7）は、夜、道路がはるか下に見える高層ビルの屋上からぶらさがる男を別の男が腕をつかんで支えている写真を投稿している。添えられているのは、#followmebroというハッシュタグのみ[6]。この写真には２５５０件のいいねがついた。命をかけた代償としてははかなすぎるのではないだろうか。

苦悩

このころのインスタグラムは、もうニッチなコミュニティではなく、多くの人にとって習慣になっていた。それでもなお、社員は、編集の力でユーザーの興味関心をある程度は誘導できると感じていた。だから、セレブによるキャンペーンでだれを取り上げるのか、ニュース記事や@instagramアカウントでだれを取り上げるのか、さらに厳しく選んでいくことにした。

取り上げるのは、刺しゅう作家やおもしろいペットなど、規範となってほしいものだ。逆に、新たに登場した不健全な流れを強めかねないものは避ける。写真としていくらすばらしくても、断崖絶壁近くに人がいる写真は取り上げない。フォロワーを増やすことに必死で、完璧なショットにしようと命を危険にさらす人まで出ていることを知っているからだ。ヨガやフィットネスのアカウントも避ける。こういう体つきが望ましいと言っているようにとらえられ、自分なんかと思わせたり、最悪、怒らせたりしたくないからだ。旅ブロガーなど、費用がかさむ体験をみせびらかすかのようなアカウントも取り上げない。

だが、なにを取り上げ、なにを無視するのか、悩んでしまうことも少なくない。たとえば#promposal。インスタ映えのする形で、プロムと呼ばれる学校のダンスパーティに誘うもので、ティーン層に人気のトレンドなのだが、これは今後も続いてほしいものと考えるべきなのか、それとも、精神的に圧力をかけるものだと考えるべきなのか。ミーム系のアカウントも問題だ。人気はすごいが、写真ではなく、タンブラーやツイッターに登場したジョークのスクリーンショットばかりだったりする。これはないと思う社員もいたが、それを言うなら、芸術性うんぬんには反するが広くはやっているものが、自撮りやビキニの写真など、たくさん存在する。

多事多難だが、インスタグラムとしては、少なくとも、だれが名をはせるのか、競争する場になってしまったという問題には対処したいと考えていた。だから、その流れにつながると思われた機能は外す。つまり、自動生成している「ポピュラー」ページをなくし、乱用されにくい「発見」ページに切り替える。また、最初は、食べ物からスケートボードまで、どのカテゴリーについても、コミュニティチームが手作業で掲載すべきアカウントを選ぶ。新たに登場したちょっとおかしなものも取り上げる。自作スライムをなでたり伸ばしたりする、石けんを彫刻する、キネティックサンドを切るなど、見ているとなぜかなごむ動画を中心に、不思議と満たされるものもまとめて提示することにしたのだ。

だが、ユーザーから見たインスタグラムは、「たくさんのフォロワーが付けば金儲けのチャンスがある」というものにどんどんなっていく。スライムだって、そのうち、ちょっと有名なスライムインフルエンサーが出てきたり、スライム会議が開かれたり、グーの動画とクロスプロモーションをしようという話になったりするに決まっているのだ。

ティーン層の嗜好を理解する

インフルエンサーを取り上げる流れなどないと見て見ぬふりをするより、その流れに乗るほうがいい――いまはインスタグラムでティーン層対応を統括するリズ・パーリィは、そう考えていた。彼女には、前職のハフィントン・ポストでティーン層を新たなところに連れて行こうとした経験もある。フェイスブックも実験的な別アプリでティーンの気を引こうとしているが、成果はあまりあがっていない。対してインスタグラムは、若者がすでにたくさん使ってくれている。

注目したのは、スケートボーダーやマインクラフトマニア、さらには、本について語る#bookstagramハッシュタグのあたりなど、若者の割合がきわめて高い部分だ。そういうところで人気の人に取材し、どのくらいの頻度で投稿しているのか、どういうコンテンツを選んでいるのか、ほかと違うことをなにかしているのかなどを表計算ソフトにまとめる。そして、トレンドらしきものに気づいたら、インスタグラムやフェイスブックのだれかに手伝ってもらい、それが本物か否かをデータで確認する。

新機能を導入するときには、デジタルファーストなティーン層インフルエンサーに伝わるよう、特に配慮した。彼らはバインやユーチューブ、インスタグラムなどで名をはせたスターで、社内の人間がまさかと思うレベルの人気者であることがデータで確認されているからだ。そういうスター、500人をリストアップし、そのひとりでもフォローしている人を数えたところ、ユーザー全体の3分の1ほどに達していたというのだ。

世の中でセレブと言われる人を生み出していく役割も果たすべきであり、スターというほどではまだないがかなりの人気者ではある人とつながりを作っておくことが大事だと、ポーチと同じくパーリィも考えた。お金を払うまでのことはできないが、そちらに向けて背中を押す、投稿していいことがあるなと思ってもらう、また、インスタグラムに親しみを感じてもらうなどの努力を裏ですることならできる。

というわけで、ホワイトハウス記者会の夕食会にアリアナ・ハフィントンのゲストとして、スナップチャットのスター、ＤＪキャレドに並び、ライフスタイルインフルエンサーのティーン、エイダン・アレクサンダー（@aidanalexander）が招かれるようにはからったりした。アレクサンダーと同じ事務所に所属するジョーダン・ダウ（@jordandoww）についても、@instagramアカウントでゲイだとカミングアウトするのを許した。その結果、彼のフォロワーは３万人も増えたし、食べるための仕事をやめて芸能人として独り立ちできるようにもなった。有名ゲーマーのメーガン・カマレナ（@strawburry17）がマーベル・コミックのコスチュームを着てマーダーミステリーゲームをする会を主催しようとしたときには、メディアに注目してもらえるようにと、@instagramアカウントで取り上げることを約束した。

そうしたティーンユーザーは、インスタグラムの新機能を公開前に使い、フィードバックを返したり、それをどう使うのかを示すなどの恩返しをする。パーリィは、そうして得た知見を新製品に関する社内会議で活用し、こうすれば若者にとって魅力的だなどの提案をするわけだ。

この戦略はうまく行き、若者にインスタグラムが広まり、人気となっていく。２０１５年には、米国ティーン層の50%が利用するほどになった。若者にとって、日々、なくてはならないものとなり、同時に、すさまじいプレッシャーを生むものとなっていく。

上昇志向のアプリ

インスタグラムは上昇志向のアプリであり、どうしても、フォロワーを増やしたり影響力を高めたりしたくなる。かっこいい暮らしや趣味の写真が次から次へと登場するので、みな、自分の暮らしも、そうした投稿ができるものにしたいと思ってしまうのだ。

旅先で外食する人は、まず、おいしく見えるか否かをインスタグラムで確認する。だから、レストラン側も、盛り付けや照明に凝るようになる。初デートの前には、お互い、相手のプロフィールを確認し、おもしろそうな趣味や体験をしている人かどうかチェックしたり、前にどういう人と付き合っていたのかをチェックしたりする。独身なら、フィードはぴかぴかにしておくのが常識だ。映画やテレビ番組のキャスティングをするときも、プロフィールを確認し、その俳優を起用したらインスタグラムのファンが見てくれそうかどうかをチェックする。アシュトン・カッチャーが予想したように、インフルエンサーでなければ俳優が務まらない世界になったのだ。

アンカーサイコロジー社のセラピスト、ジャネール・ブルによると、インスタグラムは日々の暮らしにしっかり浸透し、おもしろいと思ってもらえるアカウントにできるかどうかが不安だと相談に来る人が増えているという。親なら、インスタ映えする誕生日パーティを子どものためにしてあげられるのか心配したり（子どもが、まだ、アカウントを持つような年になっていなくても）、切ると中からキャンディが転がり出てくるケーキなど、写真写りのいいレシピを探してピンタレストを検索したりインフルエンサーアカウントを見歩いたりする。子どもが12歳の誕生日を迎える、だから、インスタグラムにいろいろ投稿できるように、パーティバスを借りて友だちと一緒にディズニーランドへ連れて行きたいと考えた人もいる。そういう話を聞くたび、それは子ども自身が親にせがんだことなのか、気になってしまうとブルは言う。

「親が考えているのは、子どものことなのでしょうか、それとも、注目を集めることなのでしょうか」

実のところ、競争になってしまっているのだ。

「本当の自分を殺してみんなに好かれる自分を演じれば演じるほど、心はすり減っていきます。みんなに望まれる自分になってしまって、本当の自分はどこかに行ってしまうのです」

だから、ときどき、ソーシャルメディアを頭から追い出す時期を作り、優先順位をリセットする必要があるとアドバイスするそうだ。

シストロムの出身校、スタンフォード大学も、キャンパスライフがインスタグラムで一変し、その件で学生が相談に来ているという。成功をつかむにはソロリティやフラタニティで人脈を得ることが不可欠だと学生は考えているが、そのソロリティやフラタニティに入るには人の目を引く写真がいるのに、それがなかなか撮れないというのだ。

「インスタグラムのプロフィールがしょぼいと、インターンもできないし、教授に注目してもらうこともできないと、みな、心配しているのです」

インスタグラムは、友だちづきあいだけでなく、職業選択にも影響するというのだ。同じような話は、世界中で起きている。

フォロワーを買う人たち

いいねやフォロワーを増やさなきゃ、というプレッシャーを和らげようと、いろいろ工夫するユーザーもいる。インスタ映えする暮らしを追うのではなく、偽装してしまうのだ。写真を加工して、肌の色を調整したり、歯を白くしたり、体をほっそりさせたりという具合に。写真にフィルター加工するように、現実もフィルター加工すると言ったらいいだろうか。

インスタグラムなら、それも簡単だ。フェイスブックは実際のアイデンティティが基本だが、インスタグラムは自分がだれなのか、明らかにする必要がない。メールアドレスか電話番号さえ用意すればアカウントが作れる。つまり、それらしいアカウントを作り、そのフォローやいいねを売ることさえ簡単にできてしまう。実際、「インスタグラムのフォロワーを増やす」などとグーグルで検索してみると、お金が儲かる人気アカウントにしてあげますよというあやしげな会社がたくさんみつかる。もちろん、お金を払えば、だ。数百ドルも払えば、フォロワーが何千人か増えるわけだ。コメントにこういうことを書いてくれと指定できたりもする。ボットなので、食べ物の写真に「きれいな方ですね～」とコメントするなど、おかしなことになる場合もある。

こうして買えるファンは本物の人ではないのがふつうだが、フォロワーの数字だけみて広告の話が舞い込むこともあるし、フォロワーが多いならとフォローする人がいるなど、一定の効果はある。ただ、ボトックスによるシワ取りみたいなもので、何カ月かは見た目を繕ってくれるが、そのうちインスタグラムが気づいて削除し、現実が戻ってきてしまう。インスタグラムは、フェイスブックのスパム検出技術を応用して、こういうおかしな行為をみつけている。コンピューターだと、数分で何百件もコメントを書くなど、人間ならありえないことをしたりするからだ。

偽フォロワーのサービスを使っていると認める人は、まずいない。実際、本人が使ったわけではないケースもある。そもそも、だれが払っているのか、わかるはずもない。インフルエンサー本人ではなく、その事務所が払っているのかもしれない。広告キャンペーンのスタッフかもしれない。ブランドの最高マーケティング責任者ということも考えられる。関係者ならだれでも、インスタグラムを使う新しい広告戦略が輝くばかりの成功を収めているかのように見せたいと思うのだから。

不正の検出アルゴリズムはまだまだのレベルにとどまっている。プロフィールの写真や書かれていることがそれっぽくて、他のアカウントに対するフォローや書き込みに不自然なところがなければ、みつけるのは難しい。人間だって、それこそティーンなどは、ボットと見まちがうほどすばやくメッセージをやりとりすることがあったりする。

インスタグラムにとっては最悪のタイミングだ。広告を出しませんかとあちこち説得しはじめたばかりなのだから。ボットが多いと思われたら、わざわざお金を払って広告を出そうと思ってもらえるはずがない。だから、２０１４年12月、インスタグラムは本格的な対策に乗りだした。技術的な準備が整ったところで、リアルな人が背後にいないと判断したアカウントをすべて、一気に削除したのだ。

ものすごい数のアカウントが消えた。ジャスティン・ビーバーはフォロワーが３５０万人も減ったし、ケンダル・ジェンナーとカイリー・ジェンナーも何十万人か失った。１９９０年代に一世を風靡《ふうび》したラッパーのメイスなど、フォロワー数が１６０万から10万まで急落してしまい、恥ずかしくなったのか、アカウントそのものを削除してしまった。

ボットは人間だと装うためたくさんのアカウントをランダムにフォローしていたことから、削除の影響はふつうのユーザーにも及んだ。フォロワー数を戻してくれ、なにもしていないのにどうして減らされなければならないのだと、苦情のツイートが世界中にあふれる。メディアが「昇天」と報じた大騒動である。[7]

山のような苦情に、今後は、少しずつ削除していくことになった。いずれにせよ、スパマーは、この程度でいなくなったりしない。ロボットの動きを人間そっくりにする、場合によっては人を大勢動員し、いいねやコメントを付けるなど、立ち回りが巧妙になっていくだけだ。

2015年には、インスタグレス［Instagress］やインスタズード［Instazood］など、完璧な素材さえ用意してもらえれば、あとはすべてやりますというサービスを提供するところまで出てくる。パスワードなども渡すことになるが、膨大な数のアカウントに対し、フォローしたりコメントを書いたりして注目を集め、みずからの人気も高めていく作業をしてくれるサービスだ。

ブルームバーグ・ビジネスウィーク誌の記者、マックス・チャフキンは、取材として、インスタグレスを試用してみた。[8] 料金は10ドル。1カ月で、「おお！」「すごい」「いいですね」など、いつどこに書いてもおかしくないコメントが7171件、いいねが2万8503件、自動処理で、彼のアカウントからあちこちに送られた。フォローバックにより、フォロワーが数千人に増加。最後は、59ドルのTシャツを着て写真を撮らないかとスポンサード投稿の話が舞い込んだという。フォローバックしてきたアカウントも自動処理だったのかもしれないが、それは神のみぞ知るである。

広告をめぐる攻防

インスタグラムは、トップアカウントに対して、そういうごまかしをすべきでないとアドバイスした。そんなやり方が長続きするはずがないからだ。山のように通知を出し、アプリを確認させるのと同じで、だんだんと信用を失ってしまう。

インスタグラムは、フェイスブックとの比較でものを考える癖がついていた。いつも、どうすれば芸術的な雰囲気を保てるのかを考え、インスタグラムらしさを探し求めてきたので、ユーザーがプレッシャーを感じる問題は二の次、三の次になってしまった。そんなことより、10億ドルという収益目標をどう達成するのか、そのほうが差し迫った問題だった。

広告の水門を開くなら、政治的にうまく立ち回らなければならない。楽な道は選べない。フェイスブックの広告システムに上乗せする形でインスタグラムの広告システムを作る責任者は、プロダクトマネージャーのアシュレイ・ユキだった。彼女もフェイスブックからの移籍組なので、どちらについても事情に通じている。彼女は、フェイスブックの広告部門と同じ別ビルにチームを置いた。協力してことにあたりたいという姿勢を見せるためだ。お互いのことがある程度わかったあと、インスタグラム側のメンバー、ハンター・ホースレイが、フェイスブックのプロダクトマネージャー、フィージー・シーモに対し、幅600ピクセル以上でなければならないと申し入れた。最低でもこの幅が必要だ、と。

「ありえない」――即答である。

フェイスブックは200ピクセル以上としていて、同じシステムで広告を受け付けるのだから、インスタグラムの分だけ要求品質を高めることなどできない。それでは自動処理の意味がない、フェイスブックにお金を払う手間やわずらわしさを減らすために自動処理にしているのだから。

「フェイスブックも条件を引き上げるというのはどうでしょう」

ホースレイは食い下がるが、

「広告ががっくり減るだろうね」

と、シーモはにべもない。

それはそうかもしれない。だが、フェイスブックでの議論には奥の手がある。データに物を言わせるのだ。試しにやってみると、品質条件を引き上げたほうが収益が増えるという結果が得られた。広告主が真剣になり、その分、払う金額が増えたのだ。こうして、条件の変更が承認された。

「正方形」問題

インスタグラムが勝った、成長と品質を両立できることもあると示せた。そう思える一件だが、インスタグラム側が譲歩せざるをえないこともあった。インスタグラムには、真四角な写真しか投稿できなかった。だが、広告の写真は、フェイスブックなど、ほかのウェブサイトでも使えるように、横長に撮るのがふつうだ。

真四角な写真は、インスタグラムへの投稿を念頭に、ｉＰｈｏｎｅにそういう写真を撮る機能が用意されたほどの特徴だ。それを変えるとは、すなわち、インスタグラムそのものを根底から変えることを意味する。インスタグラムがインスタグラムでなくなってしまう。コミュニティチームからは、そんな声が上がった。シストロムとクリーガーも、収益は上げたいが、だからと言って、原点を忘れ、広告世界に膝を屈してしまったら、インスタグラムらしさが失われてしまうと考えていた。

解決の道筋を示したのは、プロダクトマネージャーのユキである。広告主だけでなく、ユーザーも真四角という制約を問題だと考えているかもしれない。実際、友だちのなかには、ほかの形のほうがいいのか、白い空白を横長の写真の上下に入れたり縦長の左右に入れたりする人がいる。そこで、これが一般的な問題になっているか否か、チェックだけでもしてみてほしいと進言。その夜、クリーガーは、サンフランシスコへ戻るシャトルバスに揺られつつ、２０００枚の写真をランダムに選び、確認してみた。すると、なんと、20％ものユーザーが白や黒の帯で写真の形を調整していた。ユキは正しかったのだ。

古参社員のなかには、写真を長方形にするなどもってのほかだと声高に言う人もいた。だから、ユキは、シストロムを説得する方法をいろいろと用意したが、その必要はなかった。スタジアムを埋めるくらい人がいたとして、「どうして変えてくれないんだ」と全員が言っているのであれば、それは、ここにこだわっている我々のほうがまちがっているということだろうと返ってきたのだ。

長方形の写真も投稿できるようにすると、案の定、これほど明らかなニーズを満たすのにどうしてこんなに時間がかかったのかと、ベテランユーザーからメッセージが届いた。

成長担当《グロース》

なにをすべきか、少しずつはっきりしていく。広告についてフェイスブックと駆け引きをくり広げたり、トップアカウントにアピールしたりとやることが多すぎて、インスタグラムは、大事な点を見落としていた。ふつうのユーザーの体験である。インスタグラムが推奨するブランドストーリーが当てはまらない人々への配慮が足りなくなっていたのだ。

広告もそうだったが、このときも、フェイスブックに背中を小突《こづ》かれた格好だった。ユーザーを増やすための方策や追跡項目、合計20件のリストが成長チームからシストロムに渡された。ウェブサイトでできることを増やす、通知を増やすなどだ。

また、成長の担当者、ジョージ・リーを移籍させ、インスタグラムの成長担当にしろという話もあった。この仕事は、過去、担当者が何人も失敗している。アイデアを出してもそれはスパムに等しいとシストロムに反対されることが多く、腹に据えかねてやめていくのだ。リーは、文化が大きく違うところに挟まれて仕事をしなければならないのだと覚悟していた。

リーは、フェイスブック側の成長担当者にこう告げた。

「移籍したあと、リストの12項目しか実行しないと私が連絡してきたら、それは、その12項目が大事だということだし、そう判断したのはケビンじゃなくて私なんだと思ってくれ」

同じような話をシストロムにもした。

「受け取られたリストの20項目、そのくらいお安いご用だと思えるものばかりじゃないことはわかっています。でも、そのうち12項目はなんとかしないとまずいと私が申し上げたら、お願いですから、その言葉は信じてください」

インスタグラムが評判になったのはシンプルだからだ、なにかを変えるなら、改善するためでなければならず、フェイスブックが成長目標を達成するためであってはならないと釘はさしつつも、リーの移籍は認めた。

このあと、データと分析から重要なポイントが明らかとなる。完璧な人生だと見えなければならないというプレッシャーが成長の足を引っぱっていたのだ。これは、手ごわい競争相手に成長したスナップチャットにとって、とても好都合なことだった。

第9章 スナップチャット問題

「インスタグラムを使うと、だれしも、自信がなくなっていきます。みじめに感じるんです。人気を競わなきゃいけないわけですからね」[1]

——エバン・シュピーゲル（スナップチャットCEO）

撤去されたゴミ箱

フェイスブック本社は、エンジニアの生産性を第一に考えて作られている。食べ物はおいしいしすべて無料だ。いろいろな種類のカフェテリアがあるし、どのオフィスで働いていても、5分も歩けばそのどれかには行くことができる。あらかじめメニューを確認できる社員専用アプリもある。持ち帰りの容器も用意されているので、自分の机に戻って食べることもできる。小腹がすいたら、近くのマイクロキッチンを利用すればいい。シリアル、わさび豆、ドライマンゴーなど、健康的なものから不健康なものまであらゆる種類の袋詰めスナックが用意されている。冷蔵ケースには、さまざまなブランドの水（炭酸が入っているものも入っていないものも）はもちろん、ココナッツドリンクや抹茶ショットも並んでいる。キーボードをたたきながらスナックを食べ終わったときのことも考えられている。全員の足下に小さなゴミ箱が置かれているのだ。

インスタグラムの社員も、小さなゴミ箱にいたるまで、同じ特典を享受していた。だが、2015年の秋、ふと気づくと、ゴミ箱がない。広いオフィスに引っ越したとき細かなものを詰めてそのままになっていた段ボール箱も、事務所から見えないロッカー室に移されていた。フェイスブックへの入社記念日、「フェイスバーサリー」を示す数字のメタリックバルーンも捨てられていた。

そうしたのはなぜか。シストロムは社員に次のように説明した。技や美やシンプルさを大事にするのがインスタグラムであり、その事務所なら、そういった価値を体現していなければならない。フェイスバーサリーの風船は、飾るなら数日で、いまのようにしぼむまで放置するのはよくない。段ボール箱が転がっていると雑然としてしまう。ゴミがあちこちにあったのではゴミゴミしてしまうわけで、ゴミ箱は最悪。いくらなんでも、そろそろ、インスタグラムらしい事務所にしないといけない。

買収から3年間、シストロムは、本社がインスタグラムらしくないことが気になってしかたがなかった。「描速は巧遅に勝る」や「さっと動いてどんどん打ち破れ！」といったポスターが印刷されては壁に貼られる。技を愛でる文化と対極のポスターだ。2014年には、彼にしては珍しく感情を爆発させ、マイクロキッチンに貼られたポスターを破り捨てたこともある。多額の費用をものともせず、内装はやりなおした。特に、サウスパークと呼ぶ会議室は、昔の事務所に似るよう、念入りに改装した。椅子は緑色のモダンなもの、壁紙は社員の指紋が大きく印刷されたもの、アクリルのテーブルには、シストロムがメキシコのタコススタンドで撮り、初めてインスタグラムに投稿したフィアンセの足とサンダル、イヌの写真が飾られている。

そこまでしても、まるで不足だった。経営セミナーの会場になっていたアニメーションスタジオのピクサー［Pixar］社は、ディズニーの子会社だというのに、『トイ・ストーリー』や『Mr.インクレディブル』など、製作した映画のシーンを彷彿《ほうふつ》とさせるものになっていたのだ。業務を統括するマーニー・レビーンのところにクリス・ジェンナーから、キム・カーダシアンと一緒に事務所を訪ねたいと連絡があったが、来てもらってどうなるというのだろう。いまだ、フェイスブックと見分けがつかない状態なのだ。例外は、椅子や机が壁に取り付けてあり、壁を歩いているように見える写真が撮れるグラビティルームくらいだ。もっとも、ここも、おおっと思う写真は撮れるものの、実物は、フェイスブックから来る人たちが適当なことをするせいで、あちこちひび割れたりはがれたりしている。

社員は大半が移籍組ということもあり、ゴミ箱の扱いに納得しない人が多かった。実利がない。それどころか、自分たちが集中すべきもの、つまり競争に集中しにくくなる施策だと感じられたのだ。

そんなところで気取ってどうする。インスタグラムそのものについていつもあれこれ言うシストロムらしいと言えばいかにもらしいのだが。インスタグラムアプリは世界の美が並ぶ場だとの考え方は、控えめに言っても時代遅れだし、最悪、その可能性をつぶし、スナップチャットに市場シェアを持っていかれる危険のある位置づけだと言わざるをえない。オナボのデータからかなり精度よく推定できるのだが、スナップチャットにログインする人は、すでに1日1億人に達しているのだ。

そう思った社員は、インスタグラムの将来をシストロムに任せて大丈夫なのかと不安になった。社員は、20代の若者あたりがやりそうなことを始めた。まず、この件を#trashcangateや#binghaziと呼んでスキャンダルかなにかのような騒ぎにした（#binghaziというハッシュタグは、そのころ騒がれていたヒラリー・クリントンのベンガジ疑惑を念頭に置いたものである)。シストロムとクリーガーが質問に答える金曜定例の会議で、毎回、この件を尋ねるなどもした。シストロムが考えを改めないので、最後は、笑いものにするのが目的になっていたほどだ。著名人に会うため海外に出張したシストロムから荷物が届くとそれをサウスパークの外に積み上げ、みんなでくすくす笑いながら写真に撮ったりもした。ハロウィーンでゴミ箱の格好をした社員もいた。

心の底では、みんな、怒っていた。ただ、そうはなかなか言えないから、笑ってごまかしていたのだ。シストロムは、インスタグラムはこうあるべきという思いが強く、品質の基準を高くしていた。だが、部下にすれば、その基準こそ、新機能をリリースできない理由なのだ。さらに、ユーザーにとってもプレッシャーの原因になっていた。完璧な写真が求められると感じ、投稿に二の足を踏んだりするわけだ。

第3木曜ティーンの会

現実を突きつけてきたのは、ピクサーでもなければ、カーダシアン家でもなく、ティーン層だった。

調査研究を担当するプリヤ・ナヤクが中心となって毎月開いている「第3木曜ティーンの会」なるものがある。スマホを手にカウチという、ティーン層にとって一番くつろげる状態で実態を観察する会だ。ありふれたオフィスビルの一室で、カウチに並ぶティーンにナヤクが話を聞く。ナヤクの背中側にある壁は大きな鏡なのだが、実はこれがマジックミラーになっていて、隣室では、インスタグラムのプロダクトデザイナーやエンジニアがワインを飲みつつ、ティーン層の言葉に聞き入っているわけだ。

トレンドを生み出す側の若者については、リズ・パーリィがリストアップしていて、すでにかなりたくさんの意見を集めている。だが、第3木曜ティーンの会は、ワッチラボ［watchLAB］というところを通じて人を集めており、話を聞きたいと言っているのがどの会社なのかわからない。だからその分、思うことを正直に話してくれる。場合によっては、残酷なほど正直に。

ティーン層は、周りによく思ってもらうため、投稿内容を入念に調整している。暗黙のルールが山のようにあるのだ。

フォローとフォロワーの比率に気をつけ、フォロー数がフォロワー数より多くならないようにする。いいねは、付けてくれた人のリストアップが数字に変わる11件以上、欲しい。自撮りは、まずグループチャットで友だちに送り、その感想から、インスタグラムに上げても大丈夫なほどいいものかどうかを判断する。

公開したら、そこで話が終わるわけではない。一般に、写真はずっと公開することが多く、どこに旅行した、だれの結婚式に参加したなど、人生をさかのぼれるのがふつうだが、若者のなかには、学年が変わるたびに、あるいは、投稿のテーマを変えるたびに、投稿をすべて削除したりほとんど削除したり、それこそ、アカウント自体新しくしたりする人もいる。

自身でいられる場が欲しいなら、いわゆるフィンスタを用意すればいい。実際、ティーン層は、フィンスタとか偽インスタグラムなどと呼ばれるアカウントを持っていることが多い。裏アカとも呼ばれるものだが、こちらこそが、思ったとおりのことを書き、編集加工をせずに写真を公開するリアルのインスタグラムだと言える。ただし、非公開のアカウントで、仲のいい友だちしか見られない設定になっているのがふつうだ。国によっては、プライベートアカウントや鍵アカ、あるいは、スパムアカウント、捨てアカなどと呼ばれていたりする。この呼び方には、そこの投稿で自分を判断してもらいたくないという気持ちが表れているのだろう。

「マイスペースと同じ道をたどる」

２０１５年後半、フィンスタの必要性は下がっていた。投稿が短時間で消えるスナップチャットが登場し、リアルな自分やおバカな自分はそちらでさらせばよくなったからだ。朝起きた、学校の近くをうろついた、たいくつした、友だちとだべったなど、インスタグラムに投稿できるレベルになりにくい日々の出来事は、スナップチャットのストーリーに投稿すればいい。

あるティーンは、インスタグラムはマイスペースと同じ道をたどるだろうと表現した。マイスペースが全盛のころ、せいぜいが幼稚園児にしかなっていなかったはずだが、これは、いろいろわかった上での発言である。

「マイスペースと同じ道をたどる」とは、大人気となったあと、知らないうちに別のなにかに人気を奪われ、消えていくことであり、テクノロジー業界にとってこれ以上恐ろしいことはないというくらい恐ろしいことだ。しかも、マイスペースの人気を奪ったのはフェイスブックである。それもあって、フェイスブックには輝きを失うことに対する恐怖が根強くあるし、だからこそインスタグラムを買収したり、加えてスナップチャットも買収しようとしたりしてきたわけだ。

第3木曜ティーンの会で聞けるのは個人の感想なわけだが、これが正しいとするデータもあった。フィンスタなるものがあると聞いたナヤクは、どのくらいのユーザーが複数アカウントを持っているのか、データサイエンティストに何週間かせっついて確認してもらった。15％から20％、ただし、ティーン層はもっとずっと多い。また、この件についてグーグルで検索してもなにも出てこない。そこで社内向けに説明資料を用意することにした。複数アカウントは、1台のスマホを家族や友だち、複数人で使っているのだと、インスタグラムでは想定していたからだ。

ほかにも問題がみつかった。マイク・デベリンが率いる解析チームが「相互フォローの問題」に気づいたのだ。著名人やインフルエンサーを持ち上げてきたが、その弊害で、ふつうのユーザーのフィードがフォローバックしてくれない有名人の記事ばかりになってしまった。ふつうの人はプロの投稿を見るだけで、自分が投稿することはあまりない。とても気になることの写真やとてもいい写真が撮れたら投稿するが、その結果いいねが14件ついても、すぐ隣にレレ・ポンズの140万件があるのでは、取るに足らないことにしか思えなかったりする。

投稿を1日1枚以下にするのが常識となりつつあることも明らかとなった。何度も投稿してフォロワーのフィードに自分の写真をあふれさせるのは不作法だ、最悪、スパムに等しい。逆に複数投稿をするときには、そのあたりわかっているけどと断るかのように#doubleinstaというハッシュタグを付ける人まで出る状況になっていた。

インスタグラムそのものは、いまだ急速に成長していた。月間ユーザー数はツイッターよりはるかに多く、9月には4億人に到達。だが、投稿はハードルが高いことから、ユーザーひとりあたりの投稿数は減り気味だ。これが減るのは、人々の暮らしにおける重要性が落ちていることを意味するし、広告を出せるスロットも減る。トレンドを決める一番大事な層、つまり、先行指標になることが多い米国およびブラジルのティーン層においては、成長がはっきりスローダウンしつつあった。マイスペースと同じ道をたどるかどうかはともかく、フェイスブックと同じ道をたどりつつある、あの手この手で誘っても、ティーン層の一部が戻ってきてくれないプラットフォームになりつつあるのはまちがいないようだ。

研究員のひとりが、共有の障害と考えられるもの、すべてをリストアップした報告書を作り、全社一丸となって、その問題の解決に乗りだした。作戦名はパラダイムシフト。フィンスタについてはアカウントを簡単に切り替えられるようにする、#doubleinstaについては複数の写真をまとめて投稿できるようにする、などだ。シストロムは戦争になぞらえて語ることをあまりしない人なのだが、パラダイムシフトはスナップチャットとの戦いにおける上陸拠点だとでも表現すべきものだろう。

だが、ごく一部の社員は、パラダイムシフトは改革じゃなくて進化にすぎない、これで流れが変わることはないと考えていた。いろいろ変えようという気にシストロムがなったのはいいことだが、この程度ではとても足りない、もっと大胆に、もっと大がかりに変えていかなければならない。完璧でなければならないとのプレッシャーをやわらげるには、スナップチャットのストーリーと同じように、なにがしかの形で消える投稿を実現しなければならない。

インスタグラムの社員なら聞きたくない話だ。いわんやシストロムにおいてをや、である。

シストロムの変化

シストロムにしてみれば、規範が高いからこそインスタグラムは輝くのだとしか思えなかった。シストロムは、とにかく自分を高めていくのが好きなのだ。ここしばらくだけ見ても、ユーザー4億人のソーシャルネットワークを作っただけでなく、ステーキの焼き方からマラソン、インテリアデザイン、子犬の育て方まで学んでいる。経営も、コーチについて学んでいる。さらに、体を鍛えると同時にベイエリアの自然を堪能できるあらたなチャレンジにも挑もうとしていた。

ベイエリアにはサイクリストがたくさんいて、ブランド物のレーサーパンツに派手なジャージというでたちで、海が見える丘の曲がりくねった道をふっとんでいく姿をよく見る。そのほとんどはプロ選手ではなく、趣味にはまってしまった男たちだ(ごく一部、女性もいる)。ストレスばかりのテクノロジー業界でも、サイクリングはじっくり考え、緊張をほぐすのにいいと人気が高い。というわけで、ご多分に漏れずシストロムも興味を持つようになり、２０１５年末、アバブカテゴリーなるショップと出会って自転車デビューすることになった。

アバブカテゴリーはサンフランシスコの北側、サウサリートマリーナから少しのところにあるショップで、ベイエリアサイクリングのメッカとも言われるお店だ。上は何万ドルもするような高級バイクまで、ハイエンドな品揃えで世界的に知られている。シストロムにとって値段は問題にならないが、彼は、まず、そういうギアにふさわしい人間になろうとした。だから、ちょうど店に出ていたネイト・キングに、これから始める初心者なんだけど、ふさわしいバイクを選んでもらえないかと頼んだ。

こうして、シストロムは、モザイクというメーカーのロードバイクを組んでもらった。いつもはサンフランシスコの自宅に屋内保管していて、毎朝、その日にしなければならないことを考えつつペダルを回す。

そのころシストロムは、ニコール・シュッツとの結婚を控えていた。式はハロウィーンに挙げる予定で、ワイナリーになっているナパの洞窟でセミフォーマルな仮面舞踏会を開いたり、友だちの有名デザイナー、ケン・フルクにふたりの思いをビクトリア風に描いてもらったりもする。ヴォーグ誌の取材も入ることになっていた。新婚旅行はフランスだ。インスタグラムは、ザッカーバーグに背中を押され、広告導入から18カ月という記録的なスピードで10億ドルの収益を上げることに成功した。多くのことがすさまじいスピードで変わった。

インスタグラムも大きくなり、シストロムも、これからは、データについてももっと考える、コーヒーやスキーと同じようにいろいろ測ることにすると約束。そうすれば、戦略を微調整し、成果を高めていくことができる。実は、これがパラダイムシフトである。フェイスブック型のアプローチで、直感を大事にするインスタグラムの文化と相いれないものに思えたが、有用で効果的なやり方だった。

自転車については、オンラインでほかの人と競えるズイフト［Zwift］にはまった。上達度合いを測るために始め、自己ベストを更新するのが楽しくなってしまったのだ。わからないことがあるとアバブカテゴリーのネイトにメールで尋ねる。パワーメーターを買ったほうがいいのか、クラッチ機構はどうだろうという具合だ。そして、ネイトに誘われ、先輩ライダーと一緒にもっと厳しい走りをするライドにもでかけるようになった。最初は、自分はまだそんなレベルじゃないからと尻込みしたが、「新しい動詞を生み出した人がなにを言ってるんですか」と言われて参加することにした。

その動詞、「インスタする《to Instagram》」も、自転車に乗りながらシストロムが考えていたことのひとつである。彼にとってこの言葉は、大事だったり美しかったり、クリエイティブだったりで人生が輝いた瞬間をとらえることを意味する。だが、そんな人はめったにいない。彼の場合、仕事柄、美しいものやおもしろいものに囲まれている。インスタグラムユーザーのなかでもトップクラスに美しく、おもしろい人生を送っていると言っても過言ではないのだ。

７月には、タホ湖でボート遊びをした。フルクに内装を整えてもらった別荘が湖畔にあるのだ。８月には、イタリア半島そばのイルリッチョに行ったり、ポジターノでディナーを楽しんだりした。９月には、パリ・ファッションウイークに行き、ケンダル・ジェンナーとデザイナーのオリビエ・ルスタンと会食。10月には、フランス大統領のフランソワ・オランドに会い、インスタグラムのアカウントを作る手伝いをした。その数日後には、女優のレナ・ダナムとカメラマンのアニー・リーボビッツと一緒にセルフィーを撮っている。しかも、これは、公開された投稿の一部にすぎない。オランド大統領の愛犬に会ったことや、エリゼ宮殿のワインセラーで高級チョコレートの味見をしたことなど、公開していない話もたくさんあるのだ。

ティーン層と同じように、シストロムも、投稿が少なくなっていた。これはと思う写真しか投稿しないし、ずっと残しておくのはどうかと思ったものは削除してしまう。そもそも、フォロワーが100万人もいるし、どうしても会社の代表だと思われてしまうという面もある。昔とは違う。ユーザーがふらりと撮り歩きに出て、思わぬところに美をみつけていた時代ではないのだ。「インスタグラムは、食べかけのサンドイッチを投稿するような場じゃない」、なんでもありのスナップチャットとは違うのだと、シストロムは、社内に発破をかけた。品質を10段階で評価したとき、インスタグラムは、7以上のものの場なのだ。それを変えたら、なにもかもがだめになるかもしれない。パラダイムシフトを進めてはいるが、基本は、「やっちまったになるな」のままなのだ。

消える投稿

社員は、シストロムを避ける形でリスクを取った。この少し前、ブーメラン［Boomerang］という機能が浮かんだときもそうだった。連写写真を短い動画にして、再生、逆再生、再生、逆再生とくり返せるようにするものだ。切ったケーキが元に戻ったり、こぼれた水が元に戻ったりと、なんでもないことが楽しい動画になる。だが、この機能を考案したジョン・バーネットとアレックス・リーは、どうせ却下されるだろうとシストロムのところには行かず、フェイスブック主催のハッカソンに持ち込んだ。結果は入賞。シストロムは、ザッカーバーグからお祝いのメールをもらってこれを知り、この機能をインスタグラムとしてリリースすることにした。

バーネットとリーは、どうすれば、消える投稿ができなければならないとシストロムを説得できるのか、本社キャンパス内のフィルズコーヒーで相談した（余談ながら、フェイスブック社内でここだけはコーヒーにお金を払う必要がある）。ふたりともパラダイムシフトのメンバーだったが、ストーリー型機能の議論は必ず大変なことになった。

リーは、いても立ってもいられない思いだった。感謝祭のころには子どもが生まれる。育児休暇に入る前にめどが立たなければ、仕事に戻れるまでいらいらしっぱなしになってしまう。

このままではだめだ。そう思い、シストロムに直訴することにした。だから、クリーガーに頼み込んだ。オレを試合に出してくれ、というわけだ。クリーガーに決定権はないが、創業者のひとりだし、話には耳を傾けてくれる。聞き上手で、意見の対立を仲裁するのがうまいのだ。今回も、検討に値する話だと賛同してくれた。援護まではしないということだったが。

会うたび頼まれたクリーガーは、ある夜、こう言った。

「これからシストロムに電話をしてみよう。たぶん、車を運転しているところだと思う」

シストロムが出たので、リーは、ここぞとばかりに訴えた——自分も、ウィル・ベイリーもジョン・バーネットも、この機能は絶対に必要だと考えているので、就業時間外に作るのでもかまいませんから、と。だが、シストロムはすげない。

「またその話か。いいかげんにしてくれ」

方針はすでに決まっていた。考えが違うのだと認める以上の道はない。

この電話のあと、リーは気が高ぶってどうしようもなく、朝まで体育館でバスケットボールをしていた。そして、折り合いをつけることはできないかとシストロムにメールした。自分とバーネットとベイリーとときどき会い、新企画について話し合う場を用意してもらえないか、と。

返事は、少し落ち着け、だった。

10代女子のインスタグラム事情

２０１５年秋、ナショナルパブリックラジオの人気番組『ディス・アメリカン・ライフ』で、「ステータスアップデート」なる特集が放送された。友だちづきあいについて、インスタグラムでどういうプレッシャーが生まれているのか、13歳から14歳の少女３人にホストのイーラ・グラスが話を聞いたものだ。[2] この３人、ジュリア、ジェーン、エラが通う高校では、友だちが自撮りを投稿したら10分以内にコメントをつける必要がある、そうしないと友だちとしてどうなのよと言われてしまうという。

また、コメントは、「すごい。まるでモデルじゃん！」とか「憎らしいほどかわいいね～！」など、ほめまくるものにする。目がハート形の絵文字もつけることが多い。ほめられたほうも、友だちづきあいが大事なら、同じく数分のうちに、「××ちゃんのほうがかわいいじゃん」などとコメントを返す（まちがっても「ありがとう」とは返さない。自分がかわいいと認めるに等しい行為で、そんなことをしたらなにが起きるかわからない)。自撮りを投稿したら、130回から150回はいいねが付くはずだし、コメントも30件から50件はもらえるはずだ。だれがだれの写真にコメントを書いているのか、だれがだれと自撮りしているのかなど、インスタグラムにおけるやりとりこそ、交友範囲を示すものであり、高校という社会における立場を表すものであり、パーソナルブランドを表すものである。インスタグラムなしでも、いやというほどわかっていることではあるのだけれど。

番組は、次のような感じだった[3]。

ジュリア：仲良しでいたいなら、やらないと。

ジェーン：うん、がんばらないとね。

エラ：「仲良し」って大事だもん。

イーラ：みんな、仲良しな友だち、いるのかな？

エラ：うん、たくさん。

ジェーン：ミドルスクールではね。ミドルスクールでは、まじ、仲良しがたくさんいた。

エラ：うんうん。

ジェーン：そのあたり、ぜんぶはっきりわかってたもんね。でも、いまは高校に入ったばかりで、だれが仲良しなのか、よくわかんない。

イーラ：そうなんだ。ところで、仲良しってどういうことなのかな？

ジェーン：仲良しっていうのは、インスタグラムになにを書くのか、気にしてくれる子ね。

ナレーションで、グラスが説明する。このプレッシャーがあるから、なにがなんでも失敗は避けなければならない。だから、女の子同士のグループメッセージで大丈夫かどうかを確かめた上で、これはと思う自撮り写真だけを投稿する。また、同じグループメッセージで、だめな自撮りやだめなコメントのスクリーンショットを持ち寄り、なにがいけないのかを話し合ったりもする。「投稿するのは、週に2～3枚だけ。彼女たちがインスタグラムに使う時間のうち、かわいいねと言ってもらっている時間はそれほど多くありません。ほとんどは、人間関係の相関図を細かく分析し、調整することに使われています」

「ストーリー機能は入れちゃいけない」

この特集は、インスタグラム社内で大きな話題となった。そして、こういうユーザーの行動こそ、リーとバーネットが心配していたものだった。

バーネットはひげ面だが物静かなプロダクトマネージャーである。勤務評定の面談で、きみはいい人すぎる、自分のアイデアをごり押しする気概をもったほうがいいと言われたこともあり、パラダイムシフトの会議で手を挙げてストーリー的な機能の導入を訴えてみた。やはりだめで、上司からも、その話はするな、同じように考える同僚とその話をするのもやめろ、もう決まったことなのだからと言われてしまう。

年明け1月、バーネットはがまんの限界に達していた。シストロムも参加する会議があったので、じっとりと汗ばみつつも必死で勇気をかき集め、いまのパラダイムシフトではだめだ、スナップチャットに勝てないと詰め寄る。

だが、シストロムは

「ストーリー機能を入れるつもりは一切ない。入れるべきじゃない。いや、入れちゃいけない。インスタグラムユーザーの使い方に合わない」

とにべもない。

スナップチャットとインスタグラムはまるで違う、我々は我々らしいやり方を考えなければならないというわけだ。

バーネットはあきらめ、他部署に異動を願い出ることにした。ただし、その前に仲間を説得し、シストロムの目が届かない第16ビルでモックアップは作る。24時間で消えるコンテンツをどう表示するかは、ブーメランの設計を手伝ってくれたクリスティーン・チェに頼んだ。できあがったデザインは、アプリの上端にオレンジ色の小さな丸を並べ、そこに表示する、というもの。シストロムには見せるなと釘を刺して、チェは、これを、社内でデザインを共有するためのシステム、ピクセルクラウドにアップロードした。

『ゼロ・トゥ・ワン』の教訓

シストロムがストーリーのような機能の導入を避けるのには理由があった。フェイスブックがまねては失敗するをくり返していたからだ。最初は、スナップチャットの丸パクリと言えるポーク。これが大失敗したから、2013年、30億ドルの買収をスナップチャットに持ちかけざるをえなくなったというわく付きだ。その後、クリエイティブラボのスカンクワークスを立ち上げ、ティーン層を狙ったアプリをいろいろと開発したが、いずれも、数千人規模にしかならず、短命に終わっている。たとえば、しばらくすると写真が消えるスリングショット［Slingshot］もそうだった。リフ［Riff］というアプリにいたっては、メディアに取り上げられることさえほとんどなかった。

この冬には、マーク・ザッカーバーグが会社上層部に対するメモで、スマホカメラを利用するツールはフェイスブックの未来を左右するものになるはずだと訴えている。フェイスブックとしても、そのうち、時間制限付きの共有をなにがしかの形で実現しなければならないし、インスタグラムでも検討してみるべきなのではないか、と。だが、後追いがうまく行くことはめったにない。

シストロムは幹部全員に『ゼロ・トゥ・ワン』（NHK出版）を読めと勧めているのだが、2014年に出たこの本で、フェイスブックの取締役も務めるベンチャーキャピタリスト、ピーター・ティールは、「対抗心にかられると昔のチャンスがよく見えてしまい、実績のあるやり方をなりふり構わずまねてしまう」、「競争していると、ありもしないチャンスが見えてしまったりする」と述べている。

プロクター・アンド・ギャンブルの元CEO、A・G・ラフリーが書いた『P&G式「勝つために戦う」戦略』（朝日新聞出版）も、シストロムが深く読み込んだ1冊である。シストロムはシンプルであることを重視してきたが、本書のテーマに通じるものがあったからだ。

「あらゆる人をカバーしようとあれもこれもと手を広げて勝てる会社などない」

こう、ラフリーは言う。まず、どこで戦うのかを選ばなければならない。次に、そこでどう勝つのかを考えなければならない。それ以外に気を取られることなく。

偶然と言えばすごい偶然なのだが、このころちょうど、ラフリーは、スナップチャットCEO、エバン・シュピーゲルのメンターになったところだった。そして、シュピーゲルが選んだ戦場は、インスタグラムの領地だった。

分かれ道

シリコンバレーの経営者にしては珍しく、シストロムなら、アカデミー賞の授賞式に参列してもおかしくないと言えるだろう。飛び抜けて有名なインスタグラムユーザーにあいさつをしたりされたり、彼らがアプリをどう使っているのかを理解したりするのも彼の仕事である。だから、2016年には、タキシードを着込んで姉のケイトとふたり、鏡に映った白黒のセルフィーをインスタグラムに投稿してから、レッドカーペットに向かった。

シストロムの周りでは、大勢のスターがかつてないほどたくさん、インスタグラムに投稿していた。ただ、投稿内容には、おもしろくない傾向があった。詳しくは、スナップチャットに上げた舞台裏動画を見てくれとファンに呼びかけているケースが多かったのだ。

クリーガーが参列したゴールデングローブ賞の授賞式でも同じことが起きていた。広報担当やパパラッチを通じてではなく、ファンと直接つながることが大切だと彼らに教えたのはインスタグラムである。それなのに、インスタグラムは基本方針が基本方針なので、彼らが望む投稿ができない。フォロワーのフィードを独占したくない、あるいは、ずっと残る形では投稿したくないなど、スターもティーン層と同じ悩みを抱えていたのだ。

「この夜、すばらしい写真がたくさん、インスタグラムやツイッターに投稿されたが、スター中のスターの中には、華々しいオスカーの様子を新たなソーシャルメディア、スナップチャットに投稿する人もいた」とＥ！ニュースが報じるなど、[4]メディアも、新しいトレンドを報じた。ケイト・ハドソンは、スナップチャットのフェイスフィルターで遊びつつ、ヒラリー・スワンクと撮ったセルフィーを投稿。ニック・ジョナスは、授賞式後のヴァニティ・フェア・パーティでデミ・ロバートと一緒にパチリ。だが、一番くだけた雰囲気だったのは、レディー・ガガだろう。式典前にメークアップをしている様子をスナップチャットに公開したり、性暴力の被害者と舞台に上がり、「ティル・イット・ハプンズ・トゥ・ユー」を歌うのだと思うとすごく緊張すると、心の内を明かしたりしたのだ。

スナップチャットも、Ｅ！などによる授賞式の報道をにらみ、スマホだけでなくウェブからもストーリーが見られるように改修していた。シストロムが切り捨てた「食べかけのサンドイッチ」を投稿するだけの場ではなく、個人がリアリティ番組を配信できる場になったのだ。

リーやバーネットたちが言いたかったのはこういうことか。クリーガーもシストロムも、ようやく納得した。以前なら編集室の床に捨てていたコンテンツを投稿する場ができたわけだ。それも投稿できるようにしなければ、そういう人たちはいなくなってしまうかもしれない。

分かれ道に立っているんだなとシストロムは思った。こうあるべきという自分の考えを貫き、いままでと同じ道を歩くべきか、それとも、思い切って違う方に賭けるべきか。

選んだのは、賭けるほうだった。失敗すればクビになるかもしれないし、すべてをだめにしてしまうかもしれない。だが、なにもしなければ、まちがいなく命取りになる。

ティールの『ゼロ・トゥ・ワン』には、こういうときのことも書かれていた――「戦うしかないときもある。その場合、戦って勝たなければならない。パンチを打たないか、思い切り殴ってさっと終わりにするか、いずれかしか道はない」である。

急ぐ必要があった。スナップチャットとの関係からもそうだったが、時間限定で共有する機能をフェイスブックが予定しているのであれば、インスタグラムは、それより早く実現しなければならない。そうしなければ、クールであり続けることなどできない。

緊急会議

シストロムは、すぐに、プロダクト関連の幹部をサウスパークに集め、緊急会議を開いた。スクリーン上端に小さな丸がいくつかあるアプリの絵をホワイトボードに描くと、チェとバーネットがひそかに作ったコンセプトの文書を配る。みんなにとって、これはうれしい驚きだった。続いて、24時間以内に消える動画を自分のリールに投稿する機能を提供する、期限は夏の終わりだと宣言。これだ、と集まった人々は思った。リーダーがやっとやる気になってくれた、このリーダーについていこう、と。月に行くぞと宣言するジョン・F・ケネディみたいに感じたと表現する幹部もいる。その裏にどれほどの葛藤があったのかを知る人はほとんどいない。

これは、単なるコピーにならない、しっかり考えて作られた機能になると、シストロムもクリーガーも信じていた。それができる人材をそろえていたからだ。

そのひとり、ロビー・スタインは、大昔、グーグルでシストロムと一緒に働いたことがあり、インスタグラムがリリースされたときには、お祝いのメールを送ってくれた人物だ。今回、シストロムが大きく舵を切る決断をしたことを承けてチームに加わり、ユーザー同士がどうやりとりするのかを考えることになった。

シストロムの友だちで、同じくスポーツ大好きなケビン・ウェイルもチームに加わった。ジャック・ドーシーCEOのもと、ツイッターでプロダクトを統括していた人物である。ツイッターは、昔、フェイスブックを仮想敵にしていたが、このころは、著名人を勧誘したインスタグラムを一番の敵だと考えるようになっていた。ただ、レイオフがくり返されたり幹部が次々と退社したりした後で、CEOもディック・コストロからドーシーに代わるなど、体制の立て直しが進められていた。だが、肝心のドーシーは成長の陰りを逆転できる対策を打ち出せない。ウェイルとしては、転進するしかなかった。あちこちと転職の相談をしたが、そのひとつスナップチャットでは、絶対ウチに来るとシュピーゲルに思われ、一番大事にしているデザインチームにも紹介されたという。

ドーシー、ふたたび怒る

ウェイルがインスタグラムに転職し、プロダクトを統括するとのニュースは、1月末、ツイッターの翌年度目標を話し合うために開かれたエグゼクティブオフサイトで報告された。寝耳に水だったドーシーは怒った。退職するとは聞いていたが、それは疲れたからであって、競合他社に行くとは思っていなかったのだ。報告後、ウェイルは人に付き添われて建物を出ることになった。また、ドーシーは、不実だとウェイルをなじるメールを社員全員に送った。

フェイスブック本社に着いたとき、ウェイルの手元に、ツイッターで収益関連を統括するアダム・ベインからテキストメッセージとツイッターのダイレクトメッセージが届いた。友だちの縁を切る、と。オレがしたことは、そんなに人でなしだったのか。ウェイルは震えが止まらなかった。

止めてくれたのはシェリル・サンドバーグだった。

「どちらもメディア会社で、同じような仕事をしています。ABC社やCBS社で働いていて、NBC社に声をかけられたとしましょう。移籍するのは人でなしですか?」

それは違うとウェイルも納得することができた。

ドーシーは、しばらく後、怒ってすまなかったとウェイルに謝ることになる。何年も前、インスタグラムがフェイスブックに身売りしたとき、裏切られたと感じたことが根っこにあり、冷静に判断できなかったのだ。ちなみに、被害妄想なところのあるシュピーゲルは、転職先のためにウチを偵察に来たのだろうとウェイルを疑い、インスタグラムからの転職受け入れを6カ月にわたって禁じている。

この状況でウェイルにできることはひとつ——キャリアとして正しい道を選んだと証明することだった。

ローマ教皇への売り込みに成功

チャールス・ポーチの戦略により、インスタグラムは、インターネットにおけるポップカルチャーの中心地という地位をツイッターから奪えるのではないかというところまで来ることができた。だが、まだまだの部分がある。ローマ教皇だ。

ユーザーのプレッシャーを軽減するため消える投稿も選べるようにすると決めた1カ月後、ポーチとシストロムは、またも、有名人勧誘の旅に出た。ロンドンやパリと同じく今回も、ミラノ・ファッションウイークに合わせ、ヴォーグ誌のアナ・ウィンター編集長がシストロムのために、有名デザイナーを集めてディナーパーティを開いてくれることになったのだ。ミウッチャ・プラダ、シルビア・ベントゥリーニ・フェンディにその娘デルフィナ・デレトレズ・フェンディ、グッチのクリエイティブディレクターであるアレッサンドロ・ミケーレなども参加するという。

ポーチは思った。どうせイタリアに行くのなら、もっといろいろやってもいいのではないか、と。だから、首相に会うアポを取った。さらに思った。ローマ教皇にも会えないか、お願いしてみよう、と。

ポーチは、フェイスブック経由でローマ教皇への謁見を申請した。理由ならある。カトリック教会の信者数は12億人とフェイスブックのユーザー数より少ないくらいで、今後も多くの人とつながっていかなければならない。インスタグラムなら、若者に声を届けられる。

驚くことに、就任して2年の教皇フランシスコから会ってくれるとの返事が来た。

こういう場合には土産を持参するのが習わしなので、難民の窮状や環境保護など、教皇フランシスコが気にかけている問題を扱ったインスタグラムの写真をまとめ、薄いブルーの表紙を付けた本を持っていった。バチカンでは、まず、ポーチとシストロムが司祭と面談したあと、シストロムのみ、スイス衛兵に付き添われ、教皇への謁見に向かった。数分間、直接話をさせてもらえるのだ。

教皇フランシスコは熱心に話を聞き、インスタグラムの利用について側近に諮ると言ってくれた。ただし、最終的に決めるのは自分たちではないという。「わたくしにも上司がおりますから」と言って、彼は天を仰いだ。

半月ほどたって、教皇から連絡が来た。アカウントを作るという。ついては、バチカンに来てくれないかとの話もあった。36時間しかない。シストロムは、文字どおり、飛んでいった。

バチカンの報道関係者、全員が集まっていた。準備は万全。ハンドルは@franciscusと決まっているし、最初に投稿する写真も用意されていた。赤いベルベットを張った木製の祈祷台にひざまずくローマ教皇を横から写したものだ。目を閉じて前にかがみ、じっとなにかを祈っている。白いモツェッタを着て、同じく白いズケトウをかぶっている。写真に添える言葉は「祈りましょう」――行動の呼びかけだった。[5] 教皇がｉＰａｄをタップした瞬間、最初の投稿が世界に公開となった。

ローマ教皇がインスタグラムにアカウントを開設したとのニュースは世界中で報じられ、２０１６年３月に行われた最初の投稿には30万件以上ものいいねがついた。各界のトップに使ってもらうという戦略も来るところまで来たと言っていいだろう。使ってほしいセレブをリストアップしてポーチがひとりで始め、それを、腰軽く世界中を飛び回り、ミシュランの星がついたレストランでディナーとワインを楽しみながら親睦を深めるという形でシストロムがサポートして得た成果である。

この夜、シストロムは、大好物のローマ名物を堪能した。ピザだ。お店は、もちろん、じっくり調べて選んだところだ。

だれにも打ち明けていなかったが、こういうことはもうおしまいにしようとシストロムは思っていた。有名人には、もう十分すぎるくらい力を注いだ。そろそろほかの人に目を向けるべきだろう。

投稿の表示順問題

長い目で見れば、注目のアカウントにすばらしい投稿が並んでいても、毎日、友だちがなにをしているのかをアプリで確認するふつうの人々がいなければ意味がない。そんなことを考え、創業者ふたりは、大きな方向転換を決めた。社内もさることながら、社外で大騒ぎとなった決断だ。

インスタグラムは、最初からずっと、新しいものから順に表示される形だった。だがこれは、ふつうの人々にとって使い勝手の悪いものとなってしまった。人気のインスタグラマーは、少なくとも1日1枚、いいねがたくさんもらえるタイミングで投稿するのに対し、ふつうのユーザーは週に1枚も投稿しない人が多い。つまり、インフルエンサーと企業と友だちをフォローしている人は、ログインしたとき、プロ級インスタグラマーの投稿ばかりが見えて、友だちの投稿はどこにあるのかよくわからなかったりする。これは、友だちにとってよくない状況だ。いいねやコメントがもらえず、また投稿しようという意欲が湧きにくいからだ。インスタグラムにとってもよくない。ふつうの人の投稿が目に入らず、すごい写真ばかりだと、自分の写真なんか投稿してもしかたがないと思われかねないからだ。

であれば、表示の順番を変えるアルゴリズムを作ればいい。新しいものから順にではなく、友だちや家族の写真を著名人のより優先するようにすればいいのだ。

ただし、利用時間を長くすることを目的としたフェイスブックのニュースフィードのようにはしない。利用時間を評価の基準にすべきでない、その基準ではフェイスブックと同じ道を歩んでしまうとふたりは考えたのだ。フェイスブックは、クリックさせることを目的にプロが作った動画があふれ、自分が投稿する必要はないとふつうのユーザーに感じさせてしまうようになっていた。

インスタグラムでは、「投稿数」を最適化するプログラムとした。自分もたくさん投稿しようとユーザーが感じるものを優先的に表示するわけだ。

社外に詳しい説明はしなかった。フィードを改良した、いいものになったから安心してくれとしか言わなかったに等しい。会社としての公式発表でも、シストロムは、

「平均すると、投稿の約70%は見逃してしまうものです。今回の改良は、見ることのできる30%が、見る価値の高いほうから30%になるようにするものです」[6]

と語るにとどめている。

だが、フェイスブックという先例もあり、みな、アルゴリズムと言われるだけで疑いの目で見

てしまう。一人ひとりが一生懸命に選び、自分好みにしようとしてきた努力をむげにするものだとも感じられた。だから、反発がすごかった。ブラインドテストだとアルゴリズム版のほうがいいという人が多いのに、みな、それがアルゴリズムによると聞いたとたん、時系列版のほうがいいと言い出すのだ。

この改修で、ふつうのユーザーはいいねやコメントが増えたが、たくさん投稿するユーザーは成長が大きく減速したり、場合によっては止まってしまったりした。インフルエンサーも各種ブランドも、成長を前提としていたが、アルゴリズム版ではそれがなくなってしまったわけだ。代替策も用意はされているが、満足できるものではない。お金を払って広告を出す、だからだ。

シストロムは、社内に対し、アルゴリズム版のほうがいいと、まず、きみたち自身が信じなければならないと発破をかけた。そのころインスタグラムは、スナップチャットの3倍にあたる1日3億人が使うようになっていた。もっと大きく、フェイスブック並みに大きくなる可能性があるとして、

「ユーザーが10億人になるとは、ランキング型のフィードを経験したことのない人が7億人加わることを意味する」

とも。ザッカーバーグにそっくりな物言いである。

「いまのコミュニティも大事だが、まだインスタグラムを使ったことがなく、予断のない人のことも考えなければならない」

そうは言っても、これほど厳しい意見がアルゴリズムに寄せられたのでは、時間で消えるストーリー型の機能を開発するにあたり、それがどう評価されるか、心配でしかたがなかったことだ

ろう。

コードネーム「リールズ」

フィードの改修で強い反発を受けた結果、ストーリー機能の議論は、細かなところまで激しく行われるようになった。これはいいと思われなければ使ってもらえない。どうすればいいのか。スマホのカメラですでに撮ったものもストーリーズに投稿できるようにすべきなのか、それとも、アプリから改めて写真を撮るようにすべきなのか。ストーリーズはストーリーズで別個にフォローできるようにすべきなのか、それとも、写真のフォロワー全員にストーリーズが配信されるようにすべきなのか。アプリ上端の丸に表示すべきは、顔写真かコンテンツそのものの画像か。後々、広告を導入する場合（フェイスブックなのだから、いつかは広告を入れることになる）、そういうブランドにもストーリーズの丸を表示するのか。

この機能は、「リールズ」［Reels］という開発コードネームが付けられたが、みな、わかりやすくストーリーズ［Stories］と呼んでいた。

検討会は、ガラスのガレージドアでコンピューターが並ぶ会議室で行われた。名前はシャークス・アット・ワークだ。ここにシストロムらが集まり、何時間も、いろいろなアイデアをホワイトボードに描いて議論をする。基本方針は、なるべくシンプルにする、だ。スナップチャットには、画像処理でイヌ耳や虹色のゲロが付けられるフェイスマスクというツールがあるが、そういうものは用意しない。必要なら、あとで追加すればいい。

中心になって開発を進めたエンジニアとプロダクトマネージャー、ウィル・ベイリーとネーサン・シャープは事務所に缶詰状態で、1時間もかけてサンフランシスコに戻るより楽だと泊まり込むことも多かった。そんなある日、真夜中に投稿されたテストバージョンのストーリーズにはればったい目から涙を流す姿が映っていることにバーネットが気づき、インスタグラムはどうなっているのだ、少しはなんとかしてやれないのかと古巣の知り合いに連絡。その結果、インスタグラムのロゴが入った枕や毛布が支給されるようになった。また、最終的には、近くのホテルに会社持ちで泊まれるようにもなった。

試作品は、ワッチラボ経由で社外の人間に試用してもらった。研究統括のアンディ・ワーと話をしながら使ってみる様子を、隣室のシストロムらがマジックミラーを通して観察するのだ。

「どこが開発したものだと思いますか」

この質問は欠かせない。回答は、いつも、

「スナップチャットでしょう」

である。

「我々は、買うか、戦うかです」

スナップチャットをまねてさまざまな機能を作るなかで、くり返し、フェイスブックが学ばざるをえなかったことがある。世界を一変させるほどのものが作れたからといって、ほかのものがうまくできるとはかぎらない、それが、すでに大人気となっているなにかの複製品であっても、だ。逆に、スナップチャットは、フェイスブックの攻撃など、気にしなくて大丈夫だと学んだ。脅威にならないことはなはだしいので、逆に、友好関係を結ぼうとしたほどである。

スナップチャットが抱える最高の資源で、かつ、最大の問題は、エバン・シュピーゲルである。シュピーゲルは成功でのぼせてしまい、組織的な意志決定など無視し、自分の好み全開の会社にした。強情で自己中心的、わがままなワンマン経営者になったのだ。[7] 製品の試験もプロダクトマネージャーも大嫌い、データを集めて最適化するなどもってのほかと、フェイスブックを成功に導いたものはすべて嫌い。そんなだから、周りはイエスマン（と少数のイエスウーマン）ばかりになった。異論など唱えたらクビが飛ぶと思えばそうなるだろう。幹部は入れ替わりが激しい。早い段階で助けてくれ、最高執行責任者にもなったエミリー・ホワイトも、１年あまりしか持たなかった。

大人にしてくれるメンターが必要だ。学校を中退し、ごく短期間に大金持ちとなった者に耳を傾けさせられるのはふたりしかいない、同じ経験をしたマーク・ザッカーバーグとビル・ゲイツだけだと最高戦略責任者のイムラン・カーンは考えた。

とは言え、ザッカーバーグに頼むのは難しい。２０１３年、30億ドルで買収したいとしたメールをフォーブス誌に漏らされた件でシュピーゲルを恨んでいるからだ。シュピーゲルはシュピーゲルで、フェイスブックは悪だ、創造力がないと思っている。そこでとりあえず、フェイスブックの最高執行責任者、シェリル・サンドバーグに関係修復を打診したところ、フェイスブック本社で会いましょうということになった。

２０１６年夏、カーンはロサンゼルスからメンロパークに飛んだ。訪問が表沙汰にならない段取りはサンドバーグがしてくれた。ふつうと違う入り口を使うので、社員に見とがめられ、あらぬ想像をされる心配がない。そこまでしたのは、フェイスブックにはフェイスブックの思惑があったからなのかもしれない。

サンドバーグは、提携を統括するダン・ローズも呼んでいた。冒頭、広告事業は難しいという話がサンドバーグからあった。手伝えることがあったら手伝いますよ、という言葉も。カーンは、適当に話を合わせた。そしてサンドバーグが中座し、あとにカーンとローズが残った。

「まじめな話、お手伝いする方法はありますよ。会社を買わせていただければ」

ローズからの提案だ。インスタグラムと同じで、独立を保ったまま、フェイスブックのノウハウを好きなだけ活用して事業をすばやく拡大できるようになる、というのだ。

シュピーゲルが首を縦に振るはずなどないが、でも、お金は必要だ。グーグルに払うデータストレージ費用がかさみ、収益が悲惨なことになっているからだ。

「戦略的な投資をするというのはどうでしょうか」

「それはありません。我々は、買うか、戦うかです」

シストロムの知らぬ間に

そのころインスタグラムは、そんな会話など知るよしもなく、スナップチャットをたたきつぶそうとしていた。

フェイスブックは、新しいなにかをリリースする際、まずは、ユーザーのごく一部、たとえば

1%や2%に使ってもらって様子を見る。そのあと、5%に使ってもらうとか、数カ国にのみ導入するという段階を経て、世界全体に展開する。利用データは会社を支えるものであり、新機能でどう変わるのかをデータで確かめることが大事だとザッカーバーグが考えているからだ。完成とは言いがたい状態でリリースし、フィードバックに基づいて改良していくことが多いのも特徴だ。

インスタグラムはその逆を行くことにした。シンプルなバージョンになるかもしれないが、ともかく、ストーリーズは、5億人のユーザー全員にどんと提供する。「人生は一度きり《You Only Live Once》」の頭文字から、YOLOローンチと社内では呼んだ。フェイスブック的にはリスキーすぎる戦略だが、シストロムは方針を変えない。大きな変更だからこそ全員に使ってもらうべきで、そうしなければ、酸欠で失敗してしまう、と。

ストーリーズを担当したプロダクトディレクター、ロビー・スタインは、後に、このころの雰囲気は、結婚や出産など、人生の一大イベントに似ていたと語っている。まちがいなくいいことだと思うし、何カ月も前から準備も進めてきているのだが、そのときが来ればすべてが変わってしまい、後戻りはできなくなるというそこはかとない不安がつきまとうのだ。

ザッカーバーグにとっても最後のチャンスだった。カーンの来社から数カ月がたち、ストーリーズのリリースまで数日というある日、彼は、シュピーゲルに電話をかけた。

「グーグルと話をしているらしいね。相性は、まちがいなくフェイスブックのほうがいいと思うよ」

グーグルによる買収価格が高くなるように、いい値段をウチが提示する手もあるしね、と。

シュピーゲルはうまく対応した。

「グーグルと話をしてはいないんですが、もし、することになったら、そのときはご連絡することにしましょう」

買収の可能性は十分にあるということだ。だが、フェイスブックによる買収のイメージキャラクターであり、ワッツアップの買収で活躍したシストロムは、ザッカーバーグが自分にとって最大のライバルとこんな話をしていることなど、まるで知らされなかった。スナップチャットの取締役会も同じで、シュピーゲルはこの会話を報告しなかった。フェイスブックと同じくスナップチャットも、シュピーゲルら共同創業者ふたりで過半数の議決権を有しているため、ほかの取締役などいてもいなくても同じだったからだ。

ストーリーズ、リリース

ストーリーズをリリースする2016年8月のある日、チーム全員が早朝5時に集合した。ふつうなら、まだだれも出社していない時間だ。会議室のシャークス・アット・ワークで、まず、立ったまま朝飯のブリートをほおばる。もちろん、カフェテリアなど開いているはずのない時間なので、ケータリングだ。サポート役も集合し、ネーサン・シャープのコンピューターの周りは人でぎっしりになった。

「5、4、3、2、1」

チームみんなでカウントダウンし、太平洋標準時で6時ちょうど、シャープがボタンを押してストーリーズを世界に公開した。みんなが見守るなか、数字が大きくなっていく。シストロムの目を盗み、お祝い用のバーボンをコーヒーに垂らした社員もいた。インスタグラムの事務所には、高級バーボンのボトルがたくさん置かれているのだ。

フェイスブックのユースチームに移籍したバーネットも、推したものが生まれる瞬間を見にきていた。そんな彼に、シストロムが声をかけた。

「きみのインスタグラムをアンフォローして悪かった」

バーネットは投稿が多すぎたのだ。

「もう一度フォローさせてもらうよ」

セレブが続々と参入

この機能を発表するにあたり、ストーリーはスナップチャットが発明したもので、インスタグラムはそれをコピーした、だから、名前も同じなのだと語ると、シストロムはコミュニケーションチームに伝えた。フェイスブックのPR部門トップ、カリン・マルーニーには、「なんですってぇ!?」と言われたが。フェイスブックは、コピーも、ユーザーの望みをかなえる「自然な進化」だと言いつくろうのがふつうである。

いずれにせよ、そう報道されるのはまちがいないわけで、これはいい判断だった。実際、どの見出しでも、「コピー」やそれに類する言葉が使われていた。最初からコピーじゃないと言い張らなければ、批判されることもない。メールやテキストメッセージと同じように新しいコミュニケーションのやり方であり、スナップチャットが発明したからといって、ほかの会社が使ってはいけないことにならないというのがシストロムの説明だった。

全社集会では、コピーをスタートにどうやって画期的なストーリーズを作ったのかを語った。問題をどう解決すべきかを必死で議論した結果、一丸となっていい成果を挙げることができた、とも。このあと、お話に元気をもらいました、ありがとうございますとお礼を言いに来た社員もいたらしい。

ソーシャルメディアにはストーリーズに対する文句がたくさん書き込まれていたが、数字を見ると、多くの人が使っているし、その数は日を追うごとに増えていった。米国や欧州など、スナップチャットが圧倒的な市場ではしばらく苦戦したが、アンドロイドの接続が悪く、スナップチャットが使いにくいブラジルやインドでは、すぐ、大人気となった。夏の休みがそろそろ終わり、ティーン層が学校に戻ろうというタイミングでリリースしたのもよかった。

リリース前の数カ月、コミュニティチームのアンドリュー・オーウェンは、Xゲームズなど、アクション満載のイベントで、インスタグラムに動画を投稿するよう有力ユーザーに働きかけては冷たくされていた。みんな、スナップチャットを使うというのだ。インスタグラムがストーリー機能をリリースしたとき、彼は、リオ五輪で歌うジャスティン・ティンバーレイクとともにリオデジャネイロに来ていた。そして、何時間もの出番待ちにうんざりしていたとき、オーウェンは@instagramアカウントでストーリーズを使おうとした。ティンバーレイクはそのスマホを取り上げると、やはり出番待ちをしていた友だち、アリシア・キーズとおしゃべりをしながら動画を撮影。@instagramのフォロワーに流すコンテンツを作ってくれた。翌日、オーウェンは、米国の女子体操チームについて同じことをした。

コミュニティチームには、おもしろいコンテンツを、毎日、公式アカウントのストーリーズに流すようにと指示が出ていた。そうすれば、フォロワーにおもしろいものを見せられるし、新機能をどう使えばいいのか、見せることにもなる。同じくコミュニティチームのメンバー、パメラ・チェンは、ニューヨークまで行き、ニューアルバムのプロモーションを進めていたレディー・ガガにストーリーズの使い方を教えた。オーウェンは、リオのあと、フットボールチームのラムスに使い方を教えるためロサンゼルスに飛んだり、F1レースが行われるモナコに飛んだりした。翌年には、サッカーチームのレアル・マドリードとFCバルセロナにも使い方を教えに行ったし、NBAファイナルにも顔を出している。

有名人に使ってもらうのは難しくなかった。アカデミー賞授賞式でシストロムが気づいたように、すでに、舞台裏の様子をスナップチャットに投稿している人が多かったからだ。カトリック教会と同じく、成長やつながりが気になるセレブも多かった。たとえばF1のオーナーなら、若者にレースを見に来てほしいと願っているし、インスタグラムを使わなければ、ヘルメットを脱いだルイス・ハミルトンの顔などほとんど知られずに終わってしまう。5000万人ものフォロワーがいるティンバーレイクはすでに国民的な歌手だと言えるが、フォロワー1億人に達したこともある公式@instagramアカウントで取り上げられなければ、そこまでフォロワーを増やすことなどできなかったはずだ。

スターが@instagramで大々的に取り上げられると、自分も出たいとほかのセレブから声がかかったりする。スーパースターが何人もストーリーズに登場したときも、テイラー・スウィフトの事務所から、ウチも出してほしいとの連絡があったという。だから、チェンがスウィフトの自宅に出向いて愛猫と一緒の姿を動画に撮り、ストーリーズなら肩肘張らずに使えることをユーザーにそれとなく示した。

移転

ストーリーズを公開したすぐあと、インスタグラムは、親会社の影から出る意志がはっきり感じられる行動を取った。本社キャンパスのハッカースクエアを出て、いいねの大看板からバスで5分のところにある全面ガラスのビルに移ったのだ。

このビルを見たとき、業務統括のマーニー・レビーンは、ここはない、美術的な価値を重んじるインスタグラムのビジョンに合わない、#trashcangateのことを考えれば、シストロムの気に入るはずなどないと考えた。キュービクルがずらりと並んでいたのだ。だが、シストロムとクリーガーは、リフォームすればよくなると考えた。内装はすべてやり直し、壁は最低限にして白く塗り、明るい色の木製家具、植物などを配した。フェイスブックのスローガンが描かれたポスターは貼らない。そのかわり、壁には、インスタグラムのユーザーが撮った写真が並んでいる。1階では、ブルーボトルのおいしいコーヒーが飲める。正面には、大きなインスタグラムロゴが白い縁取りで描かれている。インスタグラムが領土を高らかに宣言したのは初めてのことだ。

グラビティルームはなくなったが、そのかわり、来訪者がポーズをとって記念撮影ができるジオラマがいくつも用意された。

ピンク、パープル、オレンジがグラデーションとなり、アプリの新しいロゴが思い起こされる夕焼けを背景に、プラスチックでできたブドウの房のような雲を前に、空に浮かんでいるような写真が撮れるものもある。光る惑星のような球と写真が撮れたり、星空の真ん中にいるかのような写真が撮れるジオラマもある。

与えられれば与えられるほど、多くを期待するのが人間だ。こうして欲しいという提案はあるかとレビーンは社内に問うた。そして、カフェテリアで一番インスタ映えしないひどい食べ物、つまり、バットいっぱいのポテトサラダの写真を何枚も受け取った。炭水化物とマヨネーズの塊で目の毒としかいいようがない写真だ。幹部会議でこの写真のジョークが飛び出したこともある。

眉をひそめるレビーンに、シストロムは包容力のあるところを見せた。

「まじめでなければならないけど、それだけに、こういうのも大事なんだ。社員には、シンプルさについて考えろ、技や芸について考えろ、コミュニティについて考えろ、そして、なにが大事なのか、自分なりの考えを持てと言ってるわけだよね。すごいと思う技であるかのようにサラダバーを見せたいというのなら、それはそれだろう」

そういうことか——レビーンは思った。ポイントは、ポテトじゃなくて価値なんだ。

インスタグラムがフェイスブック傘下に入って4年がたった。このあと、ニューヨークに大きな事務所を構え、そして、すべてが始まった場所、サンフランシスコにも事務所を構えることになる。

前途

シストロムは気力が充実しまくっていた。ストーリー機能の公開から2週間、心配も解消されたし、十分に休んだからだ。このころもまだサイクリングに入れ込んでいて、ネイト・キングの店からいろいろなバイクを買ってはきついライドに挑戦していた。この休みにトライしたのは、モン・ヴァントゥ。ツール・ド・フランスで魔の山とまで評されるところだ。

「これほどきつかったことはないってくらいきつかったけど、なんとか最後までがんばれたよ」

ドン・ペリニヨンのボトルを手に、愛車と一緒の写真をインスタグラムに投稿。タイムは1時間59分21秒と、世界記録の倍で上りきったという[8]。

ここまでやれば、あこがれのボームを買う資格があると彼は考えた。

豪州メーカー、ボームのチタンバイクはすごく軽く、ライディングスタイルに合わせたオーダーメイドだ。納期は2カ月ほど。色は、マルティニ・レーシングのオマージュで、赤と青のストライプにした。塗装だけで30時間もかかるそうだ。ネイト・キングも深い満足を覚えていた。ボームを買う人は、たいがい、見せびらかすことが目的なのだが、シストロムは乗りたいから買うのだとわかっていたからだ。

インスタグラムは、数十億ドルも収益が上がるようになっていたし、そのアプリは世界を変えるほどのものだし、独自の製品ビジョンと戦略もあれば、事務所も自前で持つようになった。幹部は、自分たちが見落としていたところに気づき、投稿のハードルをなくすという難しい決断もできるようになった。何カ月かかけて大きな成果を挙げることもできたので、いつの日かフェイスブックと同じくらい価値のある存在になれるのかもしれないと、社員も、思えるようになった。フェイスブック2・0として、よくよく考えて決断し、ユーザーを幸せにしていく、学ぶべきことは学び、避けるべきことは避けて、ソーシャルメディアの未来を形作っていくことができるのではないか、と。

このままユーザー10億人まで進むこともできたのかもしれない。

だが、このあとほどなく、フェイスブックに危機が訪れる。そして、インスタグラムは、だれがボスだったのかを思い知らされることになる。

第10章

共食い

「フェイスブックは、着飾らせてパーティに連れていってくれるけど、自分よりかわいく見えるのは許さない姉のような存在です」

——元インスタグラム幹部

大統領選

２０１６年10月のある日、ケビン・シストロムは、ポリシー担当のニッキー・ジャクソン・コラソにメモを送った。今晩、大統領選の資金を集めるパーティでヒラリー・クリントンに会うから説明資料が必要だ、と。

え？　ジャクソン・コラソは困った。自分がクリントンのサポーターであるのは別にいいのだが、シストロムはＣＥＯ、インスタグラムの顔である。これはきわめて微妙な問題で取り扱いに注意が必要だ。シストロムは共和党のドナルド・トランプ候補にも会うのだろうか。世界が注目していることだし、特に、フェイスブックが不偏不党の立場を取るのか否かも取り沙汰されている最中である。

実は、この少し前、インスタグラムがストーリー機能を準備していたころ、フェイスブックのニュースフィード右側に並ぶ「話題のニュース」をコントラクターが意図的に選んでいると、オンラインのテクノロジーニュースサイト、ギズモードが報じる事件があった。フェイスブックで人の手が入るのは、ここだけである。記事には、ニューヨークタイムズ紙やワシントンポスト紙は優先的に表示し、右寄りのフォックスニュースやブライトバートニュースなどは避けていると、匿名のコントラクターが語ったと書かれていた。トランプの大統領就任を阻止すべきかと社員が経営陣に問うこともおおっぴらに行われているとの記述もあった。

その気になればそのくらいの力はあると社員にもわかっている、それは恐ろしいことだと感じられる記事だった。

大騒ぎになった。火消しのため、フェイスブックは、タッカー・カールソン、デイナ・ペリーノ、グレン・ベックなど、テレビによく出る保守系政治コメンテーター16人を本社に招いてニュースフィードの作り方を公開し、偏向的な編集はしていないと説明した。また、このあと、話題のニュースも人がかかわることなく選ぶように改修し、すべてをアルゴリズムで行うようにもした。

できるかぎりの対策は講じたが、それでも、クリントンが勝ったら（しかも、このころは、クリントンが優勢だった）、フェイスブックのせいだと言われかねない。だが、保守系ユーザーにそっぽを向かれるのは困る。

そこで大統領選のあいだ、公平無私だと見てもらえるようにしようと、ユーザーが見たいと思うニュースをアルゴリズムで見せることにした。さらに、支援の広告戦略も、両陣営に提示。ただし、この戦略に同意したのはトランプ陣営のみだった。クリントン陣営は大統領選挙の経験が豊富だったからだ。

こんな状況だったわけだが、インスタグラムは独立であり、自分が不偏不党を装う必要はないというのがシストロムの考えだった。だから、一市民として自分の考えを表明するという。その夜には、クリントンとの自撮り写真をインスタグラムに投稿した。「どの候補者であれ、支持を表明する場にインスタグラムがなれればと願っている。私自身は、クリントン長官が次期大統領になってくれたらいいなと思っている。#imwithher」と、個人的に感銘を受けたことを書き添えて。

この件からも、上り調子のインスタグラムとなにかと取り沙汰されることが増えている親会社とのあいだに大きな断絶があることがよくわかる。

ジャクソン・コラソは心配していたが、シストロムのこの投稿が炎上することはなかった。インスタグラムはフェイスブックの大騒ぎと関係があると思われなかったのか、あるいは、そもそも、フェイスブックの一部だと認識されていないのか、なのだろう。政治的な議論と、有象無象の拡散とに嫌気がさしたユーザーが、フェイスブックから避難する場所としてインスタグラムを選んだりするほど別物と考えられているのだ。みな、フェイスブック傘下のアプリだと知らずにインスタグラムを使っている。シストロムとクリーガーがうまく立ち回ってきた成果である。

フェイスブックの誤算

どういうニュースが表示されるのかで問題にされたのは、バイアスもさることながら、基本的に力である。17億9000万人もユーザーがいるので、フェイスブックは、それとなく世論を左右できる力を持つようになった。ネットワークを大きくしよう、ユーザーの利用時間を長くしようとしてきただけなのに、意図せざる結果が生まれてしまったわけだ。

ツイッターに勝ちたいから、報道各社に使ってもらおうとしてきたし、実際、使ってもらえるようになった。そして、ユーザーは、そのとき一番の話題であるニュースについて語り合うようになった。このころの米国なら大統領選である。それだけのことなのに、なにを読むかを決めているのと非難ごうごうになってしまったのだ。きっちりパーソナライズされていて、それぞれが見る現実が少しずつ違っているのもまずかったのだろう。

友達のネットワークは大きいほうがユーザーにとって有益だし、ログインしてくれる時間も長くなるはずだと考え、ユーザーのソーシャルネットワークを大きくしようとフェイスブックはしてきた。これも成功した。だが、その結果、昔同僚だったというだけの人や友だちの恋人だった人など、フェイスブックがなければ縁が切れていたはずの人ともつながった状態になってしまった。そんなこんなで、投稿は昔より減っている。かわりに、ハリー・ポッターの登場人物で一番好きなのはだれかなどのクイズに答えたり、フェイスブックに教えられるものだから、縁遠い人に「誕生日おめでとう」とあいさつしたりする。選ばれやすい話題は、だれでもなにか言えるもの。たとえば、政治などとなる。

自分についての投稿をする人が減る状況で、ニュースフィードになにを表示すればいいのか。フェイスブックがひねり出した答えは、友達がなにかコメントした公開投稿、である。投稿場所がほかの媒体でもかまわない。こうすれば、わざわざシェアする手間を取らなくても大勢の目にとまるようになり、フェイスブック上で拡散しやすくなる。社内ではこれを「エッジストーリー」と呼んだ。友達の輪の端っこ、エッジ部分で起きる出来事だからだ。これもまた、政治的な議論が増える一因となった。

対してインスタグラムは、人による介入をよく行う。だが、偏向していると非難されることがない。@instagram公式アカウントで取り上げるのが、割れた腹筋ではなく、イヌやスケートボードなら、それはそれでかまわないというわけだ。フェイスブックと違って親しみやすい雰囲気であり、陶磁器やスニーカー、ネイルアートなど、興味のむくままにコンテンツを作り、楽しむことができる。しかも、インスタグラムが選んで見せてくれるまで特におもしろいとも思っていなかったものがおもしろくなったりするのだ。

フェイスブックとユーザーの関係を安っぽいものにしたのは、ハイパーリンクやニュース、拡散性、エッジストーリーなど、インスタグラムが避けてきたものだ。フェイスブックは偏向している――反保守という方向にではなく、使う時間さえ長くなるならどんなものでもユーザーに示すという方向に。また、スキャンダルは避けたい、中立に見られたい、みなが望むものを提供したいと考えてもいる。だが、政治的な会話の中心地となったフェイスブックが抱える問題の核心は、「話題のニュース」を人力で選んでいたことではない。問題は、アルゴリズムで人間性が操られていること、それをフェイスブックは見て見ぬふりをしていることだった。

フェイクニュースにハックされたフェイスブック

フェイスブック社員で、ドナルド・トランプが勝つと思った人はほとんどいなかった。投票翌日、メンロパークのキャンパスは暗い雰囲気に包まれ、片隅でひそひそ話をする人やスマホを確認する姿がそこここに見られた。勝手気ままな人物が米国リーダーの座に就《つ》く現実が直視できず、家にこもった人もいた。

なぜそうなってしまったのか。さまざまな臆測が飛び交った。一番よく語られたのは、ニュースフィードのアルゴリズムはユーザーが望むものを提示するよう作られているため、クリントン候補を悪人とする陰謀論やフェイクニュースが実は正しいのだと思わせるような記事や動画が拡散しやすかった、というものだ。

ローマ教皇がトランプ候補を推しているとか、クリントンがイスラム過激派組織ＩＳに武器を提供したとか、そんな話がアルゴリズムに乗って多くのユーザーに届けられた。選挙前３カ月間で見ると、きちんとしたニュースサイトのトップニュースを読んだ人より、フェイスブックでフェイクニュースを読んだ人が多かったほどなのだ[2]。フェイクニュースのソースは、ザ・ポリティカル・インサイダーやデンバーガーディアンなど、それらしい名前でそれらしく作っただけの急造サイトなどだ。そんなサイトでも、フェイスブックではフォントなどが同じになるので、事実確認までしっかりなされているＡＢＣニュースと同じくらい信じられるものに見えてしまう。Ａ

ＢＣと関係ないのに、ABCnews.com.coなるＵＲＬを使っているサイトもあった。

フェイスブックで広まりやすいコンテンツと言えば、心を動かすもの、特に、恐れやショック、喜びをもたらすものである。だから、報道機関は、クリックされやすい見出しを作る工夫をしてきた。だが、大統領選では、その上を行くプレイヤーが現れた。米国人の願いや恐れをかき立てる物語をでっちあげ、アルゴリズムに選ばれやすくすれば、労することなく拡散され、うまい汁が吸えると気づいたプレイヤーだ。

フェイクニュースには、必ずしもフェイクでないことがちりばめられているが、文脈がねじ曲げられていたり、読者の妄想や政治的信条を後押しする言葉がたくさん使われていたりする。これをシェアすれば、ほら、オレは正しかっただろと言えるわけだ。偏向サイト側は、フェイスブックから大勢の人が読みにくるので、広告の収入が得られる仕組みである。

ニュースフィード統括のアダム・モセリなど、まちがった情報が広がるのは問題だ、コンテンツルール違反にすべきだと、社内で警鐘を鳴らした幹部もいる。[3] だが、ポリシー担当のジョエル・カプランは、自身が保守系支持であることもあったのか、そうでなくてもややこしくなっている共和党との関係を危険にさらしかねないと反対した。扇情的な記事はトランプ陣営に味方するものが多く、それを排除すれば、フェイスブックは偏向しているとの非難がまたぞろ燃え上がる恐れがあった。

フェイスブックは「広場」か

投票翌日、社員がショックに打ちのめされていたころ、ポリシー・コミュニケーション部門のトップ、エリオット・シュレージがザッカーバーグ、シェリル・サンドバーグと相談。投票に対する影響はメディアが大げさに騒いでいるだけで、そこまで大きくはないはずだとの結論に達した。批判には次のように対応する。フェイスブックは、デジタル的に人が集まれる場所を作っているだけだ、広場のような中立地帯であり、だれでも言いたいことが言える場所、まちがったことを言えば友だちからそれは違うよと訂正が入るような場所だ、と。そして、今回の結果は、自由思想を旨とする米国市民がみずから判断したものだとする方向でメッセージを発信していく。

というわけで、選挙の2日後、ザッカーバーグは、とある会議で、「フェイクニュースはフェイスブック全体に比べればごくわずかで、それが選挙に多少なりとも影響したというのはありえないと思います」と語った。

猛烈な反発が起きた。大統領候補を市民がどう見るのかを左右できる力がニュースフィードのアルゴリズムにあると、すでに知れ渡っていたからだ。デジタル広場だというのはそうかもしれないが、そこに設置されたスピーカーから流れてくるのは、おもしろいとかこれは知っておくべきとユーザーが思うだろうとフェイスブックが判断したものであり、そこで目にするのは、これはいいとユーザーが感じるだろうとフェイスブックが判断した会社やエンターテイメントなのだ。しかも、それぞれ違ったものを見聞きしていて、隣の人にどういう広場が見えているのかわからないのに、みんなの総意として市長を選ぶ。そういう状況なのだ。

だが、ザッカーバーグは、翌日、社員との質疑応答でも同じことを語った。加えて、もっとポジティブな見方もできる、選挙結果が影響を受けたとみんなが言うのなら、フェイスブックが人々の暮らしにそれだけ食い込んでいるということだ、と。

大統領選の明暗を分けたツール

このあと、ほどなくして、トランプ陣営とクリントン陣営で対応にどういう違いがあったのかを検討した報告書を、データサイエンティストが社内に公開した。これを見ると、それまで言われていた以外にも問題があったこと、フェイスブックの影響としてはむしろこちらが大きかったであろうことがわかる。公平であろうとした結果、トランプ陣営の広告戦略を支援してしまっていたのだ。[4]

6月から11月でトランプ陣営がフェイスブックに払った広告費は4400万ドルと、クリントン陣営の2800万ドルを大きく上回っている。また、フェイスブックの指導を受けた結果、トランプ陣営は、フェイスブックのツールを使って広告のテストをくり返し、受け取り手ごとに最適化したメッセージを作り上げるというテック企業並みの運用を行っていた。

広告のバージョンは、クリントン陣営の6万6000種類に対し、「成果を最適化するフェイスブックの力をぞんぶんに活用した」（とある社員の表現）トランプ陣営は590万種類と圧倒的だった。トランプ陣営の広告は、寄付をしてくれ、リストに名前を登録してくれなど、行動を呼びかけるもので、効果をコンピューターで判断しやすくなっていた。メールアドレスも集められるようになっていた。これが大事なのだ。フェイスブックにはルックアライクオーディエンス［Lookalike Audience］というツールがあり、メールのセットをもらえれば、その人々と考え方が似た人を行動や興味関心から割り出せるからだ。

対してクリントン陣営の広告は、メールアドレスを集めるように作られていなかった。内容も、ブランドや哲学を訴えるものが多い[5]。だから、システム的に効果を測定し、改善していくことが難しい。ルックアライクツールもほとんど使われなかった。

2018年になってようやくブルームバーグが入手したこの分析を見るとわかるが、フェイスブックの広告ツールは、使い方次第で絶大な効果が得られる。パーソナライズを通じ、受け取ってもらえる相手に情報を流すフェイスブックの力を存分に活用したこともあってトランプ候補は勝利したわけだが、これは、広告主なら理想的な成果を挙げたと言える。だが、トランプ陣営の商品は、調理器具でもなければアイスランド行きの航空券でもない。大統領の地位なのだ。これでは、顧客にとって大成功だったからといって、リベラルが多い社員の気が晴れるはずもない。世界を変える、オープンにする、つなげるというのがザッカーバーグの口癖だが、そうして大きくなった結果、フェイスブックは、世界の政治を左右するほどの力を持つようになってしまったわけだ。

数日後、ペルーのリマに世界のリーダーが集まった際、バラク・オバマ大統領も、そういう話をザッカーバーグに伝えようとした。うそ偽りの拡散をコントロールする必要がある、コントロールできなければ、2020年の大統領選はもっとひどいことになると警告したのだ[6]。実はこのとき、オバマ大統領は、いかがわしいアントレプレナーが用意したメディアだけでなく、ほかにも火元があった、米国に敵対するとある大国もトランプ支援のキャンペーンを展開していたと、情報部から報告を受けていた。

退任間近のオバマ大統領に、ザッカーバーグは、そうそう起きる問題ではない、大丈夫だと請けあった。[7]

「やりくりでなんとかしろ」

インスタグラムは順調だったが、それだけに気まずいというのが正直なところだろう。選挙に対する批判をどうしたらかわせるのかフェイスブックが悩んでいるなか、シストロムは、ストーリー関連で人員を増やそうとしていた。ストーリーズは、まだシンプルな状態であるにもかかわらず、大人気になっていた。だから、フェイスマスクやステッカーなど、スナップチャットで提供されているのと同じような機能をいろいろ追加すべきだと考えたのだ。

だが、フェイスブックの最高技術責任者で上司にあたるマイク・シュロープファーにリクエストを却下されてしまう。

「やりくりでなんとかしろ。人員を増やしたいなら、まずは、厳しい選択をしているところを見せることだ」

フェイスブック自身も、24時間で消える投稿ができる機能を作っているところだった。フェイスブック用だけでなく、ワッツアップ用とメッセンジャー用も開発していて、いずれも、インスタグラムのものとは少しずつ違ったものとなる予定だった。

なぜだ？　なぜ却下する？　成功したのに報いないのはなぜだ？　インスタグラムを支援すればいいのに、なぜ、別バージョンを作るんだ？　いぶかる声があがった。バーチャルリアリティだって動画だって、人工知能だって、どこも、人材の拡充に不自由することがない。ストーリー機能のチームも、すでに、フェイスブックはインスタグラムの4倍に達している。

クリーガーとシストロムは、これは実績によるものだろうとした。インスタグラムは、昔から、ライバルより少人数でいい仕事をしてきた実績がある。そういうやり方のほうがいいというのがフェイスブックの判断なのだろう。それでも、もう何週間か、シストロムは人員確保の戦いを続け、若干の支援を受けることに成功する。だが、この件は、その後巻き起こる問題の予兆にすぎなかった。

将来への不安

そのころザッカーバーグは、大統領選挙とは関係のないことに頭を悩ませていた。彼にとっては、もっと大きな問題だ。フェイスブックの成長は続いていたが、ユーザーの使い方を見ると将来に不安が感じられるのだ。この問題は、ストーリー機能で解消できるものでもなかった。

ひとつは、ユーザーの日常にフェイスブックがどう関わるのか、だ。利用時間は平均で1日45分ほどだが、細かく分析してみると、1回平均90秒以下と細切れになっている。[8]カウチに座ってのんびり読むのではなく、バス停で待っているとき、コーヒーをもらう列に並んでいるとき、トイレに座っているときなどにちょろっとチェックすることが多いのだ。広告市場で一番うまみのあるところ、つまり、テレビに食い込みたいフェイスブックにとって、これは大きな問題だった。

ニュースフィードのアルゴリズムで動画の優先順位を高めたり、それこそ、動画のライブ配信に水を向けたりしてきた。だが、さあっとスクロールしたとき目にとまりやすいクリップがあふれるばかりだ。子犬の動画や風変わりな芸の動画があるとスクロールを止めて見るが、見たいと思って選んだものではないので広告が始まる前に見るのをやめてしまうことが多い。閲覧数が多い動画はたいがい質が悪く、拡散だけを目的にフェイスブックページをたくさん用意してリンクをはるだけのコンテンツファームが作ったか流用しているかだったりする。ユーチューブやインスタグラムには、たくさんのフォロワーを持つ有名クリエイターが生まれているが、フェイスブックにそういうクリエイターはいないに等しい。

この問題に対処するため、フェイスブックでは、一時しのぎにしかならないかもしれないが、そういうコンテンツ専用のプレミアムな場所を作り、長時間の動画（と動画広告）を見るようユーザーを仕向けることにした。質の高い動画は、テレビ番組を制作するスタジオにお金を払って作ってもらう。のちにフェイスブックウォッチ［Facebook Watch］と呼ばれるようになるこのサービスがあれば、テレビやユーチューブと戦うことができて、最初の問題を解決できるはずだ。

だが、問題はもうひとつある。ユーザーの投稿が変わってきていることだ。リンクをシェアしたりイベントを作ったりはするが、なにを思ったとかどう考えるとか、そういうことはあまり書かなくなってしまった。この流れを逆転させようとこの年、フェイスブックは、投稿するのは楽しいと思ってもらえるように、カラフルな背景やフォントで目を引くようにするオプションを追加した。懐かしいとシェアしてもらえることを願ってだろう、昔の写真をニュースフィードの上部に表示することまで始めた。投稿のネタにということなのだろうが、兄弟姉妹の日など、なんだそれと思うような記念日なども通知するにいたっては、悪あがきとさえ言えるかもしれない。

インスタグラムと同じように、消える投稿ができるようになれば、投稿がずっと残ることを心配する必要がなくなり、多少は改善されるはずだ。だが、ザッカーバーグは、例によって例のごとく、それだけで十分なのだろうかと心配でならなかった。

可処分時間の奪い合い

インスタグラムは順調で、フェイスブックもツイッターもスナップチャットもユーザーの増加速度が落ちているなかで、インスタグラムだけは逆に加速していた。こうザッカーバーグが気づいたことは、インスタグラムにとって吉兆とならなかった。

ユーザーが自由に使えるいわゆる可処分時間はかぎられている。そして、少しでも多くの可処分時間をフェイスブックに使うよう仕向けることが自分の仕事だ。そう考えると、根本的な問題は、スナップチャットやユーチューブにユーザーの時間が流れていることではないのかもしれない。フェイスブック以外にもソーシャルネットワークがあることが、フェイスブック自体が後押ししているものがあることが問題なのではないか、何年も前からそちらにユーザーの時間を取られてきているのではないか。そう、ザッカーバーグは考えた。

ザッカーバーグの疑心暗鬼

このあと、フェイスブックもストーリーのクローンを次々とリリースするが、いずれも、インスタグラムほどの成功は収められなかった。まずは、9月、「メッセンジャーデイ」[Messenger Day] という名前でメッセンジャー用の試験運用を始めた。続けて、フェイスブック本体でも1月に試用を開始。名前は、そっくりそのままストーリーズ [Storise] である。ワッツアップも、ザッカーバーグのごり押しに負け、ステータス [Status] なる名前で2月にサービスを追加した。こうして、スナップチャットのように時間で消える動画を投稿できる場所が、フェイスブック関連で4カ所もある状況が生まれてしまった。

ザッカーバーグは、ライバルをつぶすため、さまざまなことを一度に試そうとしがちだ。だが、ユーザーにとって、選択肢の多さは混乱を招くだけでうれしくない。その機能がなぜ必要なのかもよくわからないし、その機能を使える友だちがどのくらいいるのかもわからない。インスタグラムは公式アカウントでセレブの実例を見せてくれたが、そういうわくわくすることも用意されていない。

ザ・バージは、次のように報じた。

「スナップチャットからのアイデア借用でインスタグラムはうまく行ったわけだが、いつものことながら、同じことをフェイスブック本体がすると、なぜか、ちょっとピント外れで破れかぶれな行動という感じになる[9]」

ザッカーバーグは「感じ」の問題とは考えなかった。フェイスブックのチャンスをインスタグラムが奪った、そういう問題だと考えた。

だから、シストロムに会うたび、インスタグラムが成功したのはやり方がよかったからではない、先にトライしたからだとねちねちくり返した。先にトライしてさえいれば、みんな、フェイスブック側を使うようになったのではないか。そのほうが会社全体としてはいい結果だったはずだ。フェイスブックのほうがユーザー数も多ければ、広告事業も大きいのだから。

そんなことを言われるとは、シストロムは思っていなかった。だが、先にトライしたほうが、クールだと思ってもらいやすかったというのはあるかもしれない。だが、先行か否かがすべてを決めるのであれば、スナップチャットをまねても意味などないことになる。フェイスブックが防御の一環としてインスタグラムを買ったのは知っているが、それでも、得点をあげてなにがいけないというのか。成果をあげていたはずなのに、失敗してしまったかのような気分だ。フェイスブックという会社にとっての勝利より、フェイスブックというソーシャルネットワークにとっての勝利が大事だ、そちらが優先だとでも言うのだろうか。

だが、異を唱えるのは差し控えた。過去、自分より向こう見ずなリーダーが歯向かってどうなったのかを見ているからだ。特に、ワッツアップや、バーチャルリアリティのオキュラスといった買収企業がいい例だ。ザッカーバーグは、２０１４年にオキュラスを買ったあと、バーチャルリアリティ用ヘッドセットの名前をオキュラスリフトからフェイスブックリフトに変えさせようとした。だが、オキュラス共同創業者で買収後は当該部門のＣＥＯに就任したブレンダン・イリベは、フェイスブックはゲームディベロッパーに信用されていない、だから改名はしないほうがいいと反対。この件は、不愉快なやりとりを何度もして、最終的には、「オキュラスリフト・フロム・フェイスブック」と呼ぶことになる。その後も似たようなことがくり返され、２０１６年12月、ザッカーバーグはイリベをＣＥＯから降ろした。

感情的になっている人は相手にしないのが一番だ。すでに、テイラー・スウィフトの助けも得て、次なる大胆な企画が動き始めてもいることだし。

匿名ユーザーの「荒し」問題

インスタグラムはインターネットからの逃避場所、美しい物事にあふれ、暮らしに前向きになれる場所というイメージをもっと活用したい。シストロムはそう考えた。このブランドにとって最大の脅威は、何年も前にアリアナ・グランデやマイリー・サイラスが指摘したように、匿名だとひどい言葉を投げつけがちになる点である。いいかげん、バッシングに対処しなければならない。

さすがはインスタグラムと言うべきか、きっかけはセレブ対応だった。今回は、インスタグラムでトラブったポップスター、テイラー・スウィフトである（アルゴリズムでフィードの表示内容を決めるなど、各種機能の作り込みなどについては一般ユーザー優先に舵を切ったが、セレブのニーズに耳を傾ける姿勢は堅持している。そのほうがブランドにとっていい、セレブの問題は何百万人もいるそのフォロワーに影響を与えるから、というのが理由である）。彼女は投資家ジョシュア・クシュナーとその恋人でスーパーモデルのカーリー・クロスと仲がよく、その関係でシストロムとも面識があった。その彼女のアカウントは、２０１６年の夏、大騒ぎになりつつあった。ヘビの絵文字が山のように書き込まれるし、#taylorswiftisasnake《テイラーはヘビ女》というハッシュタグが付けられるのだ。

テイラー・スウィフトは、ほかのセレブふたりといさかいをしていた。ひとりは、別れたばかりのカルビン・ハリスだ。プロデューサー兼ＤＪのハリスがリアーナに書いたヒット曲、『ディス・イズ・ホワット・ユー・ケイム・フォー』を実は手伝っていたと明かしたのだ。たちまち、いたるところでこの暴露話が取り沙汰されるようになる。もちろん、ハリスにしてみれば、おもしろい話ではない。偽名は彼女が希望したことだなどと反論。そして、リアーナとハリスのファンは、スウィフトをヘビ女――ヘビのようにずるい女と呼ぶようになった。

同じころ、別件で、スウィフトは、カニエ・ウェストが２０１６年２月に発表した新曲『フェイマス』の歌詞、「テイラーとは、いまもやってていいはずなんだ。あのビッチを有名にしたのはオレだから」を批判した。ウェストの妻、キム・カーダシアン・ウェストは、7月の『カーダシアン家のお騒がせセレブライフ』で反撃。ウェストがスナップチャットでスウィフトと話をして、「やっていい」の部分に了承を取り付けている動画を公開したのだ（「あのビッチを有名にした」も問題なわけだが）。

そして、いわゆるヘビの日に、こうツイートした。「このごろは、ほんと、なんにでも記念日があるのねぇ」と。しかも、ヘビの絵文字37個付きで。これがスウィフトを指していることは明らかだ。スウィフトのインスタグラムページは、さらに多くのヘビで埋まった。

スウィフトのチームはインスタグラムと近い関係だった。昔、彼女のアカウントがハッキングされていると、チームが気づく前にパートナーシップ統括のチャールス・ポーチが知らせて以来の関係である。だから、ヘビをどうにかできないかと相談が来た。シストロムは、最初、は虫類系の嫌がらせを自動で全削除すればいいと思ったが、そんなことをすれば目立ってしまう。有名人ひとりのためだけにツールを作ることはできない、作るなら、だれにでも使えるものにしなければならないとの指摘もジャクソン・コラソからあった。

対策

インスタグラムのアカウントが匿名の荒しで困った状態にあると感じていたのは、スウィフトだけではなかった。ちょうどこの夏、シストロムとクリーガーは、インターネットの有名人がパートナー企業やスタジオとつながれる会議、ビドコンに初参加した。10代の若者も大勢、デジタルスターを一目見ようと、両親にせがんで参加する人気の会議である。開催場所は、カリフォルニア州アナハイム、ディズニーランドのすぐ近くだ。ふたりは、ディズニーランド内にあり、昔、ウォルト・ディズニーその人が住んでいたドリームスイートというマンションでアフターパーティを開いた。

そこで、「クリエイター」として知られるたくさんのスターから、自分のページもトロールの被害によくあうとの証言を得た。投稿は、みな、丹精込めて作り上げたものだ。ユーチューブに新しい動画をアップロードしたと告知するだけの投稿などではなく、スポンサーと協力すればこんなことができると各種ブランドに訴えるものなのだ。だが、ブランド側は、そこにつくコメントも投資の判断材料とする。

新たなサービスに需要があるとシストロムは確信し、絵文字やキーワードを指定すると、それを含むコメントを見えなくする機能を開発することにした。スウィフトだけではなく、だれでも使うことができる。数え切れないほどのフォロワーがいる人など、コメントをひとつずつ削除するなどとても無理なユーザーにとって福音と言える機能だった。数カ月後、開発の経緯が語られたが、そのとき、彼女自身が猛烈な荒しに悩まされていた事実は、ちゃんと伏せ、スウィフトは、インスタグラムに協力してくれた「ベータテスター」だとされていた[10]。

雰囲気がいいというイメージをもっと打ち出すべきだ、そのためにも、見たくないものはブロックできる機能を増やすべきだとシストロムは考えた。２０１６年12月には、コメント欄を閉鎖する機能も提供[11]。フェイスブックやツイッターは中立でオープンな環境にするためだとコンテンツについては放任し、環境がどうなっているのか、実際にはまず顧みないということをしてきているわけだが、シストロムはそれと対極をなす道を選んだと言える。

フェイスブックでも、昔から、コメント欄の閉鎖やキーワードによるコメントブロックといった機能を導入すべきではないのかとの意見が折々出されている。だが、そちらに進むことはなかった。コメントが減ればプッシュ通知も減り、ユーザーがまた読もうとする理由も減るからだ。インスタグラムでも、フェイスブックの移籍組から、みつけにくい機能にできるし、一度の操作でひとつの投稿しか処理できないように作れるとの提案が出された。そうすれば、実際に使われるケースが減るはずだからだ。

いろいろ考えてくれるのはありがたいが、いらぬ心配だ、がシストロムの回答だった。エンゲージメントが減ることなど心配していないし、みんなの見方は短期的にすぎる。長期的に考えれば、そういう機能がみつけやすくてしっかり広報されているほうがインスタグラムに親近感を持ってもらえて、そのころフェイスブックが悩まされつつあったようなマイナスのパブリシティを受ける事態になってもしのぎやすくなるはずだ、と。

それどころか、もっと大きなことも考えていた。「優しさ」構想だ。人手による介入を積極的にするインスタグラムなら、望みをかなえる力をもっとたくさんユーザーに与え、インターネットのユートピアになれるのではないか。シストロムは、そういう話をジャクソン・コラソとするようになっていた。

堕ちるブランドイメージ

ザッカーバーグはザッカーバーグで、世の中にフェイスブックをこう見てほしいという願いを抱いていた。フェイスブックはパワフルだが、大統領選のごたごたを見ればわかるように、そこは批判の対象となったりする。世の中にも、自分と同じ見方をしてほしい、世界を分断するツールではなく、世界に共感を生むツールと見てほしい。だから、この巨大ネットワークを人道主義的プロジェクトと定義しなおすことを考えた。

このころも、まだ、トランプが大統領選に勝ったのも、英国の国民投票で欧州連合離脱が決まったのも、フェイスブックで社会の分断が進んだ結果だとする批判がくすぶり続けていた。なかでも、イデオロギーのエコーチャンバーになっていて、自分が聞きたいと思うことしか入ってこなくなっているという批判にはがまんがならなかった。

実は、2015年に委託調査を行い、数学的に言って、フェイスブックだからエコーチャンバーになるわけではないとすでに確認していたのもある。[12] ソーシャルネットワークでは、どのような話にも参加することが可能であり、フェイスブックのような形においても、政治的な意見の異なる人々ともある程度はつながれる。その状況で、意見が違う人と言葉を交わさないという行動をユーザーが取ったら、それはフェイスブックが責めを負うべきものなのか？ アルゴリズムはユーザーの行動を反映しているだけのこと、なにが見たいのか、ユーザーが行動で示しているので、その選択を強化しているだけなのだ。

だから、フェイスブックは善の力になりうることを説明すべきだとザッカーバーグは考え、「このような時代、フェイスブックがすべきことと言えば、一番には、全員にとって有益な世界的コミュニティを作る力を人々に与える社会インフラを作ることだと思います」[13] など、6000ワードに及ぶ長文マニフェストを書くと、2017年2月、自分のフェイスブックアカウントに投稿した。このマニフェストには、インスタグラムが好んで使う「コミュニティ」という単語が130回も使われているが、では具体的になにをするのかははっきりしない。フェイスブックのせいで起きている問題がどういうものであれ、それは、フェイスブックがなにかを作って解決すると言いたいらしいことはわかるのだが。

ユーザーをもっと理解するとの約束をザッカーバーグは守ろうとした。CEOになって10年以上、どうすればフェイスブックがにぎわい続けるのかを考え、社員と会い、他社CEOと会い、世界のリーダーと会ってきた。だが、ふつうの人と交わることは少なかった。

そこで、これを新年の目標にした。ザッカーバーグは、毎年、年頭に目標をたてている。たとえばインスタグラム買収の前年、２０１１年には、肉は自分で殺したものしか食べないと宣言した。２０１６年は、自宅の雑事をしてくれる人工知能を作る、だ。そして、２０１７年には、ユーザーをもっとよく理解するため、全米50州を巡ることにした。

一緒に慈善活動をしている妻のプリシラ・チャンも同伴したりして各地の農場や工場、食堂などを巡り、目標は、一応、達成した。だが、やり方がやり方で、ふつうの人が理解できたかは疑問だと言わざるをえない。シストロムがインスタグラムユーザーと会う場合に比べると、あれもこれも事前にしっかり準備がされていて、大統領候補の遊説も顔負けだったのだ。

訪問する州を決めると、ホストをしてくれる人に、まず、重要人物——シリコンバレーの慈善家——が来るので対応をよろしくとスタッフから連絡を入れる。次に、その場所の安全性を元シークレットサービスのメンバーからなるセキュリティチームが入念にチェックする。本人は大勢に付き従われて到着する。あとでフェイスブックの本人ページに写真を投稿するなどができるように、プロカメラマンなどを帯同しているのだ。あいさつやフェイスブックへの投稿にはコミュニケーションチームの手が入っていて、必ず、心温まる逸話や人間性がかいま見える話、たわいもないギャグがちりばめられている。

全国行脚しても、ザッカーバーグの評判やフェイスブックの評判が上がることはなかった。フェイスブックでは、フェイスブックは画期的だと思うか、世界にいい影響を与えていると思うかなどのアンケートを２０１５年ごろから定期的に行っている。また、ザッカーバーグの評判と会社の評判が切っても切れない関係にあることから、ザッカーバーグについても同じようなアンケートを取っている。全国行脚しても、この数字がいいほうに変わることはなかった。それを承け、2017年春、コミュニケーションチームが開いた社外研修会では、「フェイスブックのブランドイメージは、当時、スキャンダルで揺れていたウーバーにさえ劣る」という調査結果がPRのトップ、カリン・マルーニーから示された。

シストロムの側近、エミリー・エッカートが、コミュニケーションのトップ、クリスティーナ・シャーキィにささやいた。

「インスタグラムのブランドは調査していないのかと尋ねましょうか」

まるで違う結果になっているはずで、どういう雰囲気になるかおもしろいかもと思ったのだ。

クリスティーナはにっこり笑って、首を振った。

「共食い」

ザッカーバーグが外に手を伸ばしているころ、フェイスブックのリーダーシップチームは、インスタグラム幹部と定例の製品レビューを行っていた。インスタグラムの創業者ふたりにとっては、今後の計画をフェイスブック上層部に伝え、計画の実行に必要な最低限のフィードバックと承認を得る、が基本的な目標となる。ザッカーバーグからも、こうしたほうがもっといい結果になるんじゃないかなどと一言、二言、言われることが多い。いずれにせよ、彼の承認はボックスにチェックを入れてもらうだけの形式的なものに近く、それさえもらえば、あとは、自分たちの好きにできる。

フェイスブックの傘下に入り、その資源を使えるようになっても、創業者ふたりは、インスタグラムを自分たちの会社だと思っていた。製品レビューがすごく緩かったのも一因だろう。インスタグラムにとってザッカーバーグはボスというより取締役みたいなものだと、シストロムが取材で語っていたのも、このあたりが理由なわけだ。

今回、クリーガーとシストロムは、フェイスブックに言われたとおりの成果を挙げていた。ユーザーは6億人に達していて、このままなら10億人突破も夢ではない。フェイスブックの広告関連テクノロジーを活用したこともあり、収益も10億ドル単位で上がっている。

なのに、予想外に厳しい会議となった。ザッカーバーグからも、懸念があると言われたし、「共食い」という物騒な言葉まで飛び出してくる始末だ。インスタグラムは、今後、フェイスブックを食い荒らす形で成長していくのか。フェイスブックに使われるべきユーザーの時間をインスタグラムが奪うのであれば、それを確認しておく必要がある、というのだ。

この発言を見ると、ユーザーによる選択をザッカーバーグがどう見ているのかがわかる。インスタグラムとフェイスブックのどちらを好ましいと思っているのかなど考えていない。行動など誘導すればいい。フェイスブックからインスタグラムに流しているトラフィックは正確に把握できている。フェイスブックからのリンクやプロモーションで子会社の成長をどれだけ支えているのか、はっきりわかっている。そして、インスタグラムの成長が親会社にとってマイナスになるのであれば、なにがしかの形で修正していく。そう考えているのだ。

最初にすべきなのは問題の分析である。共食いについて調べろとの指示がフェイスブック成長チームのアレックス・シュルツに飛んだ。フェイスブックとインスタグラムのデータサイエンテイスト、15人ほども使っていい、と。

ロシア疑惑とインスタグラム

２０１７年4月、グローバルコミュニティに関するザッカーバーグの言葉は、広報戦における先制攻撃の響きを帯びていた。

この月、「悪意のある者」がフェイスブックで「情報操作」しているケースがあるとの調査報告書が出された。だれと特定はされていないが、偽のアイデンティティでアカウントを作り、リアルな人々と友達になって誤情報を広げ、世論をねじ曲げようとしている者がいる、オバマ大統領（当時）から警告されたように、うさんくさいアントレプレナーだけでなく、海外の組織も、フェイスブックのアルゴリズムを悪用してフェイクニュースを流しているというのだ。

これは、トランプ陣営をロシアが支援したのではないか、ローマ教皇がトランプ支持を表明したとか、クリントン候補がイスラム過激派組織ＩＳを支援しているとかのウソがあれほど広まったのもそのせいなのではないかという政治的な疑惑を深める発見だ。フェイスブックもロシアの計画に組み込まれていたのではないか。ロシアがトランプ候補を勝たせようと画策したのではないか。

はっきりしたことは言えないというのがフェイスブックが取った立場だった。ロシアだろうとは思っても、たくさんのユーザーがいる国の政府を名指しで批判するのは難しい。万が一にもまちがっていたら大変だ。そのようなわけで「選挙関連でロシアがフェイスブックの広告を買ったという証拠はつかめていない」と7月にCNNの取材に答えるなど[14]、ロシアのお金が絡むことはなかったと断言していた。

トランプ勝利の裏にロシアの力があったとしたい民主党には、おもしろくない事態だ。そこで陰に陽にフェイスブックをつつき、9月、ロシアがプロパガンダを推し進めたこと、さらに、そのために広告も購入していたことを認めさせた。クレジットカードさえあればだれでも簡単に広告が買えるシステムになっていることもあり、海外系フェイクユーザーからの広告収入は10万ドル以上にのぼったらしい。

議会で公聴会が開かれたり、まちがいないという話や謝罪がくり返されたり、さらには、新たな発見が報じられたりすっぱ抜きがあったりと、大騒ぎになった。ツイッターとユーチューブも、同じように、大統領選がらみでロシアによるプロパガンダがあったと報告。一方、インスタグラムは、買収の思わぬ副作用を享受していた。巨大なフェイスブックの支援を受けているにもかかわらず、ある意味それに伴う恨みつらみについては、そう言えばそんなところもあったねという扱いにしかならないのだ。

2017年11月1日、フェイスブック法務担当役員のコリン・ストレッチは、グーグル、ツイッターの弁護士とともに上院情報問題特別委員会で証言し、大統領選に対するロシアの影響について、大きな問題となる数字を公表した。ロシア関連のアカウントによる投稿は8万件以上。一部は広告による拡散も行われた。これにより、移民、銃規制、ゲイの権利、人種などの問題が紛糾した。ロシアの目的は、米国の各種圧力団体に浸透し、彼らを怒らせることだった。このような投稿は広く拡散し、1億2600万人もの米国人に届いた。

その後の審問では、とある上院議員からインスタグラムについて尋ねられた。インスタグラムのデータは不完全だがと前置きした上で、ストレッチは、ロシア関連のインスタグラム投稿は1600万人ほどに届いたのではないかと回答。[15]この数字は、後に、2000万人に改訂されている。つまり、ロシアがフェイスブック関連で展開したキャンペーンの影響を受けた米国人は、1億5000万人ほどにも上った計算となる。ともかく、この質疑におけるインスタグラムも、ついでのような取り扱いだった。

この問題は長引き、ザッカーバーグやサンドバーグはもちろん、フェイスブックアプリのトップ、クリス・コックスや、最高技術責任者のシュロープファー、ポリシー統括のモニカ・ビッカートなどの幹部も各国政府に呼ばれ、公開の場で、会社を代表して証言をしなければならなくなる。ツイッターのジャック・ドーシーCEOやグーグルのサンダー・ピチャイCEOも、だ。

だが、シストロムに証言しろという話は来なかった。報道されるのは、あいかわらず、インターネットユートピアを作るという夢についてであり、彼ひとりは、他人の気持ちがわかる人物として描かれていた。

フェイスブック傘下に入ったことで大きな問題も抱えたわけだが、同時に、批判を受けずにすむようにもなっていたわけだ。インスタグラムの広告は、ロシアからのものも含め、すべて、フェイスブックのセルフサービスシステムで管理されている。規約を守ったコンテンツになっているか否かは、インスタグラムも含め、フェイスブックの業務チームがチェックする。頼まれればジャクソン・コラソなどが手伝うこともあるが、インスタグラムにとっては、基本的に、知らぬが花の状態になっているのだ。

データではわからないこと

大統領選のとばっちり対応でフェイスブックが忙しくしていたころ、シストロムは、分析に頭を悩ませていた。フェイスブックはデータ至上主義だが、データさえあればユーザーの行動についてすべてがわかるわけではない。なにをしているのかはわかっても、なぜそうするのかは、必ずしもわからない。

たとえば、スペインでは、なぜか、インスタグラムのストーリーズがリリース直後から大人気だったたが、その理由は、コミュニティチームの欧州メンバーに尋ねるまでわからなかった。若者が仲間内の遊びに使っていたのだ。まず、だれかが友達にダイレクトメッセージで番号を送る。もらったほうは、その番号を使い、「12番はとってもかわいい」など、送ってきた友達をどう思っているのかをストーリーズに書く、という具合に。

インドネシアでは、たくさんの人が写真を公開しては削除をくり返していると分析で判明し、大規模なスパム活動が疑われたこともある。だが、よくよく調べてみると、単に、オンラインショッピングに使われていただけだった。商品の写真を公開し、売れると削除していただけだったのだ[16]。

1分あたりのコメント数が多すぎるアカウントを自動的に止めるスパムフィルターが、ティーン層をブロックしてしまったこともある。友だちとチャットのようにやりとりをするので、ティーン層は、スパム対策として自動停止機能を作ったとき想定したより高い頻度でコメントを書くのだ。

こういう事例から、シストロムは、数字だけからわかることには限界があると考えたし、それもあって、ユーザーと直接会ったり調査をしたりに力を入れてきたわけだ。そして、今回、インスタグラムがフェイスブックを食っていると統計的に言えるのではないかと疑われるようになったので、今後は、将来予測の精度を上げていこうと考えるようになった。

まず、どういうことが予測に影響するのかを理解しようと、本を山のように読んだり、インスタグラムで分析を統括するマイク・デベリンに話を聞いたりした。そんなある晩、彼がデベリンに送ったメッセージには、２０１７年後半、インスタグラムの利用時間はひとり平均1日28分ほどになると思うと書かれていた。

悪くない推測だ――デベリンは思った。学生向けの講義で予測手法を教えているのなら、今回の件はなかなかにいい宿題だろうし、こういう回答をもらったらかなりいい点数をつけるだろう。自分たちはもっと細かい分析をしているが、その結果も、大きく違っているわけではない。

シストロムは、デベリンの仕事を取ろうとしていたわけではない。ただ、自転車を学びはじめたときと同じ姿勢で分析に向き合っていただけだ。過程までしっかり理解したい、次になにが起きたとしても、それを正しく分析できるレベルまで理解しておきたいと思ったのだ。

パイの奪い合いか、パイの拡大か

フェイスブックが創業以来というほど難しい舵取りをしなければならなくなった年の終わり、

フェイスブックとインスタグラムの関係もおかしくなりつつあった。親会社はすごくパワフルで、子会社がそれなりの規模になれるよう支援してきたが、今後も頂点に君臨できるのか、心配になってきてしまった。その親会社に対し、インスタグラムはなにを返せばいいのか。

会社の一部という形の会社として、今後も成功していくことが恩返しになるとシストロムは考えていた。インスタグラムが成功していれば、仮に、いろいろな問題がフェイスブックに降りかかる状況が今後続いたとしても、友だちや家族の近況を確認できるネットワークが存在していて、それがどんどん成長していることになる。フェイスブック存続の鍵をインスタグラムが握る日だって来るかもしれない。それこそ、インスタグラムがプラットフォームの中核になる日だって来るかもしれない。この年も、手ごわいライバルを蹴散らす実績を挙げている。スナップチャットを提供するスナップ社が3月に株式を公開したが、インスタグラムがストーリー機能をリリースすると、太刀打ちが難しいのではないかと懸念され、株価が半値ほどまで大きく下がったのだ。

ザッカーバーグの見方は違っていた。フェイスブック自体が順調でなければ、それは、脅《おびや》かされていることを意味する。自業自得ではあるのだが、フェイスブックは世間から疑いの目を向けられ、かつてないほどあれもこれもつつかれる状況に陥っていた。ここまでインスタグラムには自由と支援を与えてきたのだから、そろそろその恩を返してもらっていいはずだ。

シュルツが出した共食いの調査報告書も、ザッカーバーグとシストロムはまったく違う読み方をした。

ザッカーバーグはこう読んだ。インスタグラムはフェイスブックの君臨に対する脅威になるだろう、半年もしたら共食いが始まるはずだ。このあと何年もインスタグラムが成長を続け、フェイスブックからユーザーの時間を奪っていけば、フェイスブックの成長率はゼロになりうるし、ユーザー数が減る可能性さえあることがグラフで示されている。ユーザーひとりあたりの収益はフェイスブックのほうがはるかに大きいので、フェイスブックからインスタグラムにユーザーが移れば移るほど、収益力も低下する。

シストロムは別の読み方をした。フェイスブックのパイをインスタグラムが奪うという話ではない。パイ全体が大きくなるという話だ。そう、月曜朝のリーダーシップ会議で主張した。そもそも、インスタグラム対フェイスブックという話ではない。フェイスブックが持つあれこれすべて対フェイスブック以外に存在する選択肢、つまり、テレビを見たりスナップチャットを使ったり、眠ったりなどの選択肢、なのだ。

インスタグラムへのリンクを外す

ふたりの議論を聞き、ほかの人々は、みんな、わけがわからなくなっていた。マークは、自分がインスタグラムのオーナーであることを忘れたのだろうか。また、ライバルが機をつかむ前に自分たちが変わらなければならない、どう変わるのかはデータをもとに決めなければならないと言い続けてきたのに、なぜ、いま、そんなことを言うのか。新入社員に配られる小冊子でも、「いまのフェイスブックをたたきのめすようなものを作れ。我々が作らなければ、どこぞのだれかが作ってしまう」と訴えているというのに？

だが、フェイスブックはザッカーバーグが生みの親でCEOである。そして、彼は、感情に曇った目でデータを読んでいた。

２０１７年末、彼が下した命令は、ごく小さなもので、そのことに気づいたユーザーはほとんどいなかったのではないだろうか。

フェイスブックにユーザーを誘導するリンクを目立つ形でインスタグラムアプリに組み込め、である。

同時に、フェイスブックニュースフィードの横、グループやイベントなど、各種機能へのショートカットが並ぶところから、インスタグラムへのリンクを取り除いた。

第11章

他のフェイクニュース

「昔、インターネットは人間性を映しているんだと言われていましたが、最近は、人間性がインターネットを映すようになってしまいました」[1]

——アシュトン・カッチャー（俳優）

大混乱

２０１６年６月、フィードの表示順がアルゴリズムで決まるようになると、戦略を根本的に考え直さなければインスタグラムをプロモーションに使うのは難しいとの認識が広がっていった。新着順ではなく、ユーザーと関係の深いものから順に表示されるようになったので、頻繁に投稿すればフォロワーが増えるという単純な話ではなくなったのだ。

インスタグラムを使った事業を進めていたら、急に上司が代わり、勤務評定を引き下げられたのだけれど、なぜそうなったのかまるでわからない――そんな状況だと言ったらいいだろうか。戦略を変えられずに消えていった人がいる。成長をめざしてがんばってきたのに、インスタグラムのせいで、成果が手にできなくなったと非難の声をあげた人もいる。デジタル世界のアカウントにすぎないが、現実の仕事や事業を支えるものだから、必死になるのも当たり前だ。インスタグラムから生まれ、有名になった企業のひとつ、歩ける寝袋で知られるアウトドアグッズのポーラー［Poler］社（#campvibes #vanlife #blessed）のように、成長目標を達成できず、破産に追いこまれたところもある。

この手のサービスではよくある話なのだが、インスタグラムも、事業者が不明点を問い合わせたり苦情を申し入れたりできる顧客サービス番号を用意していなかった。だから、みな、ルールが変わると、それを自分なりに理解しようとしたり、フォロワーの動きからなにがどうなっているのかを調べようとしたりした。アルゴリズム型については、どうも、フォロワーがすぐ話題にした投稿が優先的に表示される、ハートやにっこり笑顔の絵文字ひとつではなく、文章でコメントを書いたものが優先されるということのようだ。

大混乱のなかで、人気のユーザーは有利な立場にいた。米国を中心に、セレブや有力インフルエンサーはチャールス・ポーチのパートナーシップチームとつながっていたからだ。対応が特に手厚かったのは、上位25アカウントの五つを持つカーダシアン＝ジェンナー家だ。アルゴリズム型となって1年近くがたった2017年5月、キム・カーダシアン・ウェストは、アリアナ・グランデ、セレーナ・ゴメス、ビヨンセ・ノウルズ＝カーター、サッカー選手のクリスティアーノ・ロナウドに続く5人目としてインスタグラムフォロワー1億人突破を果たしている。カーダシアン家が望んでも表示アルゴリズムが元に戻ることはなかったが、ほかの面については要請が通ったということなのだろう。

カーダシアン家は、新製品の発表や日常生活の出来事など大きなニュースと言えることを、毎日、一定のスケジュールで投稿する。そして、お互いの写真に、家族らしいコメントを書く。そうすると、元の投稿が重要でランキングを高めるべきだとアルゴリズムに信号を送ることもできる。ただ、ここには、人知れぬ苦労がある。インスタグラム有名人のところは書き込みが次々あるため、大事なコメントが埋もれてしまうのだ。たとえばカイリー・ジェンナーが口紅について投稿すると、数分で何百件もコメントがつく。そうなると、異父姉のキムがなにか書いても埋もれてしまい、みんなに期待されるような対応をするなどとても無理だ。

この訴えをカーダシアン家から受けたポーチのチームは、エンジニアと協力し、２０１７年春以降、コメントの表示順もアルゴリズムで決めるようにした。関係の深い友人や、アカウントにブルーのチェックマークが入っている「認証済み」の有名人など、大事な人からのコメントは上に表示されるのだ。

コメント欄をハックする

テイラー・スウィフトのヘビ騒ぎと同じように、今回も、インスタグラムは、一部ユーザーの要望を元に全体を作り変えた。アルゴリズムでコントロールしたほうが、ふつうのユーザーにとっても見たいものが見られるようになると考えたからだ。こうして問題をひとつ解決したわけだが、その結果、インスタグラムを使うたくさんのユーザーや事業者に想定外の動きが広がった。

ブルーのチェックマークがついている人は自分のコメントが優先的に表示されると気づき、コメントをよく書くようになっていく。各種ブランドやインフルエンサー、ハリウッド関係者などは、コメントランキングをうまく使えば、写真表示のアルゴリズムからこうむったマイナスを埋めあわせることができるわけだ。コメント書きがマーケティングになった、シリコンバレーエンジニアの言う「グロースハック」になったと表現してもいいだろう。

「ハッキング」にはまだ先がある。インスタグラム有名人のなかでも特に戦略的に考える人は、友人の投稿にコメントするだけでなく、実際より広く、深い人脈を持つと見てもらえるアカウントにもコメントするようになった。認証アカウント、@diaryofafitmommyofficialを持つインフルエンサー、シア・クーパーもそのひとりだ。ヴォーグ誌によると、彼女は、知り合いでもなんでもないカーダシアン＝ジェンナー家の投稿にコメントを丹念にくり返し、数週間で８万人ものフォロワーを獲得することに成功したそうだ。[2] フォロワーの多いアカウントにコメントしていれば表示の優先順位が上がり、多くの人の目にとまるはず、と考えたからだ。いま、彼女のフォロワーは１００万人を超えていて、多くの人が彼女にあやかろうと同じ戦略を展開している。

アルゴリズムで認証アカウントのコメントが優先されるようになると、メディアも同じことを始めた。批判から身を守る一言や、なにかを推薦する言葉、あるいは、単にやりとりをしているケースなど、セレブのなにげない軽口をエンターテイメントニュースが取り上げるようになったのだ。たとえば、黒人女性に合うファンデーションがないと、シンガーのリアーナが化粧品会社の投稿にコメントすると、人種差別を指摘したとしてニュースになり、彼女自身の化粧品ブランド、フェンティビューティの人気が高まるといったことが起きている。このころから、こういうセレブの「クラップバック」がよく行われるようになり、最終的には、おもしろいもののランキングを掲載するエンターテイメント系ウェブサイトが現れるなどという事態に発展する。エンマ・ダイヤモンドとジューリー・クレイマーがいい例だ。ふたりともシラキュース大学のソロリティシスターで、カーダシアン家についておしゃべりしているうちに仲よくなった。そして卒業後、@commentsbycelebsなるアカウントを開設すると、いち早く、スターが書いたコメントのスクリーンショットを集めはじめた。ふたりのフォロワーは、いま、140万人。バドワイザーなどのスポンサードコンテンツにより、十分暮らせるだけの収益も上がっている。アルゴリズムが変われば、それに応じてにぎわう商売も替わっていくのだ。

話はまっとうな商売にとどまらない。担当するインスタグラム社員が少ない国では、ブルーのチェックマークをもらうことが難しく、ハッカーに狙われやすい。乗っ取られたアカウントは闇市場で売られる。コメント欄で表示が上になることなどもあり、チェックマーク付きのアカウントは高値で売れるのだ。

ソーシャルメディアビジネスと「人間の本質」

2016年の大統領選を境に、ソーシャルメディアに対する世間の見方は大きく変わったし、人々や各国政府による悪用の仕方も大きく変わった。ここで考えておくべき問題がひとつある。テクノロジー企業は、どの程度、人間の本質に逆らうべきか、だ。ユーザーが狂信的と言えるほどの政治ニュースを読もうとしたとき、自閉性を引き起こすワクチンについて陰謀論をシェアしようとしたとき、人種差別の大演説をシェアしようとしたとき、銃乱射の予告声明をシェアしようとしたとき、ソーシャルメディアを提供する会社はそういう行為を抑制すべきなのか、抑制すべきなら、どの程度、すべきなのか。フェイスブックもユーチューブもツイッターも、利用に関するポリシーはどうなっているのか、どういうコンテンツは制限したりしっかり見張ったりするのかなどを規制当局に問われると、各社とも、表現の自由を尊重し、あまり厳しくしない方向で考えたいと回答した。人手をかける必要があまりなく、コストがかからない対応なのは偶然なのだろうか。

コメントの表示順を決めるアルゴリズムにインスタグラムが加えた変更はごく小さなものにすぎず、その効果も劇的とは言いがたい。セルフプロモーションは民主主義や医療系の正しい情報に対する脅威となるほどのものではなく、@commentsbycelebsのようなアカウントができて、使う楽しみがむしろ増えたりした程度だ。それでも、修正と修正がもたらした使い方の変化を見れば、コンテンツポリシーの議論では無視されている基本的なことがわかる。ソーシャルメディアとは人間性を映すだけの存在ではない、デザインという形で製品に組み込まれたインセンティブを通じ、人間性を左右する力でもあることだ。

フォロワーやいいね、コメントは計測の対象だ。投稿するたび、これらのカテゴリーで評価が下されるとわかっているので、ユーザーは、ほかの人が達成している基準を満たせるよう、自分の行動を調整する。技の難度とできばえで採点されるとわかっている体操選手のように、だ。インスタグラムが大きくなればなるほど、フォロワーやいいねやコメントの争奪戦は激しくなっていく。認知バイアスにつけこむ形であっても、社会的な地位を活用してであっても、それこそ、お金を払ってであっても、とにかく、たくさん集められれば大きな報酬を手にできるからだ。

インスタグラムのユーザーにとって、成功への道は明確だ。評価は相対的。やることはひとつ――目が喜ぶコンテンツを作り、楽観的ながら深そうなキャプションをつけ、称賛を集める、だ。そういうコンテンツをたくさん作れば、それがいつしか現実にまであふれ、現実のビジネスに形を変える。インスタグラムは、もともと、美と創造性を培《つちか》うものとして、また、ほかの人々の暮らしがのぞける窓となるようにと作られたものなのに、自身が定めた評価基準によって次第にゆがみ、勝ち負けが生まれるゲームになってしまったのだ。

ユーザーの作るコンテンツが主体となっているところは、ほかも、同じことが起きていた。たとえばユーチューブでは、閲覧時間が長いほど魅力的で、検索結果やお勧めにおける順位も高めるべきだとの考え方から、閲覧時間が長いほど報酬が増えるアルゴリズムになっている。その結果、ユーチューブで名をはせたいと思う人々は、短い動画を作らず、15分のメークアップ講座やテレビゲームのキャラクターについて1時間討論する動画などを作る。[3] そのほうがランキングが上がり、広告のスロットも増えるからだ。閲覧時間以外に、閲覧割合の平均値もランキングに使われる。だから、大げさに怒ってみせるなどして、視聴者の注意を引き続けようとする。見てもらえるならなんでもいいとばかり、陰謀論に走る人もいる。ケムトレイルを信じる人や地球は平らだと考える人も、ユーチューブに行けば、仲間をみつけることができる。

各社とも、ユーザーの幸福度をどう測ればいいのか推測し、それを基準にサイトを構築する。その結果、ユーザーの行動がだんだんと変わっていく。たとえばフェイスブックでは、ユーザーのアプリ利用時間を増やすほど評価がよくなる勤務評価制度を導入した結果、フィードに動画やニュースがたくさん表示されるようになった。また、大統領選で起きたことを見ればわかるように、ユーザーの感情を刺激するコンテンツを優遇した結果、フェイクニュースのサイトという新たな産業が生まれた。

どのアプリも、出発点は、事業になりうるエンターテイメントを作るというシンプルなモチベーションである。フェイスブックなら友だちや家族とつながるだし、ユーチューブなら動画を楽しむ、ツイッターなら、いま、なにをしているのかを発信する、そして、インスタグラムなら、ビジュアル的に切り取った一瞬を共有する、だ。

ところが、それが暮らしに深く浸透し、また、なにを優遇するのかという方針に、自社の成功を測ろうとする各社の思惑が絡まると、人々の行動を大きく変える存在になる。その影響力は、ブランディングやマーケティングの比ではない。クリティカルマスが使うようになると、うたい文句ではなく、測定しているモノで認識されるようになるのだ。フェイスブックならいいねを集める場だし、ユーチューブなら閲覧時間の競争、ツイッターならリツイートを集める場、インスタグラムならフォロワーを増やす場である。

グーグルにアクセスするときは、メールを使う、テキストメッセージを使うなど、目的がはっきりしているのがふつうだ。対してソーシャルメディアの場合、なにかおもしろいことはないかなぁとかいまなにが起きてるんだろうなぁとか思いながら、なんとなくスクロールするのがふつうだ。だから、メディアを提供している会社の誘導に乗りやすい。また、そのサイトに行動を最適化したプロユーザーの誘導にも乗りやすい。

2017年ごろになると、人気ソーシャルメディアはユーザーのためだけを考えて作られているわけではなく、ユーザーの行動を操ることも念頭に置かれているとの認識が世の中に広がる。そして、世間やメディアから批判の声が上がり、各社とも、社会に与えてきた影響のツケを払わざるをえなくなった。インスタグラムは例外で、批判らしい批判は受けずにすんでいた。4年から6年ほど後発で、批判を受けるような段階にいたっていなかったというのもあるだろう。また、ほかに比べていらつくユーザー体験が少なく、そういう影響を感じにくいこともある。インスタグラムは、コミュニティチームやパートナーシップチームが注目ユーザーの投稿を慎重に選び、プロモートするという形で、いい雰囲気を醸成してきたからだ。とある幹部の言葉を借りれば、いつか来るまさかの場合に備え、ちょこちょこ貯金を増やしておいたわけだ。

もちろん、インスタグラムにも問題がなかったわけではない。インスタグラムによるブランドや事業を成功させようと、熱心なユーザーができるかぎりのことをした結果、現実にゆがみが生まれてしまっていた。

インフルエンサー広告問題

米大統領選に対するロシアの介入が大騒ぎになる前から、米連邦取引委員会は、人々を巧妙に操る別種の仕掛けに目を付けていた。政治的なものではなく、経済的なもの、つまり、インフルエンサー広告である。

きっかけは、ペーズリー柄の服だった。老舗百貨店のロード・アンド・テイラーがインスタグラムのファッションインフルエンサー50人に1000ドルから5000ドルを支払い、2015年のとある週末、ブルーとオレンジのドレスを着た写真を投稿してもらったのだ。キャプションはあらかじめ会社の承認を得ておかなければならないし、#designlabと@lordandtaylorが入っていなければならない。ポイントは、そうすることでお金をもらっていると言わなくてもいい点だ。

米連邦取引委員会はこれを問題だとして、2016年、みせしめに取り締まりを行った。「有償広告を見ているのだと知る権利が消費者にはある」[4]（米連邦取引委員会消費者保護局局長、ジェシカ・リッチ）、だから、こういう小ずるくごまかすようなやり方はやめなければならないと言って。

だが、威嚇射撃はほとんど効果がなく、新興経済の発展は止まらない。インスタグラムが大きくなるにつれ、お金をもらって「大好きな」服や休暇や美容などについて投稿する人が増える。お金になるところが「大好きな」ブランド、ということなのだろう。

2017年3月、連邦取引委員会は、ブランド各社、セレブ、インフルエンサー、合計90カ所に丁寧な要請の手紙を送った。警告の手紙だ。お金をもらって投稿する際は、その旨をキャプションの最初に明記しなければならない。山のようなハッシュタグに埋もれる形や、なんだかんだと長々書いたあとにちょろっと付け足す形ではだめ。最初に明記していないものは罰金の対象となる。スポンサーがどこであるのかも明確に記さなければならず、#thankyouAdidasのような形もだめなら、一部インフルエンサーが「スポンサード」の略として使っている#spのような形もだめである。

こうしてルールが決まったことを承け、インスタグラムは、明確なラベルを頂部につけ、インフルエンサーの投稿を広告として成立させるツールを作った。情報公開を促進するのが目的だ。同時に、このフォーマットを使わずにスポンサードコンテンツを投稿するのは規約違反だとした。米連邦取引委員会に従う意を示したわけだ。

ところが、この方針を守らせようと努力することはなかった。規則を守るのに便利なツールを作るところまではやらなければならないが、あとの責任は、インフルエンサーや広告主に引き受けてもらえばいいと考えたからだ。結果、インフルエンサーマーケティングエージェンシーの古株、メディアキックス［MediaKix］がインスタグラムインフルエンサーのトップ50人について調べたところ、ブランドに触れている投稿の実に93％が情報公開の要件を満たしていなかったという状況になってしまった。[5]

数カ月後、米連邦取引委員会は、一段、厳しい手段に訴えた。違反のおそれがあるとの警告を、女優で歌手のバネッサ・ハジェンズ、スーパーモデルのナオミ・キャンベル、女優のソフィア・ベルガラなど、20人のスターインフルエンサーに通知したのだ。キャンベルは、どういうわけだか、鞄メーカー、グローブ・トロッターのスーツケースをいくつも投稿していた。歌手のシアラは、子ども用スニーカーの写真を投稿し、「ありがとう、@JonBuscemi」とファッションデザイナーをタグ付けしていたが、スニーカーをただでもらったのかどうかは書いていなかった。

売るに値する暮らし

米連邦取引委員会の警告を気にする人などいない。インスタグラムの利用ルールを気にする人は、もっといない。大事なのは、サービスに組み込まれたインセンティブだ。いいねやコメントやフォロワーなのだ。スポンサーがついていようがいまいが、ユーザーの行動は変わらない。みな、こうありたいと思う自分を打ち出し、ほかの人より高い評価を得よう、インスタグラムの基準に照らして高い評価を得ようとしている。それだけのことだ。

インスタグラムのおかげで、暮らしは売るに値するものとなった。インスタグラムユーザー全員にとってではないが、とても多くのユーザーにとってそうなった。そして、うまくマーケティングを続けたいプロは本心でやっていると見られたい、人間ビルボード広告ではなく、ファンにこそっと内幕を見せる流行の仕掛け人に見られたいと考えている。うまくできれば、宣伝費以外にも得られるものがある。自分自身のボスになれるかもしれない。アントレプレナーになれるかもしれない。タレントにスカウトされるかもしれない。商品に加え、ライフスタイルも売れるようになるかもしれない。インフルエンサーにとってインスタグラムとはソーシャルメディアではなく、出版の仕組みなのだ。

「コンテンツビジネスは休む間《ま》もないフルタイムの仕事なんです」

こう語るローリン・エバーツ・ボスティックのアカウントは@theskinnyconfidentialで、そのリンクをたどると、前向きに生きるメッセージや暮らしをよくするノウハウが満載のブログ、ポッドキャスト、本が出てくる。写真は、美しく、統一感がある。豊満な自身の自撮りにぴったりした服。きれいなピンクのアクセントが入っている。リアル版バービー人形と言えばいいだろうか。宣伝するのは、テーマにぴったりのヘアケア用品やフェイスクリームが多い。収入の半分はインスタグラムから得ているそうだ。

「誕生日のパーティにも出られなかったりするし、家族行事もできなかったりします。なのに、私のアカウントを見た人からは、あの人はいつも遊んでいると思われるんです」

　インスタグラムを始めたころは、サンディエゴでバーテンダーをしていた。3年間毎日必ず、休憩時間にバーのトイレでアカウントを育て、スキニーコンフィデンシャルというブランドで独立し、暮らしていけるだけのフォロワーを集めた。いま、フォロワーは100万人ほどに達している。

「最後は、どのくらい真剣なのか、ですね。ひとりで、毎日、オンライン雑誌を発行しているようなものですから。クリエイティブディレクター兼編集者兼ライター兼マーケターであり、たくさんの人に気に入ってもらえますようにと祈るような気持ちで出版したら、すぐ、次の号を最初から作っていくんです」

　インスタグラムなら定量的に測れる形で反応が返ってくるので、なにが受けるのか、すぐにわかるという。結果は、特に驚くようなものではない。風景写真より自撮りのほうが受ける。肌は隠すより出したほうが受ける。雑多なものを投稿するより、統一感があったほうがいい。モノトーンより、ポップなカラーのほうがいい。美しいほうがいい。見た目に派手なことのほうがいい。ユーザーは、それぞれ、数字をもとに戦略を調整し、こうすればいい結果が得られるという自分なりの方法を確立する。そして、その結果、エアブラシで加工した自撮り、クレイジーなアクション、肌色成分の多い写真があふれるわけだ。

　契約すべきインフルエンサーを選ぶにあたり、ブランド側は、リーチは本物なのか、払うお金に見合う効果があるのかなどを判断する。そのとき使われるのがエンゲージメントレートだ。投稿1回あたりのいいね数とコメント数を合計し、フォロワー数で割ったもので、キャプティブ８［Captiv8］やダブテイルといったサードパーティのサービスを使って確認することができる。システムという形で提供されているかぎりしかたがないのだが、この数字は操ることが可能だ。そして、インスタグラムは、広告における真実という問題はもちろん、暮らしにおける真実という問題にまで火を付けてしまうことになる。

詐欺

一番有名なインスタグラム詐欺事件は、盛大なインフルエンサーキャンペーンに始まり、ニューヨーク在住の詐欺師に対する禁固６年の判決で終わったものだろう。

問題になったのは、２０１７年のファイア・フェスティバルなるものだ。ラグジュアリーな音楽イベントとの触れ込みで、その情報は、すべて、ベラ・ハディッド、ケンダル・ジェンナー、エミリー・ラタコウスキーなど世界的なスーパーモデルがインスタグラムに投稿する形で伝えられた。投稿動画には、バハマをぶらつく、ビキニ姿でビーチで戯《たわむ》れる、クルーザーに乗って踊る、青く澄んだ海でジェットスキーをするなど、インスタ映えする夢のような体験が映っていた。一生に一度のチャンスだ。会場はコロンビアの元麻薬王、パブロ・エスコバルが持つカリブ海のプライベートアイランドである。これ以上は不可能というレベルの体験ができる。週末２回をまたぐこのフェスティバルに参加したら人生が変わる。食事は有名シェフが担当する。チケットは基本的に1万2000ドル。もっと払えば、40万ドルのアーティストビラに泊まり、パフォーマーと一緒に過ごす時間を持つこともできる。パフォーマンスは、ブリンク182、メジャー・レイザー、タイガ、プシャ・Tなど33組が予定されていた。

企画したのは、マーケター／ペテン師のビリー・マクファーランドだ。ラッパーのジャ・ルールをパートナーとし、プロモーションにはデジタルマーケティンググループのファックジェリーを起用。彼は、インフルエンサーの力をよく理解していて、ケンダル・ジェンナーに25万ドルも支払ってインスタグラムに1回投稿してもらい、チケットの販促をするなどしている。また、インスタグラムのインフルエンサーが価値を置くライフスタイルも狙い撃ちにした。いわく、往復はＶＩＰ用ボーイング737を飛ばす。いわく、宿泊は環境にやさしい豪華ホテル。いわく、お金はリストバンドにチャージしておくので、支払いはすべてキャッシュレスになる。高級感満載である。ひとつだけ問題があった。マクファーランドは、イベント企画よりいんちきのほうが得意で、約束をなにひとつ守らなかったのだ。

プライベートアイランドのはずが、サンダルズリゾートそばの小さなビーチしかない。ビラなどなく、泊まりは被災時の仮住まいに使われたテントで、内側も寝具も熱帯の雨でびしょ濡れになっていた。リストバンドにいたっては、尽きかけた資金の足しにするお金を開催直前に集める方策であったこともものちに明らかになっている。

このイベントで一番印象的だった写真は、日焼けしたモデルでもなければ真っ白な砂浜でもなく、発泡スチロールの箱に入ったサンドイッチだった。パン2枚、チーズ2枚、野菜少々にドレッシング。この写真は、投稿されるなり、すさまじい勢いで拡散した――ツイッターで。

ＦＢＩの捜査と集団訴訟を経て、マクファーランドは逮捕され、６年の禁固刑と２６００万ドルの賠償が命じられた。[6]

活性化する旅行市場

インスタグラムにおけるごまかし行為の大半は、マクファーランドのように犯罪捜査の対象となるケースではなく、気づかれもしないのがふつうである。こういうことをして欲しいと周りに期待されているとおりの行動をしている人々であり、みな、ビジネス的にそうしたほうがいいからしているだけのこと。インスタ映えする暮らしをしている人々は、そうでない人々にとって、楽しむものであり、現実逃避する先となっているのだ。

カミーユ・デミトナーレとジーン・ホッケの夫婦は、毎日、どういう写真を撮るべきか、インスタグラムだけを目的に考えて行動している。たとえば、スリランカのうっそうとした森を走る列車から身を乗りだしてキスするなどだ。くすんだ青い列車のドアを開け、ホッケが右手１本で手すりにつかまり、全身を外に出す形で後ろに倒す。左手は、だらりと垂らす。列車が走っているのは急斜面で、はるか下に木々が見える。デミトナーレは、両手とも後ろに伸ばして手すりをつかみ、ホッケに重なるように全身を外に出す。右膝はホッケの二の腕近くまで上げている。その姿勢で、ふたりは、情熱的なキスをした。

ふたりはベルギーのトラベルインフルエンサーで、この写真は、２０１９年５月、@backpackdiariezに投稿された。キャプションは「最高にワイルドなキス」だ。「たかが写〇に命かけるんですか？？？」など、すぐにコメントが殺到した。世界中のメディアも注目し、インスタ映えを求めて危険なことをする人々がいるなど最近の旅行文化について報じた。20代前半を中心に自撮りでいらぬ危険を冒《おか》し、２０１１年から２０１７年に２５９人が亡くなっているとの調査結果も、あちこちで紹介された。[7]

だが、このような反応こそ、トラベルインフルエンサー夫婦が望んだ成果だった。さまざまなニュースサイトで紹介された結果、多くの人の目にとまり、フォロワーが10万人ほども増えてストーリーの閲覧数が３倍に急増。報道で知ったんだけどとホテルや観光組合からの問い合わせも殺到した。

すべて、きっちり計画していたと夫婦は言う。スリランカへ行く前に、現地カメラマンのインスタグラムをチェックして最高の撮影スポットを選んだし、ポーズも、いままでにないものを一生懸命に考えた（この列車を使ったインフルエンサーならすでにいたが、その写真はあまり広がらなかった）。服装も、風景に合わせて選んだ。撮影のタイミングも、光が柔らかくなる朝と夕方とした。ふだんは三脚を使うのだが、今回は、ホッケの兄弟に手伝ってもらい、1秒50枚の連写モードで撮ることにした。さらに、５００枚から１０００枚もの写真をアドビのライトルームで編集し、ゴミやシャツのしわ、関係のない人など、見苦しいものはすべて消去した（やり方はユーチューブの解説動画で学んだ）。最後に、色鮮やかで独特な雰囲気になる自作のライトルーム用フィルターを適用。ちなみに、自作フィルターは一式まとめて25ドルで販売しているので、気に入ってまねしたいと思った人は同じようにできるそうだ。

各種ブランドの依頼を受け、魅力的な写真を撮るため旅をする人は、いま、何千人も存在する。

デミトナーレもホッケも、もともとはロンドンで事業戦略コンサルタントをしていた。デミトナーレはアーサー・D・リトル、ホッケはマッキンゼーだ。そして結婚。長めの新婚旅行にでかけ、その様子を投稿していたらフォロワーが数千人つき、自分たちにはビジネスのセンスもあることだし、ずっと旅を続けることもできるのではないかと考えた。

　実際、そのとおりだった。服も日焼け止めもただで手に入る。どこのものかを投稿で触れさえすればいい。ホテルも。移動も。食事も。観光組合や旅行代理店が払ってくれることが多い。旅のインフルエンサーがブランドから受け取る金額は、１投稿につき、フォロワー10万人あたり１０００ドルほどだ。だが、ふたりの場合、一番の稼ぎ頭はライトルーム用フィルターだった。例の騒ぎが起きる前でさえ、インスタグラムのプロフィールに貼ったリンクを経由した販売で、月30万ドル以上を売り上げていたという。騒ぎでフォロワーが増えれば、この売上もさらに増えるはずだ。

　旅行の市場は、２００６年の６兆ドルから２０１７年には８兆２７００億ドルに達した。[8] その背景には、ソーシャルネットワークの隆盛に伴い、さまざまな場所を訪れてみたいと考える若者が増えたことがあると、世界旅行ツーリズム協議会は分析している。

　その立役者がデミトナーレやホッケのような人々、知る人ぞ知るモデルとして、お金をもらって宣伝のためにポーズを取り、同じような冒険をしてみないかと誘う人々である。ふたりは、フォロワーが反応を通じてこうすべきだと示すことをする。写真は、ふたり一緒に撮る。離れすぎず、熱烈な恋をしている風情で。こんがりと焼けた輝くような肌をさらして。

　足を止めれば冷めてしまうとホッケは言う。

「まきをくべ続ける必要があります。コンテンツを作り続けなければいけません。夢のような生活をしていると思われていますし、ある意味、そのとおりなのですが、実際のところ、『どこにいけばいいコンテンツが作れるのか？　いいコンテンツだ。いいコンテンツはどこにある？』と考え続けていたりするのです」

リアリティ番組と同じようにドラマではなく愉悦《ゆえつ》を伝えるもの、フォロワーが好み、報い続けてくれるエンターテイメントであり現実逃避なのだ。

セルフィーファクトリー

インスタグラムにより、かつてない規模で、私生活とブランドマーケティングが渾然一体となった。こういうコミュニティであって欲しいという方向性を公式サイト（@instagram）が示し、その勢いを事業者の広告やインフルエンサーの経済活動が強めるという流れができたのだ。

フォローしている人々がいろいろとおもしろいことをしているのを見た一般ユーザーは、自分も同じようにしたいと考え、写っているものを使った体験にお金をつぎ込んでいく。コンサルティング会社のマッキンゼーは、次のように分析している。

「いいね集めのクエストでは、ストーリーや写真といった形でコンテンツを次々生み出し、共有していく必要がある。ストーリーや写真という形にしやすいのは新製品の購入より体験であり、だから、このようなコンテンツに対する渇望と相性がいいのは体験だと言える。飛行機が大きく遅れたとか、せっかくフットボールの試合を見にいったのに雨だったなど、期待外れの体験でさえ、共有する価値のあるストーリーに仕立てることができる」[9]

この影響で、車や服など、高価な物が売れにくくなっている。米国では、2017年だけで、大手小売りが9社も倒産したし、多くが店舗を削減した。その一因はアマゾンの隆盛にあるが、物より体験というトレンドの影響を指摘する専門家も少なくない。

レジャー写真は新たなステータスシンボルになったと言える。東京のトッティキャンディファクトリーでは、大きなレインボーわたあめを買うため何時間も行列する。風船で飾られたカクテルやドライアイスの霧がもくもくと湧き出てくるカクテルのために、わざわざロンドンのパーバーまで行く。すばらしい風景を求めてアイスランドやバリまで出かけていく。その結果、2018年、世界全体でフライト数は4500万回ほど、航空旅客数は過去最高の45億人に達した。[10]

遠くまで旅することなく目を引く写真が撮れるサービスも、次々登場している。2016年、ニューヨークに創設されたアイスクリームミュージアムは、抗菌プラスチック製のカラースプレーに埋もれて写真が撮れると大人気を博し、その後、サンフランシスコ、マイアミ、ロサンゼルスにも作られている。トロントのアイ・キャンディ［Eye Candy］もいわゆるセルフィーファクトリーで、プライベートジェットでくつろいでいるかのような写真が撮れる（シャンパンなどの小物も用意されている）部屋や桜満開の日本にいるかのような写真が撮れる部屋などが用意されている。[11]ニューメキシコ州サンタフェのミャオウルフ［Meow Wolf］はもっとシュールだ。体験型美術館とのコンセプトで、ネオンの森を散歩する、別宇宙につながっている衣類乾燥機に入るなどができる。大入りの状態が続いており、2019年には、全米に拡大することを目的に1億5800万ドルの資金を調達したという。[12]

インスタグラムと美容整形

なにをするかたわら、インスタ映えを基準に決めるかたわら、人々は、フェイスチューン［Facetune］やアドビライトルーム［Adobe Lightroom］などのアプリをダウンロードして歯を白くしたり、あごの線やウエストラインを調整したりと、写真の加工にも力を注いでいる。定価4ドル99セントのフェイスチューンは、2017年、アップルのアプリストアにおける販売数が1000万件を超え、有償アプリの一番人気となった[13]。

「本物の肌はどんな風合いなのか、わからなくなっちゃった[14]」

インターネット上でよく発信しているモデルのクリスシー・テイゲンは、2018年2月にこうツイートしている。

「ソーシャルメディアの人ならみんなわかってる。フェイスチューンだから。みんな美しい。他人と比べちゃいけないって」

こういった編集ツールがあれば、にきびに悩むティーンなど、容姿が心配な人もインスタグラムに楽しく参加できる。だが同時に、そういうツールがあるから、インスタグラム参加のハードルが上がるという面もある。テネシー州アパラチア山脈近くにある田舎の高校で司書をしているダスティン・ヘンスリーによると、フィンスタでは生徒も素を出しているが、インスタグラムの公開アカウントは様子が異なるという。

「インスタグラムの公開アカウントに投稿するなら、編集が必要なんです。基本的に、編集なしに投稿することは考えられません」

デジタル世界でならどれほどきれいになれるのかを知った結果、現実世界でも同じくらいきれいになりたいと思う人も登場した。バーチャル整形フィルターの先まで行く人々だ。その結果、たとえば、しわを見えにくくするボトックス注射の市場は、2017年の38億ドルから2023年には78億ドルと、わずか5年あまりで倍増する見込みである。[15] たるんでいるところに張りを持たせたり、あごのラインを変えたり、唇をぷっくりとさせたりするフィラーの市場も、同じような状況にあり、ティーン層にも広がりつつある。

15年間、ビバリーヒルズの富裕層に豊胸や鼻整形などを施してきたケビン・ブレナー医師によると、インスタグラムの登場で美容整形の世界は大きく変わったという。まず、施術でなにがどう変わるのか、実際に見て考えたいと考える人が増えたので、ブレナー医師は、いま、自分のアカウント、@kevinbrennermdで、1万4000人のフォロワーにそのような写真や動画を提供している。だから、患者は、みな、どこをどうして欲しいのか、明確な希望を持って来院する。ほかの人の参考とするため施術の様子を撮影することにも前向きの人が多い。

問題は、現実には不可能なものまでインスタグラムに投稿されている点だ。何十万人から場合によっては何百万人もフォロワーがいる人も含めてライバルの多い業界なのだが、そのなかには、豊胸手術でできた傷痕をフォトショップで消している人もいるらしい。切開なしに豊胸手術をするのは不可能なのに、である。患者が手術前・手術後の写真を投稿する場合も、手術後の写真はフィルターをかけたり編集したりしてあって、そのせいで、きめ細かく、きれいな色になっていたりする。

「期待が大きすぎて困ってしまうことがよくあります。手術した人の写真を見せてくれるのですが、それがインスタグラムのフィルターで加工されていると知らなかったりするんです」
米国医師会が発行する医学専門誌ＪＡＭＡフェイシャルプラスチックサージャリーに掲載された２０１７年の記事、「自撮り——フィルター加工写真の時代に生きる」にも「そのようなフィルター加工や編集はごくふつうに行われており、美の認知を世界的に変えつつある」と記されている。[16]
カリフォルニア州の場合、医師でありさえすれば美容整形手術ができるのも問題だ。米国形成外科学会は加盟に専門臨床実習が義務づけられているし、誇大広告を罰する倫理規定も定めている。ただ、形成外科医として認定されていなくても、インスタグラムで自称することは可能だ。
特に危険視されているのが、ブラジリアンバットリフト（ＢＢＬ）である。米国形成外科学会によると、ＢＢＬ手術は、正式認可された米国外科医による施術数だけで、２０１２年の８５００件が２０１７年には２万件以上と、いま、一番急成長している分野だそうだ。[17]胃や太ももから抜いた脂肪をお尻に注入し、キム・カーダシアンもかくやというインスタ映えのする体にするものだ。ただし、脂肪をお尻の筋肉に注入してしまうと死にいたる恐れもある。米国で正式に認可された外科医がタスクフォースを組織して２０１７年に調べたところ、この手術では、３％もの外科医に患者を死なせた経験があったという。[18]
ブレナー医師は、豊尻手術をしていないそうだ。安全性の問題もあるし、マンガチックで、一時的な流行に終わると考えているからだ。カーダシアンは体のラインを模したボトルで香水を売っていて、あれはＢＢＬで作ったラインだと言われているが、実は生来のものであるとレントゲン写真で証明している。

現実よりいいもの

インスタグラムは、常に、現実よりいいものをめざしてきた。ケビン・シストロムのフィルターと、それに続くコール・ライズのフィルターで、写真を芸術に昇華した。写真編集の技術が進歩すると、シストロムやチャールス・ポーチのもとには、顔がきれいに写るようにして欲しいとの要望がたくさんのモデルやセレブから届いた。その要望に応える機能をストーリーズに搭載し、自撮り写真を投稿前にいろいろ加工してみられるようにした。写真の口紅をバーチャルに試せるフィルターをカイリー・ジェンナーが自作できたのも、そういう機能をインスタグラムが用意したからだ。

体験の見栄えをよくするブランドを確立するなど、インスタグラムで成功する人が増えれば増えるほど、インスタグラムも成功したし、その重要性も高まった。ケビン・シストロムはその流れを基本的に是認している。ただ、どこからを詐欺まがいとするか線引きは難しく、その結果、インスタグラムで事業をしようと考えるユーザーにしてみれば、矛盾だらけでわけのわからないポリシーになってしまっているのも事実である。

インスタグラムも、少なくともひとつはごまかしを排除した。自動的にいいねやコメントを付けるボットとしてアカウントを運用し、人目を引いてフォロワーが増えるようにできるサードパーティサービスを利用規約で禁止したのだ。具体的には、２０１７年４月、最大手のインスタグレスを禁止。インスタグレスは「愛してくださった方々に悲しいお知らせがあります。インスタグラムの要請を受け、みなさんが活用してこられたウェブサービスをクローズすることになりました」とツイートし、サービスの提供を終了した。[19] だが、この程度の対策で実効はあがらない。インスタグレスと同じようにフォロワーを増やし、エンゲージメントを増やせるところ、たとえばキックスタ［Kicksta］、インスタズード、エーアイグロウ［AiGrow］などをあちこちのマーケティングブログが紹介。その多くは、いまも使われている。

そういうボットにお金を払う気がない人のあいだに広がったボット抑制ルール対抗策もある。同じ目的を持つインスタグラムユーザーが集まってポッドなどのグループを作り、メンバー同士でいいねやコメントを付け合う方法だ。たとえば、2019年、レディット［Reddit］には以下のような投稿が書き込まれた。

「アルゴリズムに負けるな。このインスタグラムポッドに参加しませんか。最高の投稿を共有しましょう」

「自然な暮らしやオーガニックな暮らし、お茶、ハーブ、マインドフルネスなどのキーワードをプロフィールで使っているなら、インスタグラムのアカウントをお知らせください。ただし、写真の質が高く、フォロワーが500人以上いる人のみでお願いします」

「メンバー募集中。単車や単車関連グッズの写真を中心とした、小さいけれど、すごく活発なポッドです」

ポッドも、テレグラム［Telegram］やレディット、フェイスブックなどと同じようにメッセージングアプリで参加する形が多く、互助の原則を守らない人は出入り禁止になる。インフルエンサーのなかには、自分に代わってポッド対応をしてくれる自動サービスを使うという人もいる。

いま、ポッドに加わらずインスタグラムでマーケティングするのは難しい状況になっている。香港でインスタミートを主宰しているエドワード・バーニーは、最近、フォロワーが増えにくくなったという。インスタグラムロンドン事務所のコミュニティチームを訪れたとき、カウチで撮った写真が有名になった例の人物だ。

「とにかくリーチが低調だし、下げ止まらないんです。ポッドの存在など知らない人がたくさんいて、彼らは、自分のは芸術に達していないと思ってしまったり、自分の写真が本当はそれなりなのによくないと思ってしまったりしています。実際は、ポッドを使っていないからというだけのことなんですが」

この問題に対するインスタグラムの回答は「投稿するコンテンツの質を高めろ」で、システムが裏をかかれている点は無視したものとなっている。

進化する化粧品ブランドの戦略

インスタグラムから生まれた事業のなかでうまく行っているものは、一見に値するコンテンツを生み出すと同時に、フォロワーや承認を求めるユーザー心理を活用するタイプが多い。将来性のあるユーザーを引き立てる公式@instagramアカウントのやり方をまね、ふつうの人にストーリーを語ってもらって、それを前面に打ち出す形でブランドのプロモーションをするのだ。

これがうまいのは、なんと言っても化粧品ブランドだろう。たとえば、ドバイ在住のフーダ・カタン。３９００万人もフォロワーがいる@hudabeautyを活用し、エアブラシ加工を施したかのように鮮やかな発色となる、インスタグラムにぴったりな化粧品を販売しているのだが、彼女は、よく、顧客が上手に化粧をする様子を動画で紹介する。彼女に選んでもらえれば、何百万人もの注目を集められるわけだ。であれば、カタンの製品をうまく使っている動画を撮り、選ばれようとする人がいるのも当然で、彼らは、いろいろな製品を買っては動画を撮るし、自分のフォロワーにも買うように勧める。その結果、カタンの会社は、２０１７年末、時価総額12億ドルという評価で非公開の資金調達に成功した。[20]

フォロワー２００万人のグロッシアー［Glossier］も同じ戦略だ。立ち上げたのはエミリー・ワイス。イントゥー・ザ・グロスというブログで何年も化粧品の評価を書き、美容の世界に登場する注目株を取り上げたあと、このブランドをインスタグラムで立ち上げた。「さまざまな人の声に耳を傾け、たくさんの情報をとめどなく吸収し、美容とはなんなのか、そして、美容にはなにが必要なのか、それを知ろうと努力している――そんな私たちを、そんなあなた方を紹介していきたいと思います」と書いて。[21]

そして、言葉どおりのことをした。２０１６年、一番人気の商品、ボーイブロウを使う様子をミシガン大学の学生、セシリア・ゴーゴンが投稿。すてきだと判断したグロッシアーは「グロッシアーをタグ付けすると、こんなことが起きるよ」と、彼女のストーリーをマーケティングのキャンペーンで取り上げた。

グロッシアーはインスタグラム中心で事業を展開し、２０１８年、直販のみで売上高１億ドル、新規獲得顧客100万人を達成した。ボーイブロウなど、2秒に1本売れた計算になる。店舗もいくつかは用意されているが、いずれも、試してもらうことが主眼で、販売の場というよりマーケティングの場である。たとえばロサンゼルス店には「おきれいですよ」と彫られた鏡が置かれている。写真を撮ると、この言葉も写り込むわけだ。内装も備品も、すべて、ミレニアルピンクである。どの商品も試すことができる。照明も、スマホ写真に最適化されている。

裏手の物置には、観光名所アンテロープ・キャニオンの不思議な岩に囲まれた風景が再現されている。自然の妙に囲まれた写真も撮れるわけだ。現地で録音してきた音が流れているので、動画でも問題ない。

シストロムの「ウェルビーイング構想」

ふつうのコンテンツという仮面をかぶせた完璧なコマーシャルにはマイナスの側面もある。そういう形になっていると知らない人は、漠然とした不安を感じてしまうのだ。

2017年5月、若者のメンタルヘルスに一番悪影響を与えているアプリはインスタグラムだと指弾する報告書を英王立公衆衛生協会が公表し、大きな話題となった。[22] インスタグラムを使っていると他人と比べてどうかばかりが気になり、不安が募っていくというのである。一節を紹介しよう。

「友だちが休日や夜を楽しむ姿を見ていると、若者は、みんな楽しくやっているなかで自分だけがつまらない生活をしていると感じてしまったりする。その結果、『比べて落ち込む』流れが広がっている。フォトショップで加工したり、編集したり、準備に準備を重ねて撮ったりした写真や動画を見て、それに引き換え、自分の暮らしはなんて平凡なんだと思ってしまうのだ」

英王立公衆衛生協会は、スナップチャット、ユーチューブ、フェイスブック、ツイッターなどソーシャルプラットフォームの大手について検討し、以下のように勧告している。理想論としては、スクリーンを見ている時間が長すぎるとか、見ているのが医療情報として信頼できるか否かなどをアプリに表示すべきである。若者の10人に7人がなにがしかのサイバーいじめを経験していることを承け、ソーシャルメディアとメンタルヘルスについて学校で教えるようにすべきでもある。写真や動画が編集されたものである場合、「小さな印や透かしを写真の一番下に入れる形で、エアブラシやフィルターが使われていて、外観が大幅に変わっている可能性があると示すべきだなど、インスタグラムを狙い撃ちにしているとしか思えない勧告もある。インスタグラムでは、加工していないとき#nofilterとタグ付けするほど、加工して見栄えをよくするのがふつうになっているからだ。

ストーリーズの導入やアプリに対するプレッシャーの軽減などを進めた結果、ユーザーがインスタグラムに使う時間が長くなり、成長の問題は解決された。だが、インスタグラムというアプリの根底にある文化はなにも変わっていない。

そこをなんとかしようと考えたのだろう。シストロムは、ウェルビーイング構想なるものを打ち出した。インスタグラムを善良なるイノベーションとし、そこを起点として、インターネットの世界を健全にしていこうというわけだ。だが、数カ月かけても、コメントフィルターを作る以上のことはできなかった。

そもそも、「ウェルビーイング」とはなんなのかというのが大きな問題である。禁止事項を並べればすむほど単純な話ではない――ポリシー担当のニッキー・ジャクソン・コラソはそう考えた。買収からこっち、裸体やテロリズム、暴力などをフェイスブック主導で規制してきたが、うまく行っているとは言いがたい。ウェルビーイング構想がめざすべきはもっと先だ。ユーザーを幸福にするため、また、健康にするため、インスタグラムにおける体験を幅広く改善しなければならない。

だが、計画案をチームで練ってシストロムに見せると、なにか違う、もっと考えてくれと言われてしまう。コラソは困ってしまった。これはビジョナリー的な考えであり、実現できれば、称賛され、インターネットの歴史にシストロムの名前が刻まれるはずだが、早めに具体化できないと、単なるマーケティングキャンペーンで終わってしまう。実はこのころ、シストロムは、フェイスブックに監視され、身動きならない状況に陥っていた。なんでもかんでもリソース獲得をめざして戦うわけにはいかなかったのだ。

コメントフィルターの導入

このとき、インスタグラムは世の中の一歩先を行っているにすぎなかった。金曜日の定例会議で開発など夢という段階のアイデアをウェルビーイングチームが語り、なにを作るべきか、それをどう呼ぶべきか、上層部が悩んでいるあいだに、世の中も、アプリのマイナス面に注目しはじめていた。

シストロムは、ウェルビーイング構想にまつわる議論を進め、総合的な戦略を作るより、高く評価されているコメントフィルタリング機能の進化に力を注いだ。

開発は、フェイスブックの人工知能ツールをもとに進める。時間をかけて機械学習ソフトウェアを教育すれば、投稿になにが含まれているのかを判定・分類し、なにが共有されているのか、その情報を得ることができる。この技術をユーザーのコメントに適用すれば、冷酷なものを洗い出せるのではないかと考えたのだ。というわけで、まず、ユーザーのコメントを評価し、０から１の数字を割り当てる作業が始まった。最終的には、それを機械にやらせるわけだ。

コミュニティに対しては、#kindcomments《あったかコメント》キャンペーンを展開。心に残るインスタグラムのコメントを女優のジェシカ・アルバやプラスサイズモデルのキャンディス・ハフィンなどに読んでもらう、ジャカルタからムンバイ、メキシコシティーと世界中のアーティストを起用し、優しさをたたえ、ほかの人を元気にする壁画を描いてもらうなどした。

インスタグラムの新しいコメントフィルターは、ひどいコメントを削り、なくしてしまうものだった。デフォルトでそういう設定になっていると気づいた人はほとんどいないだろう。この機能が導入され、インスタグラムは、実際より心地よいと思える場になった。

だがこの先、インスタグラムが直面する大きな問題に踏み込むか否かは優先順位をどう考えるか次第だった。このとき、インスタグラムは、掃除にかまけてほかに手が回らなくなるのは避けたいと考えた。ストーリーズでたくさんのユーザーを呼び込めたことに気をよくしていて、使って楽しい機能をほかにも作れると示したかったのだ。漠然とした不安にしっかり向き合おうとするのは、いいね数の表示を試しにやめてみるなどした２０１９年まで何年か待たなければならない。

ロシアの情報操作

「危機は起きたとき反応する」がフェイスブックの文化である。政治家やメディアが取り上げるほどの事態にならないかぎり放置なのだ。ロシアによる介入が問題となったとき、フェイスブックは大騒ぎになったが、その影響がインスタグラムにおよぶことはなかった。インスタグラムがしたことと言えば、なにが起きたのかの分析や政府からの質問に対する回答の作成を手伝えるよう、コミュニケーションやポリシーの担当者数人をフェイスブック社内の作戦本部に非常勤として貸し出しただけで、残りの社員は、いつもどおり、ストーリーズの改良や新規アルゴリズムの作成など、製品の改修を続けていた。

それだけに、2018年12月、インスタグラムも清廉潔白とは言いがたかったことが明らかとなったときは、社内に当惑が広がった。ミームとフェイクアカウントでアメリカに対立をもたらしたトロール工場、ロシアのインターネット・リサーチ・エージェンシー（IRA）に寄せられたいいねやコメントの数は、ソーシャルネットワークのなかでインスタグラムが一番多かった、フェイスブックよりも多かったとする調査結果が、上院情報委員会が設置した専門家委員会から出てきたのだ。[23] バイラルな拡散にはフェイスブックのほうがいいが、ウソを広げるならインスタグラムのほうがいいというわけだ。

インスタグラムなら、だれでも有名になれる。クレムリンのIRAであっても、である。フォロワー数は、ＩＲＡアカウントの半分近くが1万人を超えていたし、12アカウントは10万人を超えていた。こういうアカウントをうまく使い、たとえば、ヒラリー・クリントンは悪いフェミニストだとのうわさを流したわけだ。@blackstagram_というアカウントは、フェイスブックがロシアのアカウントを一掃した時点で30万３６６３人ものフォロワーがいたが、ここでは、黒人の事業から生まれた製品を称賛するとともに、投票など時間の無駄だと黒人に吹き込むことが熱心に行われていた。

上院情報委員会がこの報告書を公表し、ロシアの情報操作にインスタグラムもほかと同じくらい加担していたと指弾しても、メディアが1日ほど取り上げただけで、証人喚問などが取り沙汰されることはなかった。インスタグラムが好まれていたからだ。そして世論は、フェイスブックはこんなひどいことをしている、けしからんという話に戻り、実は両者が不可分の関係にあることなどだれも指摘しなかった。

責任はフェイスブックにあるとしたのは、正しいのかもしれない。インスタグラムの成功は自分たちの手柄だとフェイスブックは言っていたのだから。だが、２０１８年、両ソーシャルネットワークのリーダーは覇権争いに気を取られ、インスタグラムが抱える問題の解決をおろそかにしてしまう。

第12章

CEO

「10億でぜんぶおかしくなってしまいました」

――元インスタグラム幹部

下りない「増員許可」

インスタグラムはフェイスブックの君臨を脅かす存在であるか否かの議論は、ことあるごとに、両社幹部の関係に影を落とすようになった。影響が特に大きかったのが採用だ。インスタグラムが勝手に採用することはできず、ケビン・シストロムとマイク・クリーガーが詳しい説明をマーク・ザッカーバーグにして、許可をもらわなければならなくなった。インスタグラムは例外的な存在で、小さな別会社を社内に置く形になっているし、フェイスブックのニュースフィードがなくてもやっていける製品があって収益も上げている。であるのに、他部署と同じ手続きを取れというのだ。

２０１８年、ザッカーバーグが許可した採用は68人。８％ほどの増員にあたる。インスタグラムにとって、これは信じられないほど小さな数字だった。さまざまな問題に直面していて、対処が必要だ。ＩＧＴＶなるものを開発して動画機能を拡充する計画もあった。ストーリーズに続いて大人気になると期待しているものだ。そうでなくとも、既存事業でもやらなければならないことが増えていて、手が回らなくなっているという状態で、である。

データを集めて反論した。１ユーザーあたりの社員数をフェイスブックとインスタグラムで比較。２００９年、フェイスブックはユーザー３億人の面倒を１２００人の社員でみていた。２０１２年、ユーザーが10億人になったとき、社員数は４６００人だった。[1] ２０１８年にはインスタグラムのユーザー数も10億人に達する見込みだったが、社員は８００人にも満たない。成長速度に比べて増員速度が遅すぎる。

だが、このときのザッカーバーグは、いつもと違い、データを見せられても考えを変えなかった。インスタグラムの独立性を引き下げていきたいと考えていたからだ。インスタグラムが成功を収めるたび、本体の寿命に悪影響が出るとわかった以上、今後は、両社の連携を強化しなければならない。フェイスブックとその社員、そして、ザッカーバーグ自身も、インスタグラムの事業に深くかかわるようにしなければならないし、そうすれば、採用の必要性は下がる。

反論を受け、ザッカーバーグは、採用数を93人としてくれた。やった、68人から増えたと喜んだが、それも、たいして儲けてもいない他部署の採用数を知るまでだった。フェイスブックは本体部分で20億人ものユーザーを抱えており、２０１８年、世界全体で８０００人を増員して総勢３万５０００人以上とすることを計画していた。

「オキュラスは何人採用する計画なのかな？」

シストロムは、ブレンダン・イリベにこう尋ねた。２０１４年にフェイスブックが22億ドルで買収したバーチャルリアリティ部門、オキュラスの共同創業者で、ＣＥＯを退任後も仕事は続けていたからだ。

「６００人以上だよ」が回答だった。

２０１８年、インスタグラムは１００億ドルの収益を上げる見込みなのに対し、オキュラスは何百万ドルも損失を出すはずだ。事業の性格が大きく異なるので一概に比べることはできないが、さすがにその数字はないだろうとイリベにも言われた。

その瞬間、わかってしまった。

これまでインスタグラムがしてきたことは報われないんだ、と。

２番目に大きいソーシャルネットワークを育てたのに……。ニュースフィード広告以来、初と言える収益源を作ったのに……。若者やセレブの注目を集める一助となったのに……。世界の文化を進化発展させたのに……。

前進に必要な支援は提供されないんだ。

オキュラス以外も似たような状況だった。たとえば、ユーチューブに対抗する動画部門も、数百人規模の増員が認められている。インスタグラムは急速に成長しているし、２０１９年にはフェイスブック収益の30％近くを生み出すはずなのにこの扱いなのか。いきどおりといらだちが社内に広がっていった。

IGTV

このころも、世間的には、インスタグラムは独立したブランドとみなされていた。選挙への悪影響やフェイクニュースの温床だと言う人はいない。メンロパークの本社はあいかわらず超が付くほどインスタ映えする事務所だったし、セレブに来てもらえるようにと、それ以上にインタラクティブで見栄えのする事務所をサンフランシスコとニューヨークに設置する計画もあった。

だが、フェイスブックとインスタグラムの関係は、どんどん政治的になりつつあった。

クリーガーとシストロムは、昔から、相手の仕事をしたいと互いに思わないから我々はうまくいくのだと冗談を言ってきた。クリーガーは、製品至上主義を唱える会社の顔になどなりたくないし、シストロムはシストロムで、裏方のアーキテクトになどなりたくないというわけだ。

ところが2017年12月、本当のところどうなのか、はからずも体験する事態になってしまった。シストロムに子どもが生まれたのだ。そのせいで、1カ月ほど、クリーガーがCEO役を務めることになった。結果は、思ったとおりだった、である。シストロムの仕事をするなどまっぴらだ、少なくとも、そのころ、CEOとしてしなければならないことをするなどまっぴらだとクリーガーは思ってしまった。

このころ、インスタグラムCEOの仕事は、フェイスブックとの折衝が中心だった。2018年冬の議題は、縦長の長時間動画に特化したIGTVについてだった。スマホを横に倒さず見られるのが特長だ。それまでは、フェイスブックに話をひととおり通すだけで勝手にやるのが通例で、クリーガーはエンジニアリングやインフラの計画を策定したり、製品哲学を社員に広めたりするのが役目だったが、今回は、20号棟のフェイスブックオフィスにしょっちゅう行っては、ザッカーバーグや最高製品責任者のクリス・コックス、動画部門トップでフェイスブックウォッチの責任者であるフィージー・シーモらと会議をしなければならなかった。

IGTVでは、フェイスブックの成長をインスタグラムに助けてもらう——それがザッカーバーグの考えだった。フェイスブックウォッチは、映画スタジオや報道機関にお金を払ってコンテンツを作ってもらうなどてこ入れしているにもかかわらず、盛り上がらなくて苦労していた。こんどはウォッチと一体化した形でIGTVを開発し、そこに各種コンテンツを流そうというのだ。そうすればきっとうまく行くと、シーモもプレゼンテーションで力説した。

クリーガーは、「まずはシンプルに」がモットーで、社員にも、いつも、そうしろと語ってきた。そんな彼にとって、IGTVが成功しなければ意味のない議論などするだけ無駄だと感じられた。成功してから、それをフェイスブック支援にどうつなげるかを考えればいい。そんな問題に頭を悩ませるようになれれば幸運だというのが彼の感覚だった。

それでも、1カ月半もすったもんだした末、なんとか、独立アプリとして開発する許可を取ることができた。

ザッカーバーグが別の爆弾を投下したのは、そのときだ。

新しくボスを置く、というのだ。

「アプリのファミリー」

この組織改革はフェイスブック始まって以来というほど大がかりなもので、買収したインスタグラムとワッツアップを今後どうしようとザッカーバーグが考えているのかがはっきりと現れていた。[2]ふたつともフェイスブックの本体とメッセンジャーに統合し、全体を「アプリのファミリー」とする。そのトップは、ザッカーバーグの右腕として製品部門を統括してきたクリス・コックスとする。

アプリ移動のナビゲーションを増やし、アプリ間を自由に行き来できるようにしたい、「ファミリー・ブリッジ」を作りたいとザッカーバーグは考えていた。

だが、そもそも、そういう統合は必要なのかと社内には疑問の声が多かった。目的でアプリを使い分けるのがふつうだからだ。大統領選挙やプライバシー騒動で大揺れに揺れた結果、インスタグラムやワッツアップと違い、フェイスブックは疑念の目で見られることが多いという問題もある。

だが、フェイスブックにおいてザッカーバーグの言葉は絶対だ。この判断の背景には、部門間のつながりを強化すればネットワーク全体の有用性が格段に高まるというデータがある。もっとも、ネットワークが大きくなればなるほど、一人ひとりはあまり共有しなくなるというデータもある。ザッカーバーグは後者より前者を優先したのだろう。思惑どおりにことが進めば、究極のソーシャルネットワークが生まれるはずだ。「ファミリー」全体の規模と力がフェイスブックの規模と力になるわけだ。

ファミリーと言えばドラマが付きものである。

このころ、親であるフェイスブックは、規制当局から見ると、ロシアの大統領選挙介入という問題について、透明性が十分だとは言えない状態だった。大統領選挙が終わった直後の2017年第1四半期、フェイスブックは「ロックダウン」と称し、偽のアイデンティティで選挙に介入するのを阻止するツールを開発した。そして、そのツールで同様の試みをいくつか封じることに成功したが、絶対確実に阻止できるとは言いがたい状態だったのだ。

この問題でインスタグラムはおまけのような扱いだった。ワッツアップも同じで、取り沙汰されることはあまりなかった。このふたつを取り込めば問題が緩和するのではないか、広告のスペースも増えるし、ネットワーク全体の入り口も増えるしでいいことずくめなのではないかとザッカーバーグは考えたわけだ。このあたりについて、インスタグラム関係はわりと平穏だったが、ワッツアップ側は大変なことになる。インスタグラムは事業に貢献していたが、220億ドルも払って手に入れたワッツアップは、2018年頭時点で15億人もユーザーがいるにもかかわらず収益を上げられる道が見えない状態だったからだ。

ストーリーズに相当するワッツアップのステータスに広告を入れろとフェイスブックは圧力をかけた。だが、ユーザーについてもっと多くを知らなければ、それぞれに合わせた広告を表示することなどできない。言い換えれば、暗号化を少し緩める必要がある。「広告なし。ゲームなし。ギミックなし。」というモットーに反するし、ユーザーの信頼を失うことになると、創業者のブライアン・アクトンとジャン・コウムは猛烈に反発した。

結局、アクトンはフェイスブックを去ることになる。ストックオプションで8億5000万ドルも損をするというのに、だ（この何倍ものお金を買収で手に入れてはいるが）。CEOを務めるコウムも、夏には会社を去ることにした。ただし、のちにアクトンは、フォーブス誌の記者、パーミー・オルソンに対し、フェイスブックが悪者というわけではない、できる実業家だと思うと語っている。

なにをどうしようが、それは彼らにとって当然の権利だ、ただ、自分はそうしたくなかったし、やめさせることもできなかったのだと苦しい胸の内も吐露している。[3]

「なんだかんだ言っても、会社を売ったわけですからね。そのほうが総体的にはよくなると思って、ユーザーのプライバシーを売ったわけです。そういう道を選び、妥協することにしたわけです。そして、いま、その結果をかみしめながら生きています」

次に消えるのは自分たちかもしれない

ワッツアップ創業者は恩知らずだというのが、フェイスブック側の評価である。机をもっと大きくしてほしいとか、トイレのドアをもう少し長くしてほしい、床まで届くくらいにしてほしいとか、自分たちの会議室にはフェイスブック社員を入れないようにしてほしいとか、ワッツアップは、いつも、もっと、もっとと要求ばかりだったというのだ。[4] ザッカーバーグのおかげでビリオネアになったというのに、投資から多少なりともリターンを得られないと言っただけで機嫌を損ねるのならいいなくなったほうがせいせいするという意見もあった。フェイスブックで暗号通貨を統括するデイビット・マーカスなどは、のちに公開の場所で次のように書いている。

「何年にもわたり、ビリオネアにしてくれた人や会社を責めたり自分は悪くないと言いつのったりするのは、下劣だと思います。実のところ、いままでなかった下劣な行為だと」[5]

買収された側が、なんであれフェイスブックのニーズを満たさなければならない立場なのだと悟っていないと、こういうことになりかねない。このあたり、シストロムもクリーガーも、自分たちは無理なことなど言っていないと思っていた。広告についてもいろいろあったし、ＩＧＴＶや「共食い」の議論など、ずいぶんとがまんをしてきた。いやいやながらも、インスタグラムからフェイスブックにユーザーを誘導する方法もあれこれ用意した。だというのに、このままでは、独立性は下がる一方だ。考えたくもないが、次に消えるのは自分たちかもしれない。

新しいボスには、少なくともフラストレーションをぶちまけることくらいできるだろう。コックスは共食いという考えに理解を示した側だったが、インスタグラムのボスになってからはトーンが少し変わった。そんなコックスに、育児休暇から復帰したシストロムはクリーガーと一緒に会い、こう言った。

「腹を割って話をしましょう。独立は保たれる必要があります。資源も必要です。私の意に染まないことが起きるのはしかたありませんが、でも、誠実・公正に対応してもらえなければ困ります。そうでなければ、私はここにいられません」

自分の部下は守る、シストロムも、ワッツアップの新たなリーダーも、また、メッセンジャーもフェイスブックも、いい仕事をするために必要となる創造的自由が確保されるようにする、そして、この年、シストロムとクリーガーを引き留めることを最優先の仕事にする、がコックスの返事だった。

ケンブリッジ・アナリティカ爆弾

そして、いかにもフェイスブックなのだが、報道で優先順位がひっくり返る。

２０１８年3月17日の金曜日、性格診断アプリのディベロッパーが数千万人分ものユーザーデータをフェイスブックから得ていたこと、また、そのデータがディベロッパーからケンブリッジ・アナリティカなる企業に流れていたことをニューヨークタイムズ紙とオブザーバー紙が報じた。[6]

ケンブリッジ・アナリティカ社はこのデータを保管し、政治的なコンサルティングに活用していたという。さまざまなソースから情報を集め、選挙で保守を後押しする広告がよく効きそうなのはどういう人なのかを洗い出したのだ。クライアントは、もちろん、ドナルド・トランプ陣営である。

データ取り扱いの脇が甘い、無頓着、だらしない、透明性がない、トランプ勝利に貢献したと、フェイスブックらしい問題が勢ぞろいした格好だ。世界中の政治家から不信の声がいっせいに上がった。

特に問題だったのは、データが漏れていると何年も前からわかっていたのに、規約を守らせる努力も怠ってきたし、個人情報の漏洩をユーザーに知らせもしなかったことだ。この件を記事にしたら法的手段も検討すると両社を脅したのも火に油を注いだとしか言いようがないだろう。

世の中には非難の嵐が吹き荒れ、フェイスブックユーザーからは自分のデータは大丈夫なのかと悲痛な声があがる。だが、数日にわたり、ザッカーバーグもサンドバーグも沈黙を保った。どうすべきか対応に苦慮していたのだろう。

この件について調査するとの声明が米国および欧州の規制当局から出され、フェイスブック株は3日間で約9%下落し、500億ドルも市場価値を減らした。#deletefacebookというハッシュタグがトレンド入りし、ワッツアップ共同創業者のアクトンもこのハッシュタグを付けたツイートを書いてフェイスブックアカウントを削除した。

「広告です、上院議員どの」

1週間後、ザッカーバーグは、米国議会で証言すること、2018年4月10日と11日の二日にわたり、上院と下院の質問に答えることに同意した。議会がただすのは、ケンブリッジ・アナリティカ社についてもさることながら、フェイスブックの力だろう。20億人以上もの人に楽しみと情報を提供する会社は、1社だけで、さまざまな面において政府より影響力があるという事実に議会も気づいたからだ。そう思って見直すと、フェイスブックがここまでやってきたことがいずれも悪行に見えてしまう。

また、フェイスブックはフェイスブック以外も含め、ウェブサイトやアプリからユーザーのデータを集められるだけ集める必要があるわけだが、このデータが漏れる恐れがあるとなると、ビジネスモデルそのものもとてもリスキーに見えてしまう。

フェイスブックの中核は、ユーザー一人ひとりの興味関心に合わせてニュースや情報を提示するニュースフィードであるわけだが、これも懸念の材料だ。ほかの人たちがフェイスブックにログインしたとき、なにを見るのかわからないから、ほかの人たちがどういう現実を見ているのかがわからないからだ。違法ドラッグを売っている人もいる。イスラム過激派組織ISに感化されている人もいる。世論操作を目的としたボットであって、人でない場合さえある。なにがどうなっているのかを理解し、管理できる力を持つのはフェイスブックだけだ。であるのに、なにもしようとしていない。

一方、議会になにができるのかと言えば、あまりないというのも事実だ。まず、なにを問題の核心だとすべきなのか、意見を集約することができない。議員ごとに追及したいことが違うのだ。フェイスブックの事業がよくわかっておらず、的外れな批判をしがちだということもある。

オリン・ハッチ上院議員の質問もそうだった。ユーザーから利用料金をもらわずに、どうして事業を続けられるのですかと尋ねたのだ。ザッカーバーグは笑みを浮かべた。

「広告です、上院議員どの」

この回答は、そういうTシャツが売り出されるほどの話題になった。

ザッカーバーグらしさが目立った証言だった。このとき、ザッカーバーグは、なるべく端的に事実だけを述べる訓練を弁護士から受けた上で証言に臨んでいた。そして、勝利をつかむ。少なくとも、新たな問題を引き起こすことなく、無難に終わらせることに成功した。シャンパンで乾杯した社員もいたという。

健全性チーム

議会証言でフェイスブック上層部が揺らぐことはなかったが、株価下落はこたえたようだ。実利を追い求め、製品開発をどんどん進めてきた結果、大きな死角があちこちにできてしまったのかもしれないと認め、対策として、運用面を精査する監査を行い、放置するとスキャンダルにつながりかねない欠陥がないか確認するとした。

その一環として、「健全性」チームをインスタグラムにほぼ匹敵する規模まで拡充し、フェイスブック「ファミリー」が抱えるコンテンツ問題やプライバシー問題の処理を任せることになった。

ガイ・ローゼン率いるこのチームの上司は、成長担当バイスプレジデント、ハビオ・オリバーンだった(そのまた上司はザッカーバーグである)。プロダクトの修正について考えるチームに対し、修理をあまりしないほうがいいインセンティブが働く、少なくとも、事業を危うくするような指摘はしないインセンティブが働く不思議な配置である。

それでも、進むべき方向に一歩を踏み出したとは言える。

インスタグラムの採用が絞られていることもあり、シストロムは、健全性チームで新たに採用した人員の一部をインスタグラムに割り当ててもらえないかとローゼンに頼むことにした。インスタグラムはフェイスブックと似た問題にも特有の問題にも直面しており、急いで対処しないと、フェイスブックの二の舞になりかねないと心配していたのだ。フェイスブックは実名主義だが、インスタグラムは匿名で使える。フェイスブックはコンテンツがバイラルに広がるところだが、インスタグラムでは、ハッシュタグがわからなければ危ないコミュニティにたどり着くのは難しい。こういう違いがあるので、フェイスブックと同じやり方では問題投稿を洗い出せないのだ。

買収後、コンテンツへの介入はフェイスブックの担当となったため、実際にどういう対応がなされているのかは、大物ユーザーから直訴された場合をのぞき、わからなくなっていた。問題のありそうなコンテンツを社員が全部チェックしていた昔とは、状況がまるで違う。もう何年も、社員は、模範的な行動を呼びかけ、もり立てる形でコミュニティを誘導することに集中していて、問題行動をやめさせようとはあまりしていないのだ。

インスタグラムのコミュニティガイドラインは、宣伝を目的としたスパムを禁じる、コンテンツの盗用を禁じる、裸の子どもの写真を禁じるなど、人々が事業に活用できるビジュアルなネットワークに最適化したものとなっている。ユーザーからの通報は、いったんフェイスブックがまとめたあと、コグニザントやアクセンチュアなど社外のコントラクターに、映像を一つひとつ確認し、適否を判断してもらう。映像は、心に傷を残しかねないほど不快なものも少なくない。フェイスブックは営利事業であり、コストがかさむ人手による介入はなるべく減らしたいので、こういうやり方を採用している。フェイスブック社員は平均して6桁の給与をもらっているのに対し、フェニックスで働くコントラクターなら2万8800ドルとかだったりするし、それがインドのハイデラバードになると1401ドルですんだりするからだ。[7] 人間の一番いやな面を毎日見る仕事でメンタル的な負荷が大きく、数日からせいぜい数カ月で辞める人が多いという。

実際のところ、ローゼンのチームメンバーは、選挙にまつわるデマやテロ集団の募兵など、各国政府が取り上げることを中心に、組織全体の問題を考えるのが仕事で、スキャンダルの少ないインスタグラムは心配いらないとみなしていたようだ。

シストロムにしてみれば、ライブ動画の配信など、心配の種はたくさんあった。フェイスブックも、暴力行為のライブストリーミングをなんとかみつけようと必死の努力をしていた。２０１５年12月から２０１７年６月で、殺人、子どもの虐待、射殺などの暴力行為、少なくとも45件がフェイスブックでライブ配信されたとバズフィードが報じる状況なのだ。[8] インスタグラムも、フェイスブックに遅れること1年の２０１６年にライブ動画の配信機能を導入していて、暴力のライブ配信を阻止する人員を置くべきだとシストロムは考えていた。インスタグラムでも同様の問題が起きているとの報道はないが、配信機能の人気がフェイスブックの上を行っていることから、問題が起きるのは時間の問題だと言えた。

インスタグラムは写真中心だし実名を求めないので、麻薬を売ったり自殺に誘ったり、人種差別やヘイトなどのコンテンツを投稿したりしやすい。テロ集団の募兵もフェイスブック同様行われている。ただ、ハッシュタグを知る若者だけがたどり着けるよう、巧妙にコンテンツを隠しているだけで。だから、インスタグラムに詳しい人間がそういう活動をモニタリングする必要があるわけだ。

「ユーザーの安全」より「社内の序列」

ローゼンは耳を傾けてくれた。ちょうど、アイリーン・キャリーなる女性からメッセージを受け取り、インスタグラム特有の問題は意外に深刻なのかもしれないと思っていたこともある。彼女は、オキシコンチンを作っているパーデュー・ファーマ社のコンサルタントをしていた2013年ごろから、ずっと、インスタグラムにおけるオピオイド販売という問題を訴え続けていた。インスタグラムでは、本物の薬も偽薬も、さらには各種麻薬も、#opioidsや#cocaineなどわかりやすいハッシュタグでおおっぴらに売られている。受け渡しや支払いの方法は、投稿に電話番号が記されていて、ワッツアップなどの暗号化されたチャットアプリで相談する。

キャリーは、インスタグラムにアクセスすると必ず、ドラッグ系コンテンツをざっとチェックし、通報していた。だが、毎回、フェイスブックの「コミュニティ規定」に違反していないとの回答が返ってくるだけ。そんなことを何年、何百回も続けるうち、だんだん、腹が立ってしかたがなくなり、その気持ちは、仕事でなくなったあとも続いた。オピオイドによる死亡事故は2017年に4万7000件と倍増しているし、[9] こういう麻薬は主にインスタグラムを通じて若者に流れているはずだ。このままではらちがあかないと、通報した投稿のスクリーンショットと、対策を取る気が感じられないフェイスブックの回答をまとめ、報道機関やフェイスブック上層部に送りつけることにした。

そして、2018年4月、キャリーは、ツイッターのダイレクトメッセージでローゼンに接触し、インスタグラムで#oxysというハッシュタグを検索してみてほしいと訴えた。そのヒット数は約４万３０００件。ローゼンからは、悲鳴とともに、すごく助かりますとのメッセージが返ってきた[10]。

それまで、インスタグラムでは、麻薬の取引を防ぐ動きなどしてこなかったし、キャリーの通報がどちらに向いているのかに注意を払ってもこなかったわけだが、ローゼンが要請した結果、ザッカーバーグ証言の前日、このハッシュタグをすべて削除した。

だが、ハッシュタグのひとつやふたつを取り除いただけで、麻薬の密売がなくなるはずもない。根本的にはなにも変わっていないからだ。だから、自社に健全性担当スタッフを置きたいというシストロムの要望はもっともなことだとローゼンは考えた。

これをザッカーバーグがひっくり返した。インスタグラムの問題はインスタグラムが自社のリソースでなんとかしろ、と。いま、フェイスブックが問題に直面しているのだから、最優先はフェイスブックだ。ローゼンのチームにもフェイスブックに注力してもらう。時間があるときにインスタグラム特有の問題も考えてくれと掛け合うのは自由だが。それがザッカーバーグの考えだった。

今回も、ザッカーバーグは、インスタグラムのニーズよりフェイスブックのニーズを優先したわけだ。集約したほうが効率的だからというのがその理由だが、シストロムにしてみれば、ユーザーの安全より社内の序列が重視されているとしか思えない事態だった。

アダム・モセリ

フェイスブックが世間の厳しい目にさらされていることなどを考えると、新しいやり方を考えなければ資源も独立性も確保できそうにないと、シストロムもクリーガーも考えた。たぶん、フェイスブックの生え抜きに助けてもらうのがいいだろう。目を付けたのは、在籍10年近い古参幹部のアダム・モセリである。

もともとデザイナーだったモセリは、ニュースフィードの運営に携わっていて、そのルック&フィールをなんとかしようと奮闘努力していた。インスタグラムもよく使っていて、都会の風景や自然など、すばらしい写真をたくさん投稿していた。

そのころインスタグラムは、プロダクトの担当を必要としていた。２０１６年にシストロムがツイッターからケビン・ウェイルを引き抜いたが、彼は、米ドルに匹敵する世界的通貨をめざしてフェイスブックが開発を進めている暗号通貨、リブラ〔Libra〕の部門に異動してしまった。そんなわけで、シストロムとクリーガーは、ウェイルの後任にモセリを据えることにした。

この人事に対し、どういうつもりで選んだのだろう、いや、そもそも、インスタグラム側に選択権はあるのかと、インスタグラム社内ではさまざまな臆測が乱れ飛んだ。フェイスブックとの緊張関係を考えると、本当にモセリが欲しくて引き抜いたのか、それとも、管理を強化したいフェイスブックに押しつけられたのか、わからないのだ。

モセリ本人も驚いた。インスタグラムの創業者ふたりはいい人だし、尊敬もしているが、自分はうとんじられていると思っていたからだ。過去、小さなことで何度か衝突している。フェイスブックサイトにおけるインスタグラムのプロモーションを中止し、デザインの変更を求めたこともある。フェイスブックがどれほどインスタグラムを助けているか、また、インスタグラムはどのくらいフェイスブックを助けるべきかといった議論につながりかねない話は、すべて、デリケートで扱いが難しいのだ。

モセリは35歳でシストロムのひとつ年上。背は高くてがっちりしている。角張った顔に濃い眉毛が印象的だ。富士額で、人なつっこい笑い方をする。大ぶりのメガネをかけることもあり、そうすると、目が大きく、誠実に見える。社内でも社外でも好かれている人物で、フェイスブックが世間の信用を失いつつあるなか、貴重な人材だと言える。

そのため、通常業務のほかにスポークスマン的な仕事もするようになっていた。批判的な報道があると、会社のアカウントを通じ、ツイッターでフェイスブックの立場を説明するのだ。なお、ツイッターなのは、報道機関との関係を改善するため、ジャーナリストがよく使うメディアを選んだ結果である。また、議員と懇談し、ニュースフィードの説明をするなどもしていた。インスタグラムへの移籍に向けた面談が始まった4日後、データプライバシーについて欧州各国の政府と話をするという大変な出張にでかけるなどもしている。

800人の部下を従え、最前線で奮闘してきたモセリは、いいかげん、疲れを感じていた。

モセリは結婚していて、息子がふたりいた。ひとりは乳児、もうひとりもようやく歩けるくらいの幼児だ。彼らのためにも、サンフランシスコの自宅で過ごす時間を確保したい。インスタグラムに移籍すれば、多少は楽になるかもしれない。ユーザーの人気を博しているし、世間や報道の扱いも悪くない。少なくとも、フェイスブックに比べれば雲泥の差がある。問題がないとは言えないが、インスタグラムは、ユーザーを取り上げる形やセレブと協力する形でストーリーを語り続けている。美しいモノにあふれた特別な場所だと、世間に思ってもらうことに成功しているし、フェイスブックにもそう思わせている。

インスタグラムの幹部になれれば楽しいことも増えそうだ。フェイスブックが騒動のまっただなかで、議会証言に向かうザッカーバーグをカメラが追い回していた4月、シストロムは、ワインソムリエの資格を得ている。ニューヨークでも随一と言われる特別なパーティ、アナ・ウィンター編集長のMETガラでは、タキシードを着てカーダシアン家と同席した。モセリが欧州各国のデータ法制について検討していたとき、シストロムはIGTVについて考えていた。

モセリは知らなかったが、インスタグラムの創業者ふたりには、彼を引き抜きたい理由がもうひとつあった。そのうちザッカーバーグとの関係がこじれたり、フェイスブックとの駆け引きに疲れたりするかもしれない、そういうときにインスタグラムを援護してくれる人、そうしてくれると信頼できる人を育てておく必要があると考えたのだ。そう、いつの日か、自分たちが立ち上げた会社をモセリに任せる日が来るかもしれない、と。

IGTVの発表

6月のとある火曜日、インスタグラムはずっと目標にしてきた節目を迎えた。ユーザー10億人達成である。ストーリーズの導入が可能にした目標達成だ。2012年、インスタグラムを買収した週にフェイスブックが達成した数字でもある。フェイスブックとインスタグラムは、肩を並べて世界を大きく変えていく対等な関係になったと言える。

10億人達成の直後、インスタグラムは、史上最高に華々しい製品発表を行った。フェイスブッククウォッチと連携せず、独立アプリにしようと必死で戦ったＩＧＴＶの発表だ。フェイスブックとビジョンが大きく違うのだとことさら強調しようというかのように、インスタグラムらしさ満開のイベントだった。

会場は、サンフランシスコのコンサートホール、フィルモア・ウェストの跡地である。通りには、いつもならそこここにホームレスの姿が認められるのだが、この日は、お祭り気分が盛り上がるようにと、入り口に風船の巨大アーチが用意されるなどしていた。写真や動画で映える瞬間を祝うイベントであり、インスタグラムで人気となったサービスを祝うイベントだからだ。報道陣やインフルエンサーが入場の順番を待って列をなす。彼らに配られているのは、ラズベリークリームがたっぷり入ったクロワッサン生地のマフィン、クラフィンである。会場に入り、きれいに塗られた階段を上ると、色鮮やかな食べ物が並んでいる。アボカドトーストがある。アサイーボウルには、フレッシュベリーやココナツを自由にトッピングできる。すぐ近くでは、バリスタが抹茶ラテをふるまっている。もちろん、あちこちに自撮りスポットが用意されている。

新サービスが話題になるように、それ自体がインスタ映えするイベントとなっていた。バインで大人気となり、いまはインスタグラムでフォロワーが２５００万人もいるレレ・ポンズも来ていた。テレビゲームのストリーミングで有名なニンジャもいれば、ビューティーインフルエンサーとして活躍するマニー・グティエレスもいた。

足りないものはひとつだけ。シストロムによるプレゼンテーションの完成バージョンだ。花火をあしらうなどして磨きに磨いた動画で、イベント会場のスクリーンに合わせて作ってある。何度もリハーサルで使ってきたものなのに、なぜか、みつからない。とりあえず、開始を少し遅らせ、デザイン担当がドラフトバージョンから作り直すことにした。時間はない。なにせ、会場はすでに満席で、みな、真っ赤なムード照明のなか、いつ、なにが起きるのだと待っていたのだから。

そして、そのなにかが起きた。起きてしまった。新サービスを詳しく紹介する記事がインスタグラムのブログに投稿されたのだ。プレゼンテーションの最中に公開するはずのもので、投稿予約を解除しなければならないことにだれも思い至らなかったらしい。公開に気づいた記者が、会場でシストロムが出てくるのを待ちつつ、ブログの紹介から記事を書いて公開していく。ようやく登場したシストロムは、内心のいらつきを隠し、ユーモアたっぷりに短縮バージョンのプレゼンテーションと、続けて記者会見をこなしていった。

「マークが激怒してる」

お見事とは言いがたく、インスタグラムらしくなかったが、とにかく、やらなければならないことはやった。ストーリーズに続く意欲的な新サービス、ＩＧＴＶの提供が始まったのだ。

イベント参加者やスタッフは、インスタ映えの朝が終わり、会場近くの地下鉄駅に潜った瞬間、オーナー会社のことを思い出さざるをえなかった。「フェイクニュースに気をつけよう」「クリックベイトに気をつけよう」「フェイクアカウントに気をつけよう」などと書かれたポスターが通路中に貼られていたのだ。フェイスブックが大金を投じて世界で展開する「私はだまされない」キャンペーンである。

1時間の登壇を終えたシストロムも、フェイスブックに意識を引き戻された。iPhoneに上司の名前が出たので、静かな隅に移動して電話を取る。コックスもザッカーバーグもイベントには来てくれなかったが、成果として認めてはくれるんだな。だったら悪くない。そう思いながら、応答の操作をした。

「まずいことになった」

いきなりである。

「あのアイコンはなんだとマークが激怒してるんだ」

「本当ですか？　なにがいけなかったのでしょう」

「フェイスブックのメッセンジャーに似すぎてるそうだ」

IGTVのロゴは、テレビの中に横向きのいなずまが描かれている。メッセンジャーは、漫画に使われる吹き出しの中にだが、よく似たいなずまが描かれている。

大変な一日がやっと終わったというのに、上からはねぎらいの言葉もない。フェイスブックのブランドに土足で踏み込んでくる気かといういらだちが降ってきただけだった。

ザッカーバーグの業績説明

その1カ月後、ザッカーバーグは、ウォールストリートの投資家に対して業績を説明する電話会議で、IGTVをリリースしたことと、インスタグラムのユーザーが10億人に達したことを自慢げに語った。

インスタグラムを傘下に収めているのだから、その成果を自分のものとして吹聴しても問題はない。だが、続く言葉は、インスタグラムに身の程をわきまえろと言っているように聞こえるものだった。

「フェイスブックのインフラを活用したおかげで、インスタグラムの成長速度は倍以上になったと考えています」

また、10億人という節目は、インスタグラムにとって、また、「貢献してくれた部署すべて」にとって、「買収が大成功であったことを改めてかみしめる瞬間」だったとの言葉もあった。

インスタグラムの成功をフェイスブックの業績説明で取り上げてくれと、シストロムがいくら訴えても、めったに取り上げてもらえない。ずっとそんなふうだったし、今回、事業計画の目玉に取り上げてくれたと思ったら、フェイスブックの手柄であるかのような取り上げ方になっている。特に「倍以上」の一言は引っかかる。そうだと言える客観的な根拠などあるはずがないのだから。

IGTVは、シストロムがインスタグラムの存在を世の中に訴えるものだった。対して業績説明会は、ザッカーバーグが主役だ。ザッカーバーグは、フェイスブックはいまも革新的でクリエイティブだ、スキャンダルで揺れてはいるが、まだまだ、いろいろなやり方で成長していくことができると、ウォールストリートにも世間にも訴える必要があった。フェイスブックではザッカーバーグのリーダーシップについてどう思うか、世論調査をするのが定例になっているほど、ザッカーバーグは革新的だと思われたがっているからだ。

ともかく、業績説明会のあと、シストロムは、初めて、自分もいらついていることを社員に示した。自分たちでもユーザー10億人は達成できたはず、もう少し時間はかかっただろうが、倍もかかることはなかったはずだという話をクリーガーとふたりで語ったのだ。

出る杭《くい》は打たれると言うが、インスタグラムが成功を収めると、必ず、ザッカーバーグに頭を打たれる気がする。しかも、事態は悪化する一方だった。

「作りたいのは、グローバルなコミュニティをひとつ、なんだ」

フェイスブックの幹部全員が集まり、3日連続の会議を開いた。年度後半の事業計画を策定するためだ。2018年前半は世間の批判を浴びた半年だったが、この会議で一番の話題となったのは、その件ではなかった。ザッカーバーグの「アプリのファミリー」構想だ。

アプリは似たもの同士にならないよう個別に開発すべきだとコックスは訴えた。

「互いに食い合う面も多少はあるかもしれませんが、特徴的なブランドを増やしたほうが幅広いユーザーをつかめるはずです」

この前に、コックスとシストロムは、ハーバード大学教授クレイトン・クリステンセンの「ジョブ理論」で製品開発を進めるべきだと詳しく語っていた。なにかさせたい仕事《ジョブ》があるから消費者は製品を「雇う」のだ、だから、その製品を作る際には、消費者の目的をしっかり考えなければならないという理論である。フェイスブックはテキストとニュースとリンクのための製品であり、インスタグラムはビジュアルな瞬間を投稿したり興味関心を追求したりする場、という具合に、だ。

ザッカーバーグの考えは違っていた。

「グローバルに考えなきゃ。作りたいのは、小さなコミュニティをたくさんではなく、グローバルなコミュニティをひとつ、なんだ」

いま提供しているアプリのどれかひとつでも使っている人を一カ所に集められれば、25億人のコミュニティができる。フェイスブックより大きいコミュニティになる。そう言うのだ。コックスは食い下がる。

「でも、実現するのは難しいと思うんですよね。チームはそれぞれ大きく異なっていますし、ユーザーベースもまったく違うものになっていますから」

シストロムも援護射撃を試みた。

「そのやり方は、業務上、リスクとなるんじゃないでしょうか。インスタグラムについて考えるとき、同時に、メッセンジャーについてもフェイスブックについても考えなければならないことになります。実際問題、どうしたらいいのか、首をかしげてしまいます」

だが、ザッカーバーグは、それは取るべきリスクだと思うと考えを変えなかった。

実は、ネットワークを大きくする以外にも理由が存在した。データポリシーを統一し、会社全体で規制当局に対抗したいと考えていたのだ。コンテンツルールを統一し、フェイスブックのアプリ、全部に適用する。そうしてしまえば、後々、独占禁止法うんぬんという話が出ても、分割されにくい。表だって言えるような話でもないわけだが。

ともかく、会議でどういう意見が出ても同じことだった。ザッカーバーグの心は決まっていたのだから。

最大の敵は親会社

ザッカーバーグのメガネットワーク構想において、インスタグラムの役割は、フェイスブックと異なる層のユーザーをみつけてくることだ。しかも、収益もユーザー数もフェイスブック以上の速さで拡大しているのだから、補助輪は外していいはずだ。そう考えたザッカーバーグは、その夏、成長部門統括のハビオ・オリバーンに対し、インスタグラムを支援している機能を洗い出し、全部切るようにと命じた。

シストロムは、成功すれば罰を与えられるんだという思いを深くした。

インスタグラムをダウンロードしませんか、友達もいますよという広告を無料でフェイスブックのニュースフィードに出していたが、それもできないことになった。新規ユーザーが安定して流れ込んでいた道がふさがれたわけだ。

インスタグラムに人が流れてしまうのを防ぐ対策なのだが、フェイスブックユーザーをだますに等しいものもあった。前は、フェイスブックにも共有する設定でインスタグラムに投稿すると、フェイスブックでは、インスタグラムから共有された写真であることも示されるし、元投稿へのリンクも用意されていた。フェイスブックに投稿される写真の実に6％から8％はインスタグラムのものなのだ。ともかく、以前の形なら、リンクをたどって元写真にコメントする人が少なくなかった。だが、成長チームの指示でリンクが削除されると、フェイスブックに直接投稿した写真であるかのようにしか見えなくなった。1日あたり何十億枚もの写真からインスタグラムへのリンクが消されたのだ。

この結果、インスタグラムの成長はほぼ止まってしまった。フェイスブックがあったから成長してきたというザッカーバーグの主張が裏付けられた格好だ。

ここまでシストロムは、部下の前でザッカーバーグを批判しないようにしていた。だが、今回はさすがに腹に据えかね、社内に向け、長いメッセージを流した。いまのやり方に自分は反対だ、だが、まちがっていても、指示には従わざるをえない、と。

何年も前からリーダーシップのコーチングを受けてきた。どうしたらいいCEOになれるのか、本もたくさん読んできた。自分を高める努力をいろいろしてきたというのに、ここにきて、初めてわかったことがあった。自分は大将じゃなかった、だ。そして、ザッカーバーグがインスタグラムをフェイスブックの一部門として経営したいというのなら、そうさせたほうがいいのかもしれない、彼とは別にCEOを立てる余地などないのかもしれないとこぼすようになった。

少し頭を整理したいとも思い、シストロムは、この7月、育児休業の後半を取得。同時に、インスタグラムの成長チームはロックダウンに突入した。

フェイスブックにおけるロックダウンとは、競合他社に先駆けて製品を開発するとか、選挙妨害の問題に対応するとか、時間勝負のときに用いられる方法だ。仕事時間は長くなり、通勤用シャトルも遅くまで走らせるし、ほかのことはすべて棚上げにする。

今回のロックダウンは、趣が少し違っていた。フェイスブックに頼らず成長する方法をみつけようというのだ。もっと厳しい手を打たれることさえ、考えておかなければならない。たとえば、フェイスブックでだれとだれが友達になっているのか、その情報へのアクセスを禁じられることだってあるかもしれない。そんなことになったら、仲のいい友だちにコンテンツを配信するのが難しくなってしまう。

必死の努力が実り、7月末には、減速を逆転させることに成功した。目標を上回る成果だった。案ずるより産むが易しで、意外に簡単だった。フェイスブックの台本を拝借し、通知を増やしたり、こういう人もフォローしたらどうですかとの提案を増やしたり、それまでやらないように、やらないようにと避けてきた戦略をいくつか採用するだけでよかったのだ。

対策のなかにはかつて下品だと一蹴した戦略もあるが、先行きが不安なのでは、背に腹はかえられない。フェイスブックの成長戦略を鼻で笑えたのは、フェイスブックのおかげで成長しやすかったからなのだろう。親会社相手に存亡をかけた戦いをしなければならなくなり、やれと言われ続けてきたことをするようになったのは、皮肉としか言いようがない。

フェイスブックの資源を使え

成長の減速をなんとか逆転させる、IGTVを軌道に乗せる、フェイスブックとリソースを取り合うと大混乱のなか、一番わりを食ったのは、まずそうな問題が深刻化する前に解決し、フェイスブックの二の舞を避けようとしていたチームである。

データから目標を設定し、成長を最優先とする会社では、新しいものの開発が優先されがちだ。オピオイドの密売をなくそうとする、自殺を美化する投稿を削除するなどは、成果が測りにくく、報われることが少ない。あるハッシュタグを禁止したり、ある種の投稿をまとめて削除したりしても、すぐ、違うハッシュタグが使われたり、コメント欄に書くようにされたりとイタチごっこにしかならない。1日何十億件、何百億件もの投稿をすべて確認するなどできるはずもないのだから、有害なものがないと自信をもって言うことなどできるはずがない。

このあたりについては、すでに、いじめコメントを機械学習で検出し、自動的に削除しようと、アミート・ラナディベをトップとするウェルビーイングチームが作業を進めていた。この機能を拡充し、いじめだけでなく、麻薬密売や選挙干渉など、インスタグラムが抱える13種類の問題をカバーできるようにすればいい。ラナディベはそう考えた。

彼は、シストロムとフェイスブック健全性チームとの話については知らなかったが、そういう問題にエンジニアリング資源を使うなとモセリに言われていた。モセリはかたくなだった。人を増やそうと思うな、使えるかぎりフェイスブックの資源を使え、そうしなければ仕事にならないぞというのだ。

「いま進めていることはすべて中断し、フェイスブックを使う方法を考えてくれ」

ラナディベとしては、すなおに「はい」と答えるわけにいかない。

「フェイスブックを使えという話に一理あるのは認めますが、でも、いましていることはやめられません」

インスタグラムの問題もメディアに取り上げられるようになりつつあった。インスタグラムによるオピオイドの密売をワシントンポスト紙が取り上げるとのことで、コミュニケーションチームから、この問題にどう対処するつもりなのかと問い合わせが入ったりしていた。この記事は9月に発表された。インスタグラムにはドラッグ関連のコンテンツがあるし、パーソナライゼーションが行われているので売人をみつけるのも簡単だという内容だった。

「そう言われても、フェイスブックと違って、そういう取り組みができるほど資源がないんだよ」

モセリも困っているのだ。

ラナディベはクリーガーに助力をあおぐことにした。そしてクリーガーは、シストロムと同じく、ユーザーの「ウェルビーイング」にもっと配慮すべきだと訴えてくれた。だが、最後は、モセリが正しいと認めざるをえない状況だった。エンジニアリング資源は貴重であり、インスタグラムは人手不足だった。アプリが抱える問題についてフェイスブック側で対処してもらえれば、インスタグラム側は新サービスの開発を進め、成長を促進できる。

このような問題への対処は、フェイスブックでは、昔から、サイドプロジェクト程度の位置づけだった。対してインスタグラムはコミュニティ最優先だと言い続けてきたわけだが、今回は、その言葉を守ることができなかった。

「潮時だと思ったんだ」

シストロムの育児休業は7月末までの予定だった。だが、8月末までに延長となり、さらに、9月末まで再延長。この育児休業中、シストロムは、メンターやクリーガーと何度も会った。そして、この何カ月かのことを話し合えば話し合うほど、シストロムもクリーガーも、いらいらが募るばかりだった。

9月末の月曜日、シストロムが復帰し、幹部会議が開かれた。モセリらが集まり、サウスパークの会議室は、大変な時期に戻ってくれたシストロムを歓迎するハグや笑顔で満ちた。

シストロムの話は、退任する、だった。クリーガーも退任する。

悪い冗談だ。みんな、そう思った。ふたりがいないインスタグラムなど想像もできない。

だが、事実だった。すでに、コックス、ザッカーバーグ、サンドバーグに話を通してあるというのだ。

「潮時だと思ったんだ。ふたりとも、ずいぶん考えたよ。ずいぶんと話し合いもした」

買収から6年。予想をはるかに超えて長持ちしたと言える。少し休みたい、休んだらクリエイティブな原点に戻ろうと思うという話もあった。

幹部会議におけるシストロムとクリーガーは、退任の理由について、当たり障りのない話でごまかした。騒ぎを起こすのは本望ではなかったからだ。だが、その日の朝、コックスには、身を引く理由をはっきりと伝えていた。

「年初の話、覚えてますか？」

そう尋ねたのだ。資源と独立と信頼を求めた件である。

「お願いしたことは、どれひとつとして、かなえていただけませんでした」

想定外の展開だった。インスタグラムとフェイスブックには、社内をまとめるインターナルコミュニケーションの戦略もなければ、対外的なエクスターナルコミュニケーションの戦略もなかった。継承計画もない。候補者選定の進め方も定められていない。これは大変なことになるぞとモセリは思った。この話は、すぐ、みんなが知ることになる、そして、なんだかんだと外に向かって語るようになる、たったいま、自分の頭の中であれこれが飛び交っているのと同じように。

だが、思い悩んでいる暇はない。会議の予定がぎっしり入っているのだ。なにごともなかったかのようにこなさなければならない。プロダクトマネージャー候補の採用面接、欧州チームと懇親を深めるチャット、さらに……とたくさんの会議をこなし、会社のシャトルでサンフランシスコに戻るあいだもメールをチェックして、ようやく、自宅のドアを開けた。

靴を脱ぎ、妻のモニカに声をかける。

「ケビンもマイクも辞めるそうだ」

「ええ？　あなたはどうなるの？」

「わかんないよ」

そう答えた瞬間、スマホから、ニューヨークタイムズ紙のニュースアラートが流れた。「インスタグラムの共同創業者が退任[11]」――大騒ぎの始まりである。

3パラグラフのメッセージ

シストロムとクリーガーは、その夜、社員向けに3パラグラフの短いメッセージを書き、それを、インスタグラムのブログでも公開した。

インスタグラムで過ごした8年間については、また、フェイスブックと歩んだ6年間についても、マイクも私も、感謝の念でいっぱいです。10億人以上もの人々が使い、愛してくださる製品を作り続け、13人の小さな会社から、世界各地に1000カ所以上もの事務所を構えるまでに成長することができました。ですが、そろそろ、次の章に進むべきときが来たようです。

我々ふたりは、インスタグラムを離れ、もう一度、自分の好奇心と創造性を追求したいと考えています。新しいものを作るには、一歩引いてなにが自分の心に響くのかを見つめ直し、それと世界が求めるものをどう組み合わせるのかを考えなければなりません。これからは、そういうことがしたいのです。

リーダーからユーザー10億人のうちのふたりと立場は変わりますが、インスタグラムについてもフェイスブックについても、その未来がたいへん楽しみであることは変わりありません。革新的ですばらしい両社が、今後、なにをしてくれるのか、大いなる期待をもって見ていきたいと思います。[12]

口当たりのいい文章だが、よく読むと、ふーむと思う点がふたつある。ひとつは、ザッカーバーグの名前が出てこない点、もうひとつは、この6年間、そうではなかったにもかかわらず、インスタグラムをフェイスブックと別会社であるかのように書いている点だ。

インスタグラムの長

モセリは後任となるための面接を受けた。だが、メディアに情報が流れていたため[13]、面接を受けたとだれかに言うことはできなかった。昇進のうわさは本当かと、ひっきりなしに電話をかけてくる家族に対しても、である。母親に対しても、まだなにも聞いていないとうそをつくしかなかった。

モセリは、昇格が発表される前、サンフランシスコの丘にたつシストロムの自宅を訪れ、クリーガーも含む3人がカウチに並んだ写真を用意した。メディアはフェイスブックとインスタグラムの緊張が高まっていると書きたてるはずなので、創業者ふたりもモセリの昇格に拍手を送っていることを示し、ユーザーが愛するアプリは変わらないよというイメージを発信する必要があったからだ[14]。

写真は、コミュニケーション部門のトップがモセリのカメラで撮影した。注目のニュースであり、社外のプロに頼むのは危ないからだ。写真の3人は笑顔だった。だが、同じ日、インスタグラムらしく改装する作業がまだ終わっていない新しいサンフランシスコオフィスの30階では、真っ赤に泣きはらした目が並ぶ部屋に立たなければならない。

「退任を発表したあと、インスタグラムはこれからどうなるのかと、よく尋ねられました。我々にとって一番大事なのは、コミュニティを守ることです。インスタグラムがなにをするにせよ、その最前線かつ中心にいるみなさんを守ることなのです」

モセリが後任だと発表する投稿で、シストロムはこう語った。

モセリの肩書は、「インスタグラムの長」となった。フェイスブックという会社において、CEOの肩書を持てるのはひとりだけだからだ。

「いいね数表示」廃止の裏で

２０１９年末、自分以外のユーザーの写真について、いいね数の表示をやめるとの発表がインスタグラムからあった。何カ月もの時間をかけて試験をくり返し、いいほうに変わるとの結果が得られたのだそうだ（なにがどう変わるのか、詳しいことは明らかにされていない）。これは、ほかの人と比べて自分はだめだと感じにくくするのが目的で、「ユーザーがインスタグラムから感じるプレッシャーを減らし、競争をやわらげる試み」だとアダム・モセリは説明している。また、新規投稿の最後までスクロールしたとき、これで最後だとメッセージが出るようにもしたという。

いずれに対しても、メディアからもセレブからも歓迎の声が上がった。このあたりを見ると、インスタグラムは、コミュニティのウェルビーイングを守る動きを続けているように感じられる。だが、プレスリリースなしで静かに進められた変化もあり、そちらは印象がまるで違う。アプリのポップアップで、パフォーマンスの解析は必要かと尋ねられるようになったのだ。この解析では、リーチできている年齢層、その週にフォローをやめた人数、一番人気だった投稿などを図表で確認できる。以前からインフルエンサーやブランドには無償で提供されていたツールで、それが、今回、ふつうのユーザーにも公開されることになったわけだ。

これを受け、この解析が使えるようになりたければ、自分は「ＤＪ」だとか「モデル」だとか「俳優」だとかインスタグラムに申し入れをして、思わず口ごもりたくなるような職業ラベルをプロフィールに付けてもらわなきゃいけないんだろうねという冗談がティーンの間で交わされたりした。

だがそのうち、このツールを使う人が増え、それが当たり前になっていく。パフォーマンスのデータが欲しいかと尋ねられれば、だれしも、欲しいと答えるに決まっている。そもそも、インスタグラムというのは、ほかの人がフォローしたいと思う投稿をするためのものなのだから。

インスタグラムに仕込まれた親会社の「計測文化」

ユーザーが望むものをニュースフィードに表示するとしたフェイスブックの登場で、テクノロジー業界は、計測好き、トレンド解析好きが高じたが、美と創造性を基本とするアプリにそれを持ち込んでもなじむはずがない。だが、インスタグラムには、何年もかけてフェイスブックからエートスが注ぎ込まれていた。だから、我々の文化にインスタグラムを取り込むなら、同時に、フェイスブックの計測文化も取り込んでしまうわけだ。

個人とブランドの境目はあいまいになりつつある。データをもとに成長やつながりを求めることは、オンラインならごく当たり前になった。インスタグラムがいいね数の扱い方を変えようがどうしようが、コミュニケーションは戦略的になっていく。インスタグラムの登場で、我々は、新しい表現方法を手に入れたわけだが、同時に、自分を意識するようになったし、パフォーマンスを気にするようにもなったと言える。

人間の感情や関係は複雑なものだが、このデータを使えば、それなりに理解しやすくなる。フォロワー数は、我々の暮らしやブランドに対する興味のレベルを表していると考えていいだろう。たくさんのいいねはコンテンツがいいことの表れであり、コメントは、そのコンテンツを気にかけてくれる人がいることの表れである。

だが、その数字を目標にするのは話がまったく別で、組織としてフェイスブックが犯してしまった過ちを個人がそれぞれするに等しい。ユーザー数を増やし、彼らがアプリに使う時間を増やすことを最優先の目標にするとマーク・ザッカーバーグが決めたとき、犯してしまった過ちだ。成長は社員にとっていい目標となったが、同時に、盲点も生まれてしまったし、手っ取り早くなんとかしようとするインセンティブも生まれてしまった。

気にするなと言われてもいいねが気になるインスタグラムユーザーが多いことからもわかるが、フェイスブック社員のモチベーションを変えるのは難しいだろう。ザッカーバーグは、今後、意味のある会話と「有益な」利用時間で進化発展の度合いを測るとしている。問題は、それでもなにがしかの形で成長を実現しなければならないこと。なんだかんだ言っても、営利企業なのだから。

創業者が去って何が変わったか

創業者ふたりが去って何カ月かが過ぎると、アプリには、「インスタグラム・フロム・フェイスブック」と表示されるようになった。インスタグラムのダイレクトメッセージングを開発していたグループは、フェイスブックのメッセンジャーチームに合流。２０１９年末には、インスタグラムの会議にザッカーバーグが登場し、会場に集まった人々と一緒に自撮りをしたりもした。

社内では、スナップチャットを抜いて最大の脅威となっている中国製アプリ、ティックトックにインスタグラムで対抗するにはどうすればいいかが検討されるようになった。インスタグラムに出る広告が増えた。通知が増え、だれをフォローすべきか、それまで以上にパーソナライズされた提案がされるようになった。

フェイスブック「ファミリー」に加われば、いろいろ妥協して収益を増やさなければならないし、母艦であるソーシャルネットワークの成長鈍化に対しても責任を取らなければならない。

10月、インスタグラムのサンフランシスコ事務所に1台のケーキが用意された。集まった何十人もの社員が声をそろえ、「ハッピーバースデイ・トゥー・ユー、ハッピーバースデイ・トゥー・ユー、ハッピーバースデイ・トゥー・インスタグラム……」と歌う。創業者ふたりがクリックし、インスタグラムを世の中に送り出して9年がたったのだ。ケーキは、いかにもインスタグラムというものだ。５色の層になっているし、ナイフを入れると、真ん中からレインボースプリンクルがあふれる仕掛けも施されていた。

システロムの顔もクリーガーの顔もなかった。システロムは、しばらく、インスタグラムに投稿さえしていなかった。逆に削除はしていた。権限のスムーズな委譲を印象づけようと、クリーガーとアダム・モセリと3人、自宅のカウチで撮った写真も削除されている。このころは、ふたりとも、自分を見直し、肩書なしの自分はどういう人間なのかを模索していた。そして、システロムは飛行機の操縦免許を取り、クリーガーは父になっていた。

新トップの質問

レインボーケーキを囲む幹部は、モセリも含め、全員、フェイスブックからの移籍組で、この会社でうまくやるには、自分の考えを棚上げし、言われたとおりにする必要があるとわかっていた。そして実際、いろいろなことが変わったわけだが、モセリとしては、ザッカーバーグが当然と思うやり方にひたすら従うのではなく、今後も、押したり引いたりの交渉をフェイスブックと続けていきたいと考えていた。作るべきものをそういうやり方でしっかり判断していたシストロムとクリーガーをお手本にするのだ。だから、毎金曜日、自分のストーリーズでユーザーに質問を投げかけ、それに答えて、インスタグラムに対する世間の理解を深めようと努力していた。

誕生会の週には、次のように問いかけた。

「いま一番大事な問いは、私たちはみなさんにとってよいものなのか、です」

いま、この点を問う声が大きくなっている。英国では、モリー・ラッセル（14歳）の自殺についてインスタグラムの責任が問われている。彼女が死んだあと、父親がアカウントを確認したところ、自傷行為や鬱《うつ》を取り扱ったものがたくさんみつかったというのである。米国では、麻薬密売について議会に喚問され、そういう画像やハッシュタグをインスタグラムから取り除く努力をしっかり進めているとフェイスブック幹部が証言したが、この問題を追い続けているアイリーン・キャリーから、コメント欄で麻薬の密売がさかんに行われているとの指摘を受けてしまう。

最大のファンはインスタグラムで有名になり、お金も手にした人々だが、彼らからも、容姿を保つのが大変だとの声が上がるようになった。実は、こういうスター級の人々に対し、完璧であろうとせず、素のコンテンツを投稿すべきだとのアドバイスがひっそりとなされている。完璧に新しさはなくなった、素のほうが自己投影しやすく、関係を築きやすいとインスタグラムは考えているのだ。

会社分割

規制の問題もある。いま、フェイスブックをやめてほかに移ろうと思ったとき、その第1候補もフェイスブックのアプリであることを問題視する政府が増えつつあるのだ。フェイスブックが独占禁止法に抵触するか否か、米連邦取引委員会と米司法省が調査を進めているし、その一環として、インスタグラムの買収についても再検討が行われている。

２０２０年の米国大統領選挙でも、フェイスブックは力を持ちすぎた、だから、インスタグラムを別会社に分離させるべきだとの意見がずいぶんと聞かれた。政治家からも学者からも、選挙に影響を与える、テロ集団に誘う、銃乱射をライブ配信する、怪しげな医療情報を広める、詐欺を働くなどの行為を取り締まらず、社会に損害を与えているとの声が上がったのだ。

　これに対してザッカーバーグは、ツイッターの年間売上以上を「健全性」問題につぎ込んでいると抗弁。また、このような問題は、「テクノロジー」や「ソーシャルメディア」が抱える問題であってフェイスブックの問題ではないとくり返し訴えた。

　前述の問いに対するモセリの回答は、フェイスブック的には完璧なものだった。

「テクノロジーはそこにあるだけのもので、いいものでも悪いものでもありません。ソーシャルメディアは、すごいアンプです。だから、責任をもっていいものは増幅し、悪いものには対処するよう、できるかぎりのことをする必要があります」

　だが、「そこにあるだけ」などありえない。少なくともインスタグラムは違う。電気やコンピュータープログラムは中立な技術かもしれないが、インスタグラムは違う。体験を生み出すことを意図して作られている。ユーザーの行動を誘導しようと、さまざまな選択をして作られた製品であり、このアプリでなければ実現できないインパクトをユーザーに与えるものだ。いいねもフォローも、インスタグラムがユーザーに教えたことだが、それだけで、ユーザーがいまほどの親近感を製品に抱くようにはならない。インスタグラムはユーザーを一人ひとりの人間として扱った。編集作業を通じてじっくりとキュレーションするとともに、人気アカウントと協力するという形で。インスタグラムは「いいもの」を上手に増幅してきたのだ。

　対して「悪いもの」への対応では、ユーザーの顔を見ず数字で考えている、それが問題だと社員は考えている。会社分割については、「アプリのファミリー」へと進化すればするほどユーザーにとって安全になる、だからしないほうがいいというのがフェイスブックの主張だ。

「選挙への介入を防ぎたいなら、ヘイトスピーチが広まらないようにしたいなら、緊密に協力したほうが絶対にいいのです」とモセリも語っている。だが実際には、フェイスブックの大問題を片付けた後にしか、インスタグラムの問題には手が入らない。論理的に考えればそうするのが当然だというのがフェイスブックの立場である。判断はなるべく多くの人に効果を及ぼすように下すものであり、ユーザー数はインスタグラムよりフェイスブックが格段に多いからだ。

水漏れだらけのインスタグラム

人々がネットワークでつながれば、人間的な問題が起きるのは当然のことだ。ただ、会社の規模が大きくなると、数十万人規模の問題も統計的にはささいなことになってしまう。

そもそも、インスタグラムは問題を未然に防ぐ対策を取っておらず、そのせいで、問題の規模も把握できていない。

違法行為の写真や証明書の売買をしているアカウントをこっそり削除したりするが、それだけなので、そのうち、別な形で同じ問題が再燃してしまう。若者が整形手術のフィルターを見られないようにはするくせに、年齢をきちんと確認する仕組みは用意しない。見た目はきれいだが、水漏れだらけ、虫だらけのマンションのようなものだと言えばいいだろうか。こっちを修理しなければならないし、あっちにはわなを仕掛けなければならない。たまには大掃除もしたほうが住人は喜ぶはずだ。だが、水漏れの原因はなにかと考えたり、マンションの構造自体に問題はないのかと検討できるだけの資源は、建物の管理会社にない。修理作業を委託する会社が、フェイスブックというもっと大きいマンションの改修で忙しいからだ。

「善の力になりたい」

2019年、インスタグラムの収益は200億ドルと、フェイスブック全体の4分の1以上に達した。[1] 2012年のインスタグラムは、歴史的なお買い得品だったわけだ。共食いの検討が行われた後、インスタグラムはさらに成長したというのがフェイスブック側のイメージだ。あの検討は、インスタグラムをどうすべきか、合理的・論理的に決めるために行うとされていたが、インスタグラム側は、ザッカーバーグが介入を増やす理由に使われるのではないかと心配していた。

シストロムとクリーガーが会社をフェイスブックに売ったのは、インスタグラムに大きくなってほしかったから、浸透してほしかったから、長続きしてほしかったからだ。シストロムがニューヨーク誌に語った言葉を紹介しよう。

「思い切ってチャンスをつかみ、世の中にとって価値のあるなにかを作り、さらに、それを使って、社会的な意味で恩返しをするのが大事なのだと思います。成長することができて、大きな価値を持つなにか、です。我々は、そうしたいと思ってがんばりました。善の力になりたい、と」

だが、ユーザーが10億人を突破すると、文化に働きかけたいとふたりが開発したアプリは、性格、自尊心、優先順位を巡る社内政治に巻き込まれてしまった。フェイスブックの歴史に鑑みると、買収の代償は、今後、インスタグラムのユーザーが払わされるものなのかもしれない。

謝辞

本書は、たくさんの人々の考えや記憶からできている。会食、カフェミーティング、電話、会議室での取材など、いずれも貴重でありがたいものだった。30分のはずが2時間、3時間と話をしてくれた人もいる。ノートにメモをしつつサンフランシスコの街を一緒に歩くのを許してくださった人もいる。細かな点の確認にいやな顔ひとつせず付き合ってくださった人もいる。ジャーナリストの取材に応じるのは、勇気のいることだ。応じてくださった方々には、伏して感謝申し上げたい。

編集を担当してくれたステファニー・フレリッチにも、心からの感謝を申し上げたい。本書の仕事を抱えたままサイモン&シュスターに転職するほど猛烈に応援してくれた女性で、首をかける勢いで本書に打ち込み、私の背中を必死に押し続けてくれた。エージェントのパイラー・クイーンは、書籍そのものの応援に加えて、本を書くなど初めてで右も左もわからない私に成功への道筋を示すなどもしてくれた。

ブラッド・ストーンがいなければ、パイラーやステファニーと出会うこともなかっただろうし、正直に言えば、私でも本が書けると思うことさえなかったはずだ。私も所属するブルームバーグニュースのテクノロジーチームで編集主幹を務めるとともに、何冊も著書があるブラッドは、インスタグラムの本を私が書くことを私より早くから知っていた。２０１７年12月、ブルームバーグ・ビジネスウィーク誌にインスタグラムの特集記事を書いていた私に、本にしたらいいじゃないかと言ってくれたのだ。だから、私は、この特集記事をもとに本の企画書を書いた。執筆が始まったあとも、ブルームバーグチームを動かしながら2冊目のアマゾン本を書くという忙しい生活であったにもかかわらず、ブラッドは、私が助けを求めるたびに話を聞いてくれた。彼の導きと粘り強い支援がなければ、私がジャーナリストになれることはなかっただろう。

最終的に本書が形になったのは、出版社のジョナサン・カープのおかげであり、また、サイモン&シュスターの方々のおかげである。編集補佐のエミリー・サイモンソンには、本書が完成するまで、あらゆる段階でアドバイスをいただいた。ピート・ギャルソーにはすばらしいカバーを作っていただいたし、アートディレクションはジャッキー・セオに、本文部分のデザインはルウェリン・ポランコに担当していただいた。本書は世界各国の言葉でも出版されるが、そうなったのは、マリー・フロリオの尽力による。また、本書が世間の話題になるとすれば、それは、パブリシティのラリー・ヒューズとマーケティングのステファン・ベッドフォードががんばってくれたおかげである。印刷製本ではシェリー・ワッサーマンとアリシア・ブランカートのお世話になったし、キンバリー・ゴールドシュタイン編集局長とアニー・クレイグ編集局長補佐にもお世話になった。サイモン&シュスターのフェリス・ジャビットとペロシ、ウルフ、エフロン&スペイツのジェイミー・ウルフにもアドバイスをいただいたことを感謝したい。

ブルームバーグニュースの経営陣からも、本書に多大な支援をいただいた。特に、議会における公聴会や連邦機関による調査、プライバシースキャンダルなど事件が連発した大事な時期にフェイスブック担当の記者が集中できなかったり、それこそいなかったりしたわけで、それを考えると、その支援には驚くしかないと言える。セリナ・ワンやゲリット・デビンスクをはじめ、たくさんの仲間が交代で、私の代わりにフェイスブックのニュースを書いてくれた。彼らにも、ここで、感謝の意を表しておきたい。また、2019年春には、カート・ワグナーがふたりめのフェイスブック担当記者として入社してくれた。彼は、先輩が本書にかかりきりになっている状態で仕事を覚えなければならなかったわけだが、すごく優秀であり、おかげで私は本書に集中することができた。本当にありがたいことである。信頼できる人と一緒に仕事ができるのは幸運としか言いようがない。

ブラッドとともにブルームバーグのテックチームを引っぱるトム・ジャイルズとジュリアン・ウォードには足を向けて寝ることができない。ふたりとも、我々記者のアイデアやキャリアを第一に考えてくれるのだ。それもあって、チームにはトップクラスのジャーナリストと編集者が大勢いて、日々、多くのことを学ばせてもらっている。どう書き直したらいいのか悩んだ章については、ジュリアンやエミリー・ビウソ、アリステア・バーから意見をもらった。全体を書き上げたあとには、アニー・バンダーミー、エレン・ユエ、ディナ・バス、シーラ・オバイデ、マーク・ベルゲン、オースティン・カー、カートに読んでもらった。机がとなりのニコ・グラントには、信頼できる友人としていろいろ相談に乗ってもらった。職場には、エミリー・チャンやアシュリー・ヴァンスのようにすばらしい本を書いた先輩が何人もいて、ロールモデルにさせていただいている。さらに、相談にも乗っていただいたし、なにくれとなく支援もしていただいた。インスタグラムの特集など、ブルームバーグ・ビジネスウィーク誌に長編記事を書くときは、いつも、マックス・チャフキンが編集を担当してくれる。何年も彼と仕事をしてきた経験があったから、本書も書き上げることができたのだと思う。

インスタグラムのコミュニケーションチームで働くジュヌビエーブ・グルディナとエリザベス・ディアナには、フェイスブック社内から本プロジェクトを支えていただいた。もちろん、業務で多忙な中、取材につきあってくれたり、事実確認の質問に答えてくれたりしたフェイスブック社員やインスタグラム社員にも心より感謝している。本書の精度が上がったのは、みなさんのおかげだ。取材に応じてくれたインフルエンサーや自営業の方々にも感謝したい。なかでも、見えないところでどういう努力をしているかまで語ってくれたサンパウロの人々には、格別の感謝を捧げたい。インスタグラムを仕事にした人々からは、本当に多くのことを学ばせていただいた。もちろん、一番の感謝は、インスタグラムの創業者ふたりに捧げるべきだろう。おふたりがいなければ、本書に描かれたことはなにひとつ現実になりえなかったのだから。インスタグラムの登場で、世界は、本当に大きく変わった。

このほか、ショーン・レイバリーには、事実確認でもお世話になったし、また、つらい時期に心の支えにもなってもらった。また、ジェシカ・J・リーにはエンドノートの原稿を作ってもらったし、ブレーク・モンゴメリーには、ブレインストーミングの段階で、インスタグラムの文化的影響についてまとめてもらった。コワーキングスペースのザ・ウイングで必死になって書いていたころには、シュルティ・シャー、アレクシア・ボナストス、サラ・シーガルの顔を見るたびほっとした。

私がビジネスジャーナリストになったのは、ノースカロライナ大学で、クリス・ラウシュとペネロープ・アバーナシーのふたりが、企業活動を批判的に見ることを教えてくれたからだ。アバーナシー先生には、卒業から5年で本を書くと思うと言われた。ちょっと遅くなりました。すみません。

ジャーナリズムとは歴史をとりあえず書き留めた粗稿であり、そこから生まれた書籍は、その改訂版と言えるだろう。だから、インスタグラムについて取材をしてきたたくさんの記者に対しても、また、我々の社会や文化に対するインスタグラムの影響について、また、フェイスブックにおけるインスタグラムの位置づけについて発信している人々に対しても、感謝の念を禁じ得ない。本書で活用させていただいた記事を書かれた記者については、巻末原注のページにお名前を記させていただいた。

ジャーナリストのコミュニティからは、このほかにもさまざまな形で支援をいただいた。ニック・ビルトン、ブレイク・ハリス、ロジャー・マクナミーなど、著作の先輩各位から連絡をいただき、節目節目で助けていただいた。同じ時期にやはり執筆で苦労していたティム・ヒギンズとアレックス・デイビスにも、いろいろと意見してもらった。彼らと夕食を囲んだおかげで気が楽になったことも何度あったかしれない。シリコンバレーの若手ジャーナリスト多数をメンターとして育ててきたカーラ・スウィッシャーにも、本プロジェクトに賛同していただいたし、すばらしい人々もご紹介いただいた。おかげで、本書の深みが大きく増した。

本書の執筆により、私は、すばらしい家族や友だちに囲まれて幸せだと改めて思うようになった。子どものころから、物語やたわいもない寸劇を私と一緒に書いたりしてきたいとこ、クレア・コーゼンは、最初の読者として本書を読んでくれ、こんなものでいいのだろうかと心配でたまらなかったごく早い時期に、貴重なフィードバックを提供するとともに、大丈夫だよと言ってくれた。クレアの次に草稿を読んでくれた友だちのケイシー・トルバートからはとても深いコメントをもらい、おかげで、改訂の方向性がはっきりした。別のいとこのミシェル・コロディンには、インスタグラムのヘビーユーザーを何人も紹介してもらい、おかげで、いろいろとおもしろい話を聞くことができた。ウォルター・ヒッキーは飛行機に乗っている時間を活用して1章分の採点をしてくれたし、オーウェン・トーマスは、技術の歴史を正しく書けているかどうかを確認してくれた。アシュレイ・ルッツとケイティ・ホーは、気晴らしも大事だとビーチに誘ってくれたし、ノースカロライナ大学バスケットボールチームの試合には、必ず、ウィル・ボンジュラントが誘ってくれた。ミランダ・ヘンリーからは、これでくつろいでねと初著書執筆のお祝いが届いた。アレックス・バリンカは、私の代わりにずっとブレインストーミングをしてくれた。クリスティーナ・ファーはワインを片手にカウチに座り、さぁ、読み聞かせてちょうだいと言ってくれた。優れたジャーナリストなら当然で、そのあとには、おかしなところに対する容赦のない突っ込みが待っていたわけだが、同時に、大丈夫かと気遣うことも忘れずにいてくれた。

弟のマイケル・フライヤーは、メンタルヘルスにインスタグラムが与える影響の研究が記されたページをたくさん送って本書を後押ししてくれた。兄のジェイムズ・フライヤーと兄嫁のマディー・チューラー・フライヤーは、取材でロサンゼルスを訪れた際、カウチでたっぷりもてなしてくれたし、クリスマス休暇中は家族総出で助けてくれた。特にマディーは、スペルミスをいくつもみつけてくれた。

本書をこの短期間でこれほどしっかり書き上げることができたのは、父ケン・フライヤーと継母グレッチェン・タイが実家を自由に使わせてくれたからだ。原稿の締め切りが迫り、アパートで作業するのはとても無理となったとき、集中できるようにとおいしいご飯を作ってくれたりしたのだ。父からは、書き方を悩んだとき、鋭い意見ももらうことができた。そのような支援を得られたのは、父の両親、ジョン・フライヤーとメアリー・エレン・フライヤーが多読と問題解決型思考を家族に根付かせてくれたからだろう。

本書執筆中という大変な時期に我々家族はアパートを引っ越したのだが、そんなことができたのは、母ローラ・カーサスのおかげである。母には、このほかにも、さまざまな形で支援してもらったし、背中を押してももらった。病床の祖母グデリア・カーサスとのやりとりも、母がいなければ難しかったはずだ。1956年、小さな子どもを連れ、英語もできない状態でこの国に移り住んだ祖母は、刊行された本書を見るまで生きてくれた。彼女の勇気と優しさは、いまも、私の心に生きている。

最後に、愛するマットに心からの感謝を捧げたい。日々、隣にいてくれることが、どれほど心強いことか。インスピレーションも与えてくれる。ときどきは、おいしいお菓子も焼いてくれる。なにもかも、あなたのおかげだ。本書も、あなたに捧げる。

5. David Marcus, "The Other Side of the Story," Facebook, September 26, 2018, https://www.facebook.com/notes/david-marcus/the-other-side-of-the-story/10157815319244148/.
6. Matthew Rosenberg, Nicholas Confessore, and Carole Cadwalladr, "How Trump Consultants Exploited the Facebook Data of Millions," *New York Times*, March 17, 2018, https://www.nytimes.com/2018/03/17/us/politics/cambridge-analytica-trump-campaign.html; Carole Cadwalladr and Emma Graham-Harrison, "Revealed: 50 Million Facebook Profiles Harvested for Cambridge Analytica in Major Data Breach," *The Observer*, March 17, 2018, https://www.theguardian.com/news/2018/mar/17/cambridge-analytica-facebook-influence-us-election.
7. Casey Newton, "The Trauma Floor," *The Verge*, February 25, 2019, https://www.theverge.com/2019/2/25/18229714/cognizant-facebook-content-moderator-interviews-trauma-working-conditions-arizona; and Munsif Vengatil and Paresh Dave, "Facebook Contractor Hikes Pay for Indian Content Reviewers," Reuters, August 19, 2019, https://www.reuters.com/article/us-facebook-reviewers-wages/facebook-contractor-hikes-pay-for-indian-content-reviewers-idUSKCN1V91FK.
8. Alex Kantrowitz, "Violence on Facebook Live Is Worse Than You Thought," *BuzzFeed News*, June 16, 2017, https://www.buzzfeednews.com/article/alexkantrowitz/heres-how-bad-facebook-lives-violence-problem-is.
9. "Overdose Death Rates," National Institute on Drug Abuse, January 2019, https://www.drugabuse.gov/related-topics/trends-statistics/overdose-death-rates.
10. Sarah Frier, "Facebook's Crisis Management Algorithms Run on Outrage," *Bloomberg Business*, March 14, 2019, https://www.bloomberg.com/features/2019-facebook-neverending-crisis/.
11. Mike Isaac, "Instagram Co-Founders to Step Down from Company," *New York Times*, September 24, 2018, https://www.nytimes.com/2018/09/24/technology/instagram-cofounders-resign.html.
12. Kevin Systrom, "Statement from Kevin Systrom, Instagram Co-Founder and CEO," Instagram-press.com, September 24, 2018, https://instagram-press.com/blog/2018/09/24/statement-from-kevin-systrom-instagram-co-founder-and-ceo/.
13. Sarah Frier, "Instagram Founders Depart Facebook After Clashes with Zuckerberg," Bloomberg.com, last modified September 25, 2018, https://www.bloomberg.com/news/articles/2018-09-25/instagram-founders-depart-facebook-after-clashes-with-zuckerberg.
14. Frier, "Instagram Founders Depart Facebook."

エピローグ

1. Sarah Frier and Nico Grant, "Instagram Brings In More Than a Quarter of Facebook Sales," Bloomberg.com, February 4, 2020, https://www.bloomberg.com/news/articles/2020-02-04/instagram-generates-more-than-a-quarter-of-facebook-s-sales.

15. Market Watchのプレスリリース（2018年12月10日）、"Botox: World Market Sales, Consumption, Demand and Forecast 2018-2023,"https://www.marketwatch.com/press-release/botox-world-market-sales-consumption-demand-and-forecast-2018-2023-2018-12-10 (link removed as of November 2019).
16. Susruthi Rajanala, Mayra B. C. Maymone, and Neelam A. Vashi, "Selfies: Living in the Era of Filtered Photographs," *JAMA Facial Plastic Surgery* 20, no. 6 (November/December 2018): 443.44, https://jamanetwork.com/journals/jamafacialplasticsurgery/article-abstract/2688763.
17. Jessica Bursztyntsky, "Instagram Vanity Drives Record Numbers of Brazilian Butt Lifts as Millennials Fuel Plastic Surgery Boom," CNBC.com, March 19, 2019, https://www.cnbc.com/2019/03/19/millennials-fuel-plastic-surgery-boom-record-butt-procedures.html.
18. American Society of Plastic Surgeonsのプレスリリース（2018年8月6日）、"Plastic Surgery Societies Issue Urgent Warning About the Risks Associated with Brazilian Butt Lifts,"https://www.plasticsurgery.org/news/press-releases/plastic-surgery-societies-issue-urgent-warning-about-the-risks-associated-with-brazilian-butt-lifts.
19. Instagress (@instagress), "Sad news to all of you who fell in love with Instagress: by request of Instagram we've closed our web-service that helped you so much," Twitter, April 20, 2017, 12:34 p.m., https://twitter.com/instagress/status/855006699568148480.
20. Malak Harb, "For Huda Kattan, Beauty Has Become a Billion-Dollar Business," *Washington Post*, October 14, 2019, https://www.washingtonpost.com/entertainment/celebrities/for-huda-kattan-beauty-has-become-a-billion-dollar-business/2019/10/14/4e620a98-ee46-11e9-bb7e-d2026ee0c199_story.html.
21. Emily Weiss, "Introducing Glossier," Into the Gloss (blog), *Glossier*, October 2014, https://intothegloss.com/2014/10/emily-weiss-glossier/.
22. Royal Society for Public Healthのプレスリリース（2017年5月19日）、"Instagram Ranked Worst for Young People's Mental Health,"https://www.rsph.org.uk/about-us/news/instagram-ranked-worst-for-young-people-s-mental-health.html.
23. "The Disinformation Report," *New Knowledge*, December 17, 2018, https://www.newknowledge.com/articles/the-disinformation-report/.

第12章

1. Leena Rao, "Facebook Will Grow Head Count Quickly in 2013 to Develop Money-Making Products, Total Expenses Will Jump by 50 Percent," *TechCrunch*, January 30, 2013, https://techcrunch.com/2013/01/30/zuck-facebook-will-grow-headcount-quickly-in-2013-to-develop-future-money-making-products/.
2. Kurt Wagner, "Facebook Is Making Its Biggest Executive Reshuffle in Company History," *Vox*, May 8, 2018, https://www.vox.com/2018/5/8/17330226/facebook-reorg-mark-zuckerberg-whatsapp-messenger-ceo-blockchain.
3. Parmy Olson, "Exclusive: WhatsApp Cofounder Brian Acton Gives the Inside Story on #DeleteFace book and Why He Left $850 Million Behind," *Forbes*, September 26, 2018, https://www.forbes.com/sites/parmyolson/2018/09/26/exclusive-whatsapp-cofounder-brian-acton-gives-the-inside-story-on-deletefacebook-and-why-he-left-850-million-behind/.
4. Kirsten Grind and Deepa Seetharaman, "Behind the Messy, Expensive Split Between Facebook and WhatsApp's Founders," *Wall Street Journal*, June 5, 2018, https://www.wsj.com/articles/behind-the-messy-expensive-split-between-facebook-and-whatsapps-founders-1528208641.

facebook-s-best-hope.
16. Sarah Frier, "Instagram Looks Like Facebook's Best Hope."

第11章

1. アシュトン・カッチャー、著者による電話取材（2019年7月9日）。
2. Bridget Read, "Here's Why You Keep Seeing Certain Instagram Commenters Over Others," *Vogue*, May 4, 2018, https://www.vogue.com/article/how-instagram-comments-work.
3. Emma Grey Ellis, "Welcome to the Age of the Hour-Long YouTube Video," *Wired*, November 12, 2018, https://www.wired.com/story/youtube-video-extra-long/.
4. Federal Trade Commissionのプレスリリース（2016年3月15日）、"Lord & Taylor Settles FTC Charges It Deceived Consumers Through Paid Article in an Online Fashion Magazine and Paid Instagram Posts by 50 'Fashion Influencers,'"https://www.ftc.gov/news-events/press-releases/2016/03/lord-taylor-settles-ftc-charges-it-deceived-consumers-through.
5. "93% of Top Celebrity Social Media Endorsements Violate FTC Guidelines," MediaKix（2019年9月20日に確認）, https://mediakix.com/blog/celebrity-social-media-endorsements-violate-ftc-instagram/.
6. Lulu Garcia-Navarro and Monika Evstatieva, "Fyre Festival Documentary Shows 'Perception and Reality' of Infamous Concert Flop," NPR.org, January 13, 2019, https://www.npr.org/2019/01/13/684887614/fyre-festival-documentary-shows-perception-and-reality-of-infamous-concert-flop.
7. Agam Bansal, Chandan Garg, Abhijith Pakhare, and Samiksha Gupta, "Selfies: A Boon or Bane?," *Journal of Family Medicine and Primary Care* 7, no. 4 (July–August 2018): 828.31, https://www.ncbi.nlm.nih.gov/pmc/articles/PMC6131996/.
8. World Travel and Tourism Councilのプレスリリース（2019年2月27日）、"Travel & Tourism Continues Strong Growth Above Global GDP,"https://www.wttc.org/about/media-centre/press-releases/press-releases/2019/travel-tourism-continues-strong-growth-above-global-gdp/.
9. Dan Goldman, Sophie Marchessou, and Warren Teichner, "Cashing In on the US Experience Economy," McKinsey & Co., December 2017, https://www.mckinsey.com/industries/private-equity-and-principal-investors/our-insights/cashing-in-on-the-us-experience-economy.
10. "Air Travel by the Numbers," Federal Aviation Agency, June 6, 2019, https://www.faa.gov/air_traffic/by_the_numbers/.
11. Lauren O'Neill, "You Can Now Take Fake Private Jet Photos for Instagram in Toronto," *blogTO*, May 2019, https://www.blogto.com/arts/2019/05/photos-fake-private-jet-instagram-toronto/.
12. Megan Bennett, "No Eternal Return for Small Investors," *Albuquerque Journal*, August 6, 2019, https://www.abqjournal.com/1350602/no-eternal-return-for-small-investors.html.
13. Kaya Yurieff, "The Most Downloaded iOS Apps of 2017," CNN.com, December 7, 2017, https://money.cnn.com/2017/12/07/technology/ios-most-popular-apps-2017/index.html.
14. Chrissy Teigen (@chris syteigen), "I don't know what real skin looks like anymore. Makeup ppl on instagram, please stop with the smoothing (unless it's me) just kidding (I'm torn) ok maybe just chill out a bit. People of social media just know: IT'S FACETUNE, you're beautiful, don't compare yourself to people ok," Twitter, February 12, 2018, 7:16 a.m., https://twitter.com/chrissyteigen/status/962933447902842880.

Business," *Bloomberg Businessweek*, May 26, 2015, https://www.bloomberg.com/news/features/2015-05-26/evan-spiegel-reveals-plan-to-turn-snapchat-into-a-real-business.

8. Kevin Systrom (@kevin), "The last cycling climb of our vacation was the infamous Mont Ventoux," Instagram, August 17, 2016, https://www.instagram.com/p/BJN3MKIhAjz/?hl=en.

第10章

1. Casey Newton, "America Doesn't Trust Facebook," *The Verge*, October 27, 2017, https://www.theverge.com/2017/10/27/16552620/facebook-trust-survey-usage-popularity-fake-news.
2. Craig Silverman, "This Analysis Shows How Viral Fake Election News Stories Outperformed Real News on Facebook," *BuzzFeed News*, November 16, 2016, https://www.buzzfeednews.com/article/craigsilverman/viral-fake-election-news-outperformed-real-news-on-facebook.
3. Salvador Rodriguez, "Facebook's Adam Mosseri Fought Hard Against Fake News—Now He's Leading Instagram," *CNBC*, May 31, 2019, https://www.cnbc.com/2019/05/31/instagram-adam-mosseri-must-please-facebook-investors-and-zuckerberg.html.
4. Sarah Frier, "Trump's Campaign Says It Was Better at Facebook. Facebook Agrees," Bloomberg.com, April 3, 2018, https://www.bloomberg.com/news/articles/2018-04-03/trump-s-campaign-said-it-was-better-at-facebook-facebook-agrees.
5. Frier, "Trump's Campaign Says It Was Better at Facebook."
6. Adam Entous, Elizabeth Dwoskin, and Craig Timberg, "Obama Tried to Give Zuckerberg a Wake-Up Call over Fake News on Facebook," *Washington Post*, September 24, 2017, https://www.washingtonpost.com/business/economy/obama-tried-to-give-zuckerberg-a-wake-up-call-over-fake-news-on-facebook/2017/09/24/15d19b12-ddac-4ad5-ac6e-ef909e1c1284_story.html.
7. Entous, Dwoskin, and Timberg, "Obama Tried to Give Zuckerberg a Wake-Up Call."
8. Sarah Frier, "Facebook Watch Isn't Living Up to Its Name," *Bloomberg Businessweek*, January 28, 2019, https://www.bloomberg.com/news/articles/2019-01-28/facebook-watch-struggles-to-deliver-hits-or-advertisers.
9. Chris Welch, "Facebook Is Testing a Clone of Snapchat Stories Inside Messenger," *The Verge*, September 30, 2016, https://www.theverge.com/2016/9/30/13123390/facebook-messenger-copying-snapchat.
10. Thompson, "Mr. Nice Guy."
11. Sara Ashley O'Brien, "Instagram Finally Lets Users Disable Comments," *CNN Business*, December 6, 2016, https://money.cnn.com/2016/12/06/technology/instagram-turn-off-comments/index.html.
12. Eytan Bakshy, Solomon Messing, and Lada A. Adamic, "Exposure to Ideologically Diverse News and Opinion on Facebook," *Science* 348, no. 6239 (June 5, 2015): 1130–32, https://science.sciencemag.org/content/348/6239/1130.abstract.
13. Mark Zuckerberg, "I know a lot of us are thinking . . . ," Facebook, February 16, 2017, https://www.facebook.com/zuck/posts/10154544292806634.
14. Tom LoBianco, "Hill Investigators, Trump Staff Look to Facebook for Critical Answers in Russia Probe," CNN .com, July 20, 2017, https://edition.cnn.com/2017/07/20/politics/facebook-russia-investigation-senate-intelligence-committee/index.html.
15. Sarah Frier, "Instagram Looks Like Facebook's Best Hope," *Bloomberg Businessweek*, April 10, 2018, https://www.bloomberg.com/news/features/2018-04-10/instagram-looks-like-

More Users," *Fortune*, December 11, 2014, https://fortune.com/2014/12/11/twitter-evan-williams-instagram/.

22. "See Mark Seliger's Instagram Portraits from the 2015 Oscar Party," *Vanity Fair*, February 23, 2015, https://www.vanityfair.com/hollywood/2015/02/mark-seliger-oscar-party-portraits-2015.

第8章

1. Casey Lewis, "Kylie Jenner Just Launched an Anti-Bullying Campaign, and We Talked to Her First Star," *Teen Vogue*, September 1, 2015, https://www.teenvogue.com/story/kylie-jenner-anti-bullying-instagram-campaign.
2. Peter Kafka, "Twitter Buys Niche, a Social Media Talent Agency, for at Least $30 Million," *Vox*, February 11, 2015, https://www.vox.com/2015/2/11/11558936/twitter-buys-niche-a-social-media-talent-agency.
3. エドワード・バーニー、著者による電話取材（2019年6月7日）。
4. エドワード・バーニー、著者による取材。
5. Carrie Miller, "How Instagram Is Changing Travel," *National Geographic*, January 26, 2017, https://www.nationalgeographic.com/travel/travel-interests/arts-and-culture/how-instagram-is-changing-travel/.
6. Lucian Yock Lam (@yock7), "#Followmebro," Instagram, December 16, 2015, https://www.instagram.com/p/_WhCG7ISWd/?hl=en.
7. Taylor Lorenz, " 'Instagram Rapture' Claims Millions of Celebrity Instagram Followers," *Business Insider*, December 18, 2014, https://www.businessinsider.com/instagram-rapture-claims-millions-of-celebrity-instagram-followers-2014-12.
8. Max Chafkin, "Confessions of an Instagram Influencer," *Bloomberg Businessweek*, November 30, 2016, https://www.bloomberg.com/news/features/2016-11-30/confessions-of-an-instagram-influencer.

第9章

1. Sean Burch, "Snapchat's Evan Spiegel Says Instagram 'Feels Terrible' to Users," *The Wrap*, November 1, 2018, https://www.thewrap.com/evan-spiegel-snap-instagram-terrible/.
2. Ira Glass, "Status Update," *This American Life*, November 27, 2015, https://www.thisamericanlife.org/573/status-update. 利用許諾取得済み。
3. Glass, "Status Update."
4. Kendall Fisher, "What You Didn't See at the 2016 Oscars: Kate Hudson, Nick Jonas, Lady Gaga and More Take Us Behind the Scenes on Snapchat," *E! News*, February 29, 2016, https://www.eonline.com/fr/news/744642/what-you-didn-t-see-at-the-2016-oscars-kate-hudson-nick-jonas-lady-gaga-and-more-take-us-behind-the-scenes-on-snapchat.
5. Pope Francis (@franciscus), "Pray for me," Instagram, March 19, 2016, https://www.instagram.com/p/BDIgGXqAQsq/?hl=en.
6. Mike Isaac, "Instagram May Change Your Feed, Personalizing It with an Algorithm," *New York Times*, March 15, 2016, https://www.nytimes.com/2016/03/16/technology/instagram-feed.html.
7. Brad Stone and Sarah Frier, "Evan Spiegel Reveals Plan to Turn Snapchat into a Real

'Project Voldemort' Dossier," *Wall Street Journal*, September 24, 2019, https://www.wsj.com/articles/snap-detailed-facebooks-aggressive-tactics-in-project-voldemort-dossier-11569236404.
20. Brad Stone and Sarah Frier, "Facebook Turns 10: The Mark Zuckerberg Interview," Bloomberg.com, January 31, 2014, https://www.bloomberg.com/news/articles/2014-01-30/facebook-turns-10-the-mark-zuckerberg-interview#p2.

第7章

1. ガイ・オセアリー、著者による電話取材（2019年3月20日）。
2. Madeline Stone, "Randi Zuckerberg Has Sold Her Boldly Decorated Los Altos Home for $6.55 Million," *Business Insider*, June 15, 2015, https://www.businessinsider.com/randi-zuckerberg-sells-house-for-655-million-2015-6?IR=T.
3. Kara Swisher, "Exclusive: Randi Zuckerberg Leaves Facebook to Start New Social Media Firm (Resignation Letter)," *All Things D*, August 3, 2011, http://allthingsd.com/20110803/exclusive-randi-zuckerberg-leaves-facebook-to-start-new-social-media-firm-resignation-letter/.
4. エリン・フォスター、著者による電話取材（2019年7月16日）。
5. クリス・ジェンナー、著者による電話取材（2019年5月21日）。
6. Access Hollywood, "Paris Hilton on the Public's Misconception of Her & More (Exclusive)," YouTube video, 3:07, November 30, 2016, https://www.youtube.com/watch?v=ZqqAkp8zKp8&feature=youtu.be.
7. ジェイソン・ムーア、著者による電話取材（2019年4月21日）。
8. ジェイソン・ムーア、著者による取材。
9. ジェイソン・ムーア、著者による取材。
10. クリス・ジェンナー、著者による取材。
11. "Recommendations from Friends Remain Most Credible Form of Advertising Among Consumers; Branded Websites Are the Second-Highest-Rated Form," Nielsen N.V., September 28, 2015, https://www.nielsen.com/eu/en/press-releases/2015/recommendations-from-friends-remain-most-credible-form-of-advertising/.
12. Darren Heitner, "Instagram Marketing Helped Make This Multi-Million Dollar Nutritional Supplement Company," *Forbes*, March 19, 2014, https://www.forbes.com/sites/darrenheitner/2014/03/19/instagram-marketing-helped-make-this-multi-million-dollar-nutritional-supplement-company/#4b317f2f1f2c.
13. クリストファー・ベイリー、著者による電話取材（2019年5月15日）。
14. クリストファー・ベイリー、著者による取材。
15. Fred Graver, "The True Story of the 'Ellen Selfie,' " *Medium*, February 23, 2017, https://medium.com/@fredgraver/the-true-story-of-the-ellen-selfie-eb8035c9b34d.
16. Graver, "The True Story of the 'Ellen Selfie.'"
17. 同上。
18. "The Instagirls: Joan Smalls, Cara Delevingne, Karlie Kloss, and More on the September Cover of Vogue," *Vogue*, August 18, 2014, https://www.vogue.com/article/supermodel-cover-september-2014.
19. アナ・ウィンター、著者による電話取材（2019年3月20日）。
20. Josh Halliday, "Twitter's Tony Wang: 'We Are the Free Speech Wing of the Free Speech Party,'" *The Guardian*, March 22, 2012, https://www.theguardian.com/media/2012/mar/22/twitter-tony-wang-free-speech.
21. Erin Griffith, "Twitter Co-Founder Evan Williams: 'I Don't Give a Shit' if Instagram Has

第6章

1. Dan Rookwood, "The Many Stories of Instagram's Billionaire Founder," *MR PORTER* (2019年 5 月に確認), https://www.mrporter.com/en-us/journal/the-interview/the-many-stories-of-instagrams-billionaire-founder/2695.
2. Osnos, "Can Mark Zuckerberg Fix Facebook?"
3. Antonio Garcia Martinez, "How Mark Zuckerberg Led Facebook's War to Crush Google Plus," *Vanity Fair*, June 3, 2016, https://www.vanityfair.com/news/2016/06/how-mark-zuckerberg-led-facebooks-war-to-crush-google-plus.
4. Colleen Taylor, "Instagram Launches 15-Second Video Sharing Feature, with 13 Filters and Editing," *TechCrunch*, June 20, 2013, https://techcrunch.com/2013/06/20/facebook-instagram-video/.
5. Rob Price and Alyson Shontell, "This Fratty Email Reveals How CEO Evan Spiegel First Pitched Snapchat as an App for 'Certified Bros'," *Insider*, February 3, 2017, https://www.insider.com/snap-ceo-evan-spiegel-pitched-snapchat-fratty-email-2011-certified-bro-2017-2.
6. ジョン・W・シュピーゲル、Munger, Tolles & Olsonに掲載の職務経歴（2018年2月12日に確認）, https://www.mto.com/lawyers/john-w-spiegel.
7. Sam Biddle, " 'Fuck Bitches Get Leid': The Sleazy Frat Emails of Snapchat's CEO," *Valleywag*, May 28, 2014, http://valleywag.gawker.com/fuck-bitches-get-leid-the-sleazy-frat-emails-of-snap-1582604137.
8. J. J. Colao, "Snapchat: The Biggest No-Revenue Mobile App Since Instagram," *Forbes*, November 27, 2012, https://www.forbes.com/sites/jjcolao/2012/11/27/snapchat-the-biggest-no-revenue-mobile-app-since-instagram/#6ef95f0a7200.
9. Colao, "Snapchat."
10. Alyson Shontell, "How Snapchat's CEO Got Mark Zuckerberg to Fly to LA for Private Meeting," *Business Insider*, January 6, 2014, https://www.businessinsider.com/evan-spiegel-and-mark-zuckerbergs-emails-2014-1?IR=T.
11. J. J. Colao, "The Inside Story of Snapchat: The World's Hottest App or a $3 Billion Disappearing Act?," *Forbes*, January 20, 2014, https://www.forbes.com/sites/jjcolao/2014/01/06/the-inside-story-of-snapchat-the-worlds-hottest-app-or-a-3-billion-disappearing-act/.
12. Seth Fiegerman, "Facebook Poke Falls Out of Top 25 Apps as Snapchat Hits Top 5," *Mashable*, December 26, 2012, https://mashable.com/2012/12/26/facebook-poke-app-ranking/.
13. Fiegerman, "Facebook Poke Falls Out of Top 25 Apps."
14. Mike Isaac, "Snapchat Closes $60 Million Round Led by IVP, Now at 200 Million Daily Snaps," *All Things D*, June 24, 2013, http://allthingsd.com/20130624/snapchat-closes-60-million-round-led-by-ivp-now-at-200-million-daily-snaps/.
15. Evelyn M. Rusli, "Instagram Pictures Itself Making Money," *Wall Street Journal*, September 8, 2013, https://www.wsj.com/articles/instagram-pictures-itself-making-money-1378675706.
16. Kurt Wagner, "Instagram's First Ad Hits Feeds Amid Mixed Reviews," *Mashable*, November 1, 2013, https://mashable.com/2013/11/01/instagram-ads-first/.
17. Michael Kors (@michaelkors), "5:15 PM: Pampered in Paris #MKTimeless," Instagram, November 1, 2013, https://www.instagram.com/p/gLYVDzHLvn/?hl=en.
18. Dom Hofmann (@dhof), "ig blocked the #vine hashtag during our first few months," Twitter, September 23, 2019, 4:14 p.m., https://twitter.com/dhof/status/1176137843720314880.
19. Georgia Wells and Deepa Seetharaman, "Snap Detailed Facebook's Aggressive Tactics in

thenextweb.com/apps/2012/06/01/dave-morin-path-to-hit-3m-users-this-week-will-release-ipad-app-this-year/.

7. Edwin Chan and Sarah Frier, "Morin Sells Chat App Path to South Korea's Daum Kakao," Bloomberg .com, May 29, 2015, https://www.bloomberg.com/news/articles/2015-05-29/path-s-david-morin-sells-chat-app-to-south-korea-s-daum-kakao.
8. Harrison Weber, "Path, the Doomed Social Network with One Great Idea, Is Finally Shutting Down," *Gizmodo*, September 17, 2018, https://gizmodo.com/path-the-doomed-social-network-with-one-great-idea-is-1829106338.
9. Evan Osnos, "Can Mark Zuckerberg Fix Facebook Before It Breaks Democracy?," *New Yorker*, September 10, 2018, https://www.newyorker.com/magazine/2018/09/17/can-mark-zuckerberg-fix-facebook-before-it-breaks-democracy.
10. Kurt Wagner, "Facebook's Acquisition of Instagram Was the Greatest Regulatory Failure of the Past Decade, Says Stratechery's Ben Thompson," *Vox*, June 2, 2018, https://www.vox.com/2018/6/2/17413786/ben-thompson-facebook-google-aggregator-platform-code-conference-2018.
11. Chris Hughes, "It's Time to Break Up Facebook," *New York Times*, May 9, 2019, https://www.nytimes.com/2019/05/09/opinion/sunday/chris-hughes-facebook-zuckerberg.html#.
12. April J. Tabor (US Federal Trade Commission), "Letter to Thomas O. Barnett," August 22, 2012, https://www.ftc.gov/sites/default/files/documents/closing_letters/facebook-inc./instagram-inc./120822barnettfacebookcltr.pdf.
13. Robert McMillan, "(Real) Storm Crushes Amazon Cloud, Knocks Out Netflix, Pinterest, Instagram," *Wired*, June 30, 2012, https://www.wired.com/2012/06/real-clouds-crush-amazon/.
14. Jamie Oliver and Kevin Systrom, "Jamie Oliver & Kevin Systrom, with Loic Le Meur - LeWeb London 2012 - Plenary 1," June 20, 2012, YouTube video, 32:33, https://www.youtube.com/watch?v=Pdbzmk0xBW8.
15. Kris Holt, "Instagram Shakes Up Its Suggested Users List," *Daily Dot*, August 13, 2012, https://www.dailydot.com/news/instagram-suggested-users-shakeup/.
16. Oliver and Systrom, "Jamie Oliver & Kevin Systrom, with Loic Le Meur."
17. Brian Anthony Hernandez, "Twitter Confirms Removing Follow Graph from Instagram's 'Find Friends'," *Mashable*, July 27, 2012, https://mashable.com/2012/07/27/twitter-instagram-find-friends/?europe=true.

第5章

1. Systrom, "Tactics, Books, and the Path to a Billion Users."
2. Declan McCullagh, "Instagram Says It Now Has the Right to Sell Your Photos," *CNET*, December 17, 2012, https://www.cnet.com/news/instagram-says-it-now-has-the-right-to-sell-your-photos/.
3. Charles Arthur, "Facebook Forces Instagram Users to Allow It to Sell Their Uploaded Photos," *The Guardian*, December 18, 2012, https://www.theguardian.com/technology/2012/dec/18/facebook-instagram-sell-uploaded-photos.
4. Instagram, "Thank You, and We're Listening," December 18, 2012, Tumblr post, https://instagram.tumblr.com/post/38252135408/thank-you-and-were-listening.

http://www.nbcnews.com/id/15196982/ns/business-us_business/t/google-buys-youtube-billion/#.XX9Q96d7Hox.
3. Alexei Oreskovic and Gerry Shih, "Facebook to Buy Instagram for $1 Billion," *Reuters*, April 9, 2012, https://www.reuters.com/article/us-facebook/facebook-to-buy-instagram-for-1-billion-idUS-BRE8380M820120409.
4. Laurie Segall, "Facebook Acquires Instagram for $1 billion," *CNN Money*, April 9, 2012, https://money.cnn.com/2012/04/09/technology/facebook_acquires_instagram/index.htm.
5. Shayndi Raice, Spencer E. Ante, and Emily Glazer, "In Facebook Deal, Board Was All but Out of Picture," *Wall Street Journal*, April 18, 2012, https://www.wsj.com/articles/SB1000142405270230481840457735019193192l290.
6. Raice, Ante, and Glazer, "In Facebook Deal, Board Was All but Out of Picture."
7. Mike Swift and Pete Carey, "Facebook's Mark Zuckerberg Buys House in Palo Alto," *Mercury News*, May 4, 2011, https://www.mercurynews.com/2011/05/04/facebooks-mark-zuckerberg-buys-house-in-palo-alto/.
8. Aileen Lee, "Welcome to the Unicorn Club, 2015: Learning from Billion-Dollar Companies," *TechCrunch*, July 18, 2015, https://techcrunch.com/2015/07/18/welcome-to-the-unicorn-club-2015-learning-from-billion-dollar-companies/.
9. Julian Gavaghan and Lydia Warren, "Instagram's 13 Employees Share $100M as CEO Set to Make $400M Reveals He Once Turned Down a Job at Facebook," *Daily Mail*, April 9, 2012, https://www.dailymail.co.uk/news/article-2127343/Facebook-buys-Instagram-13-employees-share-100m-CEO-Kevin-Systrom-set-make-400m.html.
10. Derek Thompson, "Instagram Is Now Worth $77 Million per Employee," *The Atlantic*, April 9, 2012, https://www.theatlantic.com/business/archive/2012/04/instagram-is-now-worth-77-million-per-employee/255640/.
11. Alyson Shontell, "Meet the 13 Lucky Employees and 9 Investors Behind $1 Billion Instagram," *Business Insider*, April 9, 2012, https://www.businessinsider.com/instagram-employees-and-investors-2012-4?IR=T.

第4章

1. David Cicilline, "Cicilline to FTC−Time to Investigate Facebook," March 19, 2019, https://cicilline.house.gov/press-release/cicilline-ftc-%E2%80%93-time-investigate-facebook.
2. Jonathan Stempel, "Facebook Settles Lawsuit Over 2012 IPO for $35 Million," *Reuters*, February 26, 2018, https://www.reuters.com/article/us-facebook-settlement/facebook-settles-lawsuit-over-2012-ipo-for-35-million-idUSKCN1GA2JR.
3. Danielle Kucera and Douglas MacMillan, "Facebook Investor Spending Month's Salary Exposes Hype," Bloomberg.com, May 24, 2012, https://www.bloomberg.com/news/articles/2012-05-24/facebook-investor-spending-month-s-salary-exposes-hype.
4. Josh Constine, "FB Launches Facebook Camera: An Instagram-Style Photo Filtering, Sharing, Viewing iOS App," *TechCrunch*, May 24, 2012, https://techcrunch.com/2012/05/24/facebook-camera/.
5. UK Office of Fair Trading, "Anticipated Acquisition by Facebook Inc of Instagram Inc," August 22, 2012, https://webarchive.nationalarchives.gov.uk/20140402232639/http://www.oft.gov.uk/shared_oft/mergers_ea02/2012/facebook.pdf.
6. Matthew Panzarino, "Dave Morin: Path to Hit 3M Users This Week, Will Release iPad App This Year, But Not For Windows Phone," *The Next Web*, June 1, 2012, https://

16. Stewart Butterfield and Caterina Fake, "How We Did It: Stewart Butterfield and Caterina Fake, Cofounders, Flickr," *Inc.*, December 1, 2006, https://www.inc.com/magazine/20061201/hidi-butterfield-fake.html.
17. Bilton, Hatching Twitter, 120.
18. Nicholas Carlson, "Here's the Email Zuckerberg Sent to Cut His Cofounder Out of Facebook," *Business Insider*, May 15, 2012, https://www.businessinsider.com/exclusive-heres-the-email-zuckerberg-sent-to-cut-his-cofounder-out-of-facebook-2012-5?IR=T.
19. Systrom, "Tactics, Books, and the Path to a Billion Users."
20. "Full Transcript: Instagram CEO Kevin Systrom on Recode Decode," *Vox*, June 22, 2017, https://www.vox.com/2017/6/22/15849966/transcript-instagram-ceo-kevin-systrom-facebook-photo-video-recode-decode.
21. Kara Swisher, "The Money Shot," *Vanity Fair*, May 6, 2013, https://www.vanityfair.com/news/business/2013/06/kara-swisher-instagram.
22. M. G. Siegler, "Apple's Apps of the Year: Hipstamatic, Plants vs. Zombies, Flipboard, and Osmos," *TechCrunch*, December 9, 2010, https://techcrunch.com/2010/12/09/apple-top-apps-2010/.
23. Steve Dorsey (@dorsey), "@HartleyAJ Saw that and thought it was remarkable (but wasn't sure what to call it). Thanks, WX-man! :)," Twitter, November 9, 2010, https://web.archive.org/web/20101109211738/http://twitter.com/dorsey.

第2章

1. ダン・ルービン、著者による電話取材（2019年２月８日）。
2. M. G. Siegler, "Beyond the Filters: Brands Begin to Pour into Instagram," *TechCrunch*, January 13, 2011, https://techcrunch.com/2011/01/13/instagram-brands/?_ga=2.108294978.135876931.1559887390-830531025.1555608191.
3. Siegler, "Beyond the Filters."
4. M. G. Siegler, "Snoopin' on Instagram: The Early-Adopting Celeb Joins the Photo-Sharing Service," *TechCrunch*, January 19, 2011, https://techcrunch.com/2011/01/19/snoop-dogg-instagram/.
5. Chris Gayomali, "Justin Bieber Joins Instagram, World Explodes," *Time*, July 22, 2011, http://techland.time.com/2011/07/22/justin-bieber-joins-instagram-world-explodes/.
6. Nicholas Thompson, "Mr. Nice Guy: Instagram's Kevin Systrom Wants to Clean Up the &#%$@! Internet," *Wired*, August 14, 2017, https://www.wired.com/2017/08/instagram-kevin-systrom-wants-to-clean-up-the-internet/.
7. M. G. Siegler, "The Latest Crazy Instagram Stats: 150 Million Photos, 15 per Second, 80% Filtered," *TechCrunch*, August 3, 2011, https://techcrunch.com/2011/08/03/instagram-150-million/.
8. Protection for private blocking and screening of offensive material, 47 U.S. Code § 230 (1996).

第3章

1. ダン・ローズ、著者による取材（2018年12月18日）。フェイスブック本社にて。
2. Associated Press, "Google Buys YouTube for $1.65 Billion," *NBC News*, October 10, 2006,

原　注

第1章

1. Charlie Parrish, "Instagram's Kevin Systrom: 'I'm Dangerous Enough to Code and Sociable Enough to Sell Our Company,'" *The Telegraph*, May 1, 2015, https://www.telegraph.co.uk/technology/11568119/Instagrams-Kevin-Systrom-Im-dangerous-enough-to-code-and-sociable-enough-to-sell-our-company.html.
2. Kevin Systrom, "How to Keep It Simple While Scaling Big," interview by Reid Hoffman, *Masters of Scale*, ポッドキャストオーディオ（2018年9月7日に確認）, https://mastersofscale.com/kevin-systrom-how-to-keep-it-simple-while-scaling-big/.
3. Parrish, "Instagram's Kevin Systrom."
4. D. C. Denison, "Instagram Cofounders' Success Story Has Holliston Roots," *Boston Globe*, April 11, 2012, https://www.bostonglobe.com/business/2012/04/11/instagram-cofounder-success-story-has-holliston-roots/PzCxOXWFtfoyWYfLKRM9bL/story.html.
5. Systrom, "How to Keep It Simple."
6. Kevin Systrom, "Tactics, Books, and the Path to a Billion Users," interview by Tim Ferriss, *The Tim Ferriss Show*, ポッドキャストオーディオ（2018年9月7日に確認）, https://tim.blog/2019/04/30/the-tim-ferriss-show-transcripts-kevin-systrom-369/.
7. Michael V. Copeland and Om Malik, "Tech's Big Comeback," *Business 2.0 Magazine*, January 27, 2006, https://archive.fortune.com/magazines/business2/business2_archive/2005/11/01/8362807/index.htm.
8. Nick Bilton, *Hatching Twitter: A True Story of Money, Power, Friendship, and Betrayal* (New York: Portfolio, 2014), 121.（『ツイッター創業物語』伏見威蕃訳、日本経済新聞出版、2014年）
9. Murad Ahmed, "Meet Kevin Systrom: The Brain Behind Instagram," *The Times*, October 5, 2013, https://www.thetimes.co.uk/article/meet-kevin-systrom-the-brain-behind-instagram-p5kvqmnhkcl.
10. Steven Bertoni, "Instagram's Kevin Systrom: The Stanford Billionaire Machine Strikes Again," *Forbes*, August 1, 2012, https://www.forbes.com/sites/stevenbertoni/2012/08/01/instagrams-kevin-systrom-the-stanford-millionaire-machine-strikes-again/#36b4306d45b9.
11. Kevin Systrom, "Billion Dollar Baby," interview by Sarah Lacy, Startups.com, July 24, 2017, https://www.startups.com/library/founder-stories/kevin-systrom.
12. Bertoni, "Instagram's Kevin Systrom."
13. Alex Hern, "Why Google Has 200M Reasons to Put Engineers over Designers," *The Guardian*, February 5, 2014, https://www.theguardian.com/technology/2014/feb/05/why-google-engineers-designers.
14. Jared Newman, "Whatever Happened to the Hottest iPhone Apps of 2009?," *Fast Company*, May 31, 2019, https://www.fastcompany.com/90356079/whatever-happened-to-the-hottest-iphone-apps-of-2009.
15. クリス・ディクソン、Andreesen Horowitzに掲載の略歴（2019年9月18日に確認）, https://a16z.com/author/chris-dixon/.

著者紹介

サラ・フライヤー (Sarah Frier)

ブルームバーグ誌シニア記者。サンフランシスコを拠点にフェイスブック、インスタグラム、ツイッター等の創業者らを取材し、巻頭記事を多数執筆。彼女のフェイスブック取材記事は同社CEOマーク・ザッカーバーグを召喚した米議会公聴会でも引用され、大きな反響を呼んだ。本書『インスタグラム』は、初の単著ながら英語圏の名だたる報道機関の年間ベストブック賞を受賞し、世界20か国語で刊行が決定している。

訳者紹介

井口耕二 (いのくち・こうじ)

翻訳者。東京大学工学部卒、米国オハイオ州立大学大学院修士課程修了。大手石油会社勤務を経て技術・実務翻訳者として独立。主な訳書にアイザックソン『スティーブ・ジョブズ』『イノベーターズ』(共に講談社)、ガロ『スティーブ・ジョブズ 驚異のプレゼン』、ストーン『ジェフ・ベゾス 果てなき野望』(共に日経BP)、レビー『PIXAR』(文響社)、パリサー『フィルターバブル』(早川書房)他。

装幀……………………… 水戸部功
本文デザイン・DTP ….. 朝日メディアインターナショナル
校正……………………… 鷗来堂
営業……………………… 岡元小夜・鈴木ちほ・多田友希
進行管理………………… 中野薫・小森谷聖子・高橋慧
編集……………………… 富川直泰

インスタグラム
——野望の果ての真実

2021年7月7日　第1刷発行

著者…………サラ・フライヤー

訳者…………井口耕二

発行者………金泉俊輔

発行所………株式会社ニューズピックス

〒106-0032 東京都港区六本木 7-7-7 TRI-SEVEN ROPPONGI 13F
電話 03-4356-8988 ※電話でのご注文はお受けしておりません。
FAX 03-6362-0600 FAXあるいは下記のサイトよりお願いいたします。
https://publishing.newspicks.com/

印刷・製本……シナノ書籍印刷株式会社

ISBN 978-4-910063-18-8

本書に関するお問い合わせは下記までお願いいたします。
np.publishing@newspicks.com

希望を灯そう。

NEWS PICKS
PUBLISHING

「失われた30年」に、
失われたのは希望でした。

今の暮らしは、悪くない。
ただもう、未来に期待はできない。
そんなうっすらとした無力感が、私たちを覆っています。

なぜか。
前の時代に生まれたシステムや価値観を、今も捨てられずに握りしめているからです。

こんな時代に立ち上がる出版社として、私たちがすべきこと。
それは「既存のシステムの中で勝ち抜くノウハウ」を発信することではありません。
錆《さ》びついたシステムは手放して、新たなシステムを試行する。
限られた椅子を奪い合うのではなく、新たな椅子を作り出す。
そんな姿勢で現実に立ち向かう人たちの言葉を私たちは「希望」と呼び、
その発信源となることをここに宣言します。

もっともらしい分析も、他人事のような評論も、もう聞き飽きました。
この困難な時代に、したたかに希望を実現していくことこそ、最高の娯楽《エンタメ》です。
私たちはそう考える著者や読者のハブとなり、時代にうねりを生み出していきます。

希望の灯を掲げましょう。
1冊の本がその種火となったなら、これほど嬉しいことはありません。

令和元年
NewsPicksパブリッシング 編集長
井上 慎平